명기자, 명데스크 못다한 뒷 이야기 ㉞

취재현장의 목격자들+

이 도서의 국립중앙도서관 출판예정도서목록(CIP)은 서지정보유통지원시스템 홈페이지(http://seoji.nl.go.kr)와 국가자료공동목록시스템(http://www.nl.go.kr/kolisnet)에서 이용하실 수 있습니다. (CIP 제어번호 : CIP2017030030)

명기자, 명데스크 못다한 뒷 이야기 ㉞

취재현장의 목격자들+

이 책은 한국언론진흥재단의 출판사업지원금으로 제작되었습니다.

이 병 대
(대한언론인회 회장)

대한언론인회는 40여 연륜을 다져온 원로언론인들의 사단법인 단체입니다.

일제시대 때 항일지사(抗日志士)적 시각에서 뉴스를 다루고 행동했던 분들을 비롯하여 건국과 산업화 그리고 민주화과정에서 수많은 역사의 장을 기록했던 분들까지 우리나라 원로 저널리스트들 거의 대부분이 회원인데 자격은 중앙일간지 또는 방송기자 통신사 기자로 10년 이상 경력자를 그 자격 요건으로 하고 있습니다. 그동안 많은 분들이 이미 타계 한 바 있으나 후배들이 잇달아 입회하여 6백여 명의 수준은 항시 유지하고 있습니다. 지금까지 타계했거나 생존한 회원들이 쓴 글들을 '취재현장의 목격자들' 이란 타이틀로 6집까지 상재 한 바 있고 이번에 7집을 다시 발간하게 된 것입니다.

이번에 실린 34편의 글들은 필자들이 현장에서 겪고 느꼈던 일들을 진솔하게 표현하고 있어서 독자들은 글 속의 그날 그때를 다시금 되새겨 보는 재미도 느낄 수 있을 것입니다.

이번 책 출간에 도움을 주신 한국언론진흥재단 민병욱 이사장에게 감사의 말씀을 드립니다. 그리고 유자효 간행위원장 등 관계자 여러분과 청미디어출판사 신동설 사장에게도 깊은 감사의 말씀을 드립니다.

2017. 11.

목 차

명기자, 명데스크 못다한 이야기 ㉞

취재현장의 목격자들+

못난 나무가 산을 지킨다

> 대한일보 폐간 30주년을 맞아 '그래도 기자는 남아 역사를 증언하리라'는 신념으로 '퇴역 기자의 마지막 변(辯)'을 남겼다.
>
> **강승훈(姜勝勳)**

전 국사편찬위원장 이만열 교수의 저서 '역사의 중심은 나다'에서 "역사의 주인공은 특별한 영웅이 아니며 오늘을 사는 바로 나이다. 단순한 영리만 보고 사는 내가 아니다. 좀 더 주체적으로 사회를 이해하고 삶을 이끌어 간다면 아무나 역사의 주인공이다."라는 지적에 크게 용기를 얻어 이 글을 쓴다.

돌이켜 보니 시경, 법조, 체신, 내무, 시청, 보사부 등 출입 기자로 정열을 불태우던 때가 엊그제 같다. '기자는 가도 기사는 남는다'고 그 옛날 취재 현장을 누볐던 기자들은 백발이 성성한 노년기에 접어들었지만 그들이 쓴 기사들은 생생하게 살아 숨 쉬고 있다.

나 역시 폐업한 노기자 중의 한 사람이지만 한때는 '민권의 선양자'로, '강자와 겨루는 약자의 수호자'가 되어 부정과 사회악과 맞서 싸웠던 젊은 날이 있었다.

신문 윤전기 고동(鼓動) 따라 정열을 불태워

기자 초년병 시절 내가 발로 뛰며 취재한 기사들은 헤아릴 수 없을 정도로 많다. '거리의 르포', '추적 24시간', '봄을 기다리는 사람들' 등 지금 생각하니 어떻게 그 많은 르포 기사를 썼던가, 정말 꿈만 같다. 한때는 '서울의 영선지대'(8회, 중앙방송 KBS 아나운서 낭독), '거리의 10대'(5회)는 엄청난 화제를 불러일으켰던 것으로 기억된다. '대한제분 부정사건(특종)', '고재봉의 가면을 벗긴다', '가난한 기자들에게도 집을– 김현옥 서울 시장에게 드리는 공개장(기자촌 500세대 건설)' '매스컴과 아시아 발전의 열쇠(동남아를 시찰하고)', '한강의 기적', '경찰 기자의 자세(기협회보)', '기협의 조직 강화 문제(기협회보)', '민족의 대동맥 서울대교', '세계 속의 수도, 약진 서울', '동트는 새마을', '내일의 한국–그 좌표', '기자는 가도 기사는 남는다(기협회보)' 등 해묵어 빛바랜 스크랩북을 들추니 만감이 교차한다.

신문은 가도 기자들은 살아

대한일보의 폐간, 나로서는 평생 잊지 못할 일대 사건이다. 권력에 떠밀려 강제 폐간된 대한일보가 청천(晴天) 깃발을 내린 지 어느덧 38년– 4·19 직후 민주화 시대를 맞아 1960년 10월 19일 창간된 대한일보(전 평화신문)는 1973년 5월 15일 지령 8,622호를 끝으로 종간의 비운을 맞았다. 그날 우리 대한일보 기자들은 한국 언론계의 증인으로 반드시 재결합한다는 결의를 다지고 회사 문을 나섰다.

그 후 신문은 사라졌지만 뿔뿔이 흩어진 기자들은 언론계, 학계를 비롯해 정치, 사회, 문화 등 각 분야에서 괄목할만한 활동을 해왔다. 특히 자랑스러운 것은 대한일보 출신 33명이 각 언론사의 편집국장, 보도국장을 비롯하여 논설위원 등 중견 언론인으로 크게 활약했다는 사실이다. 언론 학자인 정진석 교수(외국어대 명예교수)는 "신문의 가시적인 존재는 사라졌지만 대한일보의 역사는 계속되고 있다."고 증언하였다

대한일보 폐간 30주년을 맞아 펴낸 '신문은 가도 기자는 살아 있다'에서 나는 '그래도 기자는 남아 역사를 증언하리라'는 신념으로 '기자 불명예 제대-퇴역 기자의 마지막 변(辯)'이란 글을 남겼다. 지금도 대한일보 폐간은 있을 수 없는 권력의 횡포라는 생각에 변함이 없다.

'한라의 메아리' 해암소년(海岩少年)

제주도가 고향인 나는 제주도에 관해 많은 글을 썼다. '제주도 생명 산업 어떻게 살릴 것인가? - 지역 발전과 지방 자치의 역할', '약동하는 3대 지표' 제시를 비롯하여 '우리의 피는 용기다', '우리의 땀은 노력이다', '우리의 눈물은 정신이다', '천혜의 땅 제주도에 새 빛을…' 등 그 글 제목들에 함축된 나의 제주 사랑은 남달랐다.

신문사를 그만두고 제주도에서 보낸 나날도 내가 제주도에서 불태운 고향 사랑의 정수 그것이었다고 자부한다. 제주도 토양에서만 생산되는 감귤 종류의 약나무(당유자, 唐油子)를 재배한 일이라든지 제주 개발의 꿈, 제주 관광 종합 계획 마련도 큰 보람이었다.

'한라 영봉에 메아리칠 때(제주신문)', '아시아 속의 한라'(5회) '망향

에세이', '한라의 맥동(7회)', '한라의 메아리'(10회) 모두가 제주 사랑의 진수를 일깨워주고 있다. '아시아 태평양 시대로 가는 천혜의 땅', '동 트는 성산 일출봉에 떠오르는 태양', '제주도 감귤은 오늘도 노랗게 영글고', '맑은 햇살은 태평양을 넘어', '지구촌에 희망과 승리의 아침을 열어주지 않는가' 등 지금 생각해도 제주도 사랑에 불타 있었던 내가 자랑스럽다. 제주도는 누가 뭐래도 천혜의 땅이라는 생각에 변함이 없다.

얼마 전 타계한 전 국회의원 조세형은 내가 쓴 '新聞街道- 한라의 메아리'란 책에서 '강승훈은 제주도 출신의 정직한 언론계 후배입니다.', '강승훈은 제주인임을 자랑하고 자부심을 갖고 성찰합니다.'라고 했고, 국회의원 정대철은 '사람이 있을 때 존경하고 없을 때 칭찬하며 어려울 때 도와주는 믿음과 의리의 실천하는 지성인이요, 정직한 동지'라고 칭찬했다.

나는 한때 통합민주당 남제주군 후보로 정치에 뛰어 들었다. 그 당시 통합민주당 김대중 대표최고위원은 나를 지원하는 연설에서 "제주도의 발전에 대한 확고한 철학과 정책을 가지고 제주의 미래를 밝게 할 것"이라고 역설했다. '민주당 선거 캠페인에 동참합시다.', '기권하지 맙시다.', '돈을 거부합시다.'를 목이 터져라 외치며 깨끗한 선거를 주창했지만 낙선으로 쓰디쓴 고배를 마셨던 일도 엊그제 같다.

잊지 못할 고 박성환 선배

고 박성환(전 조선일보 사회부장) 선배는 기자들과 술잔을 기울일 때마다 늘 "신문 기자는 뉘앙스와 위트가 있어야 한다. 기자는 언제나 가슴을 활짝 열고(open heart) 현장 취재에 임하라. 퓰리처(Joseph. Pulitzer)가 누구인가… 자유의 여신상을 세운 퓰리처 언론상의 주역을 모른다면 당장 신문 기자 집어 치워라."라고 역설하곤 했다.

그가 항상 엷은 색안경 사이로 사팔눈을 번쩍일 때는 상대방을 압도하면서 긴장케 했다. 퓰리처는 헝가리 출신으로 10대 후반에 미국으로 건너와 무일푼의 노숙자에서 투고 하나로 일약 신문 기자로 발탁되고, 신문에 대한 열정과 노력으로 1만부짜리 뉴욕 월드(New York World)를 인수, 1년 만에 100만 명의 독자를 확보하는 기적을 일구어 냈다.

그는 미국 독립 100주년을 맞아 평등과 아메리칸 드림의 상징인 '자유의 여신상'을 세웠는가 하면, 전 세계적 권위를 자랑하는 '퓰리처상'을 제정하여 매스컴 발전에 획기적인 기여를 하였다. 한국은 어찌하여 퓰리처 같은 위대한 신문 기자가 탄생하지 못하는가. 다행히 필자는 박성환 선배의 총애를 받으면서 말단 기자로서 대기자들만 출입하는 시경 출입 기자로 활약한 바 있어 지금도 박성환 선배의 태산 같은 은혜에 감사하고 있다.

자유당 시절 '비상통감(非常通監)'이란 증명으로 신분을 보장받는 시경 기자로 약진하면서 사건과 신문 기자와 술과 홍등가의 현장을 누비면서 연예계의 왕초 임화수(평화극장 대표), 자유당 정치깡패 유지광(화랑동지회), 명동 시공관 일대 이화룡 두목, 대한실업인회 보스 홍영철 등 서울 장안의 조직 폭력 패거리들의 일거수일투족을 샅샅이 파헤치며 일명 고슴도치 기자로 취재원을 넓혔던 기억이 아직도 생생하다. 그러던 차 5 · 16이 터지고 계엄령이 발동한 사태로 얼룩지던 어느 날 신문사 백완(白椀) 상무로부터 호출이 떨어졌다. 백 상무실에서 처음으로 백경순(白京順, 김연준 한양대 총장 부인) 여사를 소개받았고, 이 자리에서 강 기자가 조선일보 박성환 사회부장과 친숙한 관계이니 그 분을 우리 신문사로 모셔올 수 없겠느냐는 제의를 받았다.

그 길로 즉시 조선일보로 박성환 사회부장을 찾아갔다.(당시 조선일보 편집국장 송지영) 박성환 사회부장은 필자를 향해 사팔눈을 번쩍이며 "강 기자, 잘 있나? 어쩐 일로 남의 신문사에 왔는가?"고 의아하다는 듯 질문을 던졌다.

"박성환 부장님을 대한일보 편집국장으로 모시겠답니다."고 말을 맺기도 전에 너털웃음을 지으면서 지금은 바쁘니 저녁에 집으로 오라고 하였다. 필자는 이날 저녁 인왕산 자락에 위치한 통인동 한옥집을 방문했으나 박 부장은 퇴근 전이었다.

우선 자당(慈堂)께 정중히 큰절로 인사를 올린 후 박 부장이 대한일보 편집국장으로 오실 수 있도록 도와 달라고 간곡하게 청원을 드렸다.

박 부장 모친은 "박 부장이 좋아하는 강 기자 부탁인데 들어주겠지." 하면서 긍정적으로 말씀해 주셨다. 그때 박 부장이 들어오면서 "나도 김연준 사장과 같은 고향 출신인데 대한일보는 못 갈 사정이 있으니 그냥 돌아가."라며 한마디로 거절하였다. 그때 박 부장 자당께서 "강 기자 얼마나 착하냐."며, 다시 한 번 생각해 보라고 권유하였다.

평소 효심이 지극한 박 부장은 멋쩍은 표정을 지으면서 "강 기자가 소원이라면 3년 치 월급 미리 내라고 해…"라며 농반 반 진담 반으로 수락했다. 필자는 그길로 백 상무에게 보고하였고 드디어 1961년 10월 중순 박성환 선배가 대한일보 제2대 편집국장으로 취임하기에 이르렀다.

박성환 편집국장은 매사를 전광석화처럼 빠르게 처리하는 괴력의 소유자이면서 필자에게는 다정다감한 너무나 인간적인 스승이었다. 언젠가 일본신문협회 초청으로 이강현(한국 기자협회 초대회장) 선배와 함께 현해

탄을 건너 동경 뉴재팬호텔에서 박 국장을 잠시 조우한 적이 있었는데 회포도 풀지 못한 채 바로 헤어진 후 다시 뵙지 못하던 중 졸지에 일본에서 세상을 떠나셨다는 소식을 듣고 참으로 아쉽고 서글픈 심정을 금할 길이 없었다.

영원한 사회부장 오소백

나는 오소백 선배를 두 번씩이나 모시는 행운아였다. 박성환 국장이 최고회의 의장 고문으로 자리를 옮기고 명 편집장으로 알려진 권일하(權一河)씨가 제3대 편집국장으로 부임함과 동시에 편집상무 고제경(전 서울신문 편집국장), 편집부국장 겸 사회부장 오소백 선배 등 대한일보는 도약을 위한 새로운 편집 진영을 구축하였다.

1963년 여름 전국적으로 식량 위기가 닥쳤다. 정부는 재난을 극복하는 시책으로 제분업자로 하여금 1 · 2등급 밀가루 생산을 중단하고 도정률 85%로 단일화 생산토록 하여 일반 국민들에게 균등한 배급제를 실시하기로 방침을 세웠다.

그런데 동사무소별로 배급된 3등급 밀가루가 변질되어 도처에서 식중독 사건이 일어나는 사태가 발생하였다. 필자는 경찰 수사를 확인하기가 바쁘게 현장 취재를 감행하여 대한일보 가판 사회면 톱 특종 기사로 보도하였다. 뒤늦게 안 각 신문사는 발칵 뒤집혔고 경찰은 정식으로 수사에 착수했다. 그런데 웬일인지 밀가루 부정사건 시내판 속보 기사가 빠져 버렸다.

필자는 즉시 본사로 달려가서 오소백 사회부장에게 "이런 중대한 특종 기사를 어떻게 시내판 속보 기사에서 묵살할 수가 있습니까? 오소백 사회부장마저 이런 식으로 나오면 기자 그만 두겠습니다."라고 편집국이 발칵 뒤집힐 정도로 큰소리로 항의한 후 문을 박차고 시경 기자실로 돌아왔다. 그때 바로 직통 경비 전화를 통해 본사 상무실에서 긴급 출두하라는 명이 떨어졌다. 필자는 '오늘로 신문 기자도 끝장이구나.' 하고 자조하면서 상무실로 들어섰다.

상무실에서는 김연준 사장이 날카로운 눈매로 나를 바라보면서 "자네가 강 기자인가? 왜 다른 신문들은 가만히들 있는데 자네는 누굴 믿고 혼자 날뛰는가?" 하였다. 필자는 갑자기 열이 올라 피가 거꾸로 솟구쳤다. 필자는 바로 대답했다. "알겠습니다. 신문사 그만두겠습니다. 그러나 할 말은 하고 그만 두겠습니다. 신문 기자가 총칼에 짓밟히고 권력에 눌리고 선량한 시민들을 식중독으로 내모는 재벌에까지 눈을 감으라면 기자는 누구를 상대로 무엇을 쓰라는 것입니까? 당장 사장님께 사표를 내겠습니다." 하고 돌아서는데 "어이 강 기자, 나 좀 보소." 하고 부르더니 그때까지 침묵하고 있던 고제경 편집상무, 권일하 편집국장, 오소백 사회부장 등을 향해 "저 강 기자 용감하지 않습니까? 나도 이한원만큼 돈 있습니다. 지가 이 정권에서 세도가 있으면 얼마나 있다고… 저 강 기자 같은 용감한 기자가 있기에 신문사 할 용기가 생깁니다. 여러분 저 강 기자 도와주도록 하시오." 하고 단호하게 말했다.

그때까지 김 사장 눈치만 보던 간부들도 안도하면서 나를 바라보았다. 나는 감격의 눈물을 흘리면서 김연준 사장에게 큰 절을 올렸다. 오소백 사회부장을 본부장으로 내무, 농림, 시청 등 관계 부처 출입 기자들로 특별 취재본부를 구성, 1주일 만에 농림부에서 대한제분에 배정되는 잉여 농산물 원맥이 중단되었다.

한편 동아일보 경제부차장 김동훈(金東熏) 선배는 저녁 마감 시간에 대한일보 오소백 사회부장과 만난 자리에서 강 기자가 공화당 창당 자금줄인 이한원 대한제분 사장을 상대로 KO 펀치를 날려 농림부 기자실로 가져온 돈다발도 되돌려 보내고 동아일보도 특집 기사로 보도했다면서 강 기자가 어떻게 생겼는지 얼굴이나 한 번 보고 싶다고 하여 한바탕 웃었다.

얼마 후에 안 일이지만 김연준 총장과 이한원 사장과는 친숙한 사이로 당시 시청 앞의 대한일보 건물(현 23층 프레지던트호텔)도 대한제분 소유 건물을 매입한 것이다. 이 사건으로 인하여 김연준 사장에 대한 신뢰와 존경심이 더욱 커졌다. 1963년도 밀가루 부정사건은 기획 취재 일주일 만에 미국에서 원조한 잉여 농산물 원맥 지원이 중단되었고 훗날 3분 부정사건으로 크게 확대되는 단초가 되었다.

우리 시대의 언관(言官), 사관(史官) 巨人 千寬宇

나는 올해 후석 천관우 선생 추모 문집 간행을 주도하는 기쁨에 시간가는 줄을 몰랐다. 간행위원장으로 전설적인 사회부장 이혜복(전 동아일보 사회부장, KBS 해설주간) 선배를 모시고 언론계 남시욱(전 문화일보 사장, 세종대 석좌교수), 사학계 민현구(전 고려대 사학과교수), 민주화 특위 권도홍(전 동아일보 편집부장, 주부생활 부사장), 언론학계 정진석(외국어대 명예교수), 대한언론인회 홍원기 회장, 편찬 집행 이병대(전 동아일보 · KBS 보도제작국장), 편집주간 맹태균(전 청주대 교수)씨를 비롯해서 남재희(전 국회의원 · 노동부장관), 손세일(전 국회의원), 이부영(전 국회

의원) 등 천관우 선생과 시대를 함께 했던 언론 후배 그리고 사학계의 후학, 민주화 운동의 동지 등 62명의 이름 있는 각수(刻手)들이 저마다 따르고[追] 기리는[慕] 마음으로 '우리 시대의 言官史官一巨人 千寬宇' 추모 문집을 간행하니 이 얼마나 자랑스럽고 보람 있는 일인가.

강승훈 | 1935년 5월 23일생, 대한일보 사회부 차장, 편집부국장, 기획실장, 한국 기자협회 부회장, 서울언론인클럽 회장

언론 · 언론인의 길

여러 가지 잘못된 정부 정책들 폭로 · 시정 촉구
군부 탈선 보도했다가 불법 납치, 모진 고문 당하기도

권도호

《그것은 차라리 살아있는 유령이 만들어 낸 악몽이라면 감수할 수도 있다. 그러나 썩어있는 유령이 내뱉는 악취와 발악 앞에는 오직 필탄으로 정화 작업을 할 수밖에 없다. 불법자의 무리들이여, 정의의 필탄을 겁내기에 앞서 하늘을 우러러 떳떳하고 땅에 엎드려 부끄럽지 않을 자기의 양심을 살려라.》

1965년 9월 15일자 한국신문 기자협회보 제7호에 실린 나의 수기(手記) 앞글이다.

군 장성이 취중에 경찰에서 저지른 심한 탈선행위를 군부 측의 적극적인 수습 교섭을 거부하고 경향신문에 보도했던 내가 군 기관에 불법 납치되어 당한 모진 고문 상처를 치료 중인 병상에서 쓴 글이었다.

대판 신문 4개면 규격의 월간으로 발행되던 당시의 기협회보는 2면 상단에 「金海警察署 軍人亂入事件」 『記者暴行… 그 顚末』이란 큰 주 제목 아래 전면을 세로로 3칸으로 나눠 가운데 칸에 사건 당사자인 내가 자의적,

주관적으로 쓴 수기를 관련 사진과 함께 실었다.

또 수기 왼쪽 옆 칸엔 한국신문편집인협회와 한국기자협회 공동 대표 조사단이 관련 군부 등을 현지 조사한 보고서가, 수기 오른쪽 옆 칸엔 기협회보가 취재 정리한 사건 경위가 각각 전단으로 실려 나의 경향신문 보도 기사와 기협회보 수기의 정당성을 입증해 주었다.

밤중에 우리 집을 포위하고 담을 넘어 침입한 10여명의 무장한 군 기관원들에게 잠자리에서 납치돼 갔던 나는 밀폐된 고문실에서 빨갱이 운운하며 허위 자백을 강요당하면서 몽둥이로 몸통을 무자비하게 수 없이 맞아 늑골이 부러지고 기절하는 등 모진 고문 상처를 입었다.

이 사건은 납치 당일부터 내가 '무장 괴한들에게 납치되어 행방불명됐다' 는 신문, 방송의 빗발치는 보도와 아울러 국회에서 정치 문제로까지 시끄러워져 군부 관계자들이 지위 고하를 가리지 않고 구속 · 해직 등 응분의 처벌을 받게 됐었다.

그러나 피해자인 나는 납치 당일 오후 당황한 군부의 돌변한 대접을 받으며 풀려났으나 육체적, 정신적으로 너무도 크고 오랜 후유증을 겪었다.

경향신문사는 나를 대학병원 최고급 병실에서 6개월여 동안 입원 및 통원 진료를 받게 해줬으나 퇴원 후에도 나는 몸통이 심하게 조이면서 등허리를 찢기는 듯한 아픔이 계속돼 1년 반 동안이나 신문사 일을 못했다.

이때에 나는 김형준 시, 홍난파 곡 '봉선화' 가곡 3절을 수없이 부르면서 지냈다.

〈북풍한설 찬바람에 네 형체가 없어져도/평화로운 꿈을 꾸는 너의 혼은 예있으니/화창스런 봄바람에 환생키를 바라노라〉

1년 반 뒤 복직을 한 후에도 나는 늘 '파사현정' 의 신념을 놓치지 않고 특히 정부의 잘못된 여러 가지 정책들을 명백한 근거를 들어 보도하여 시정을 촉구했었다. 그 때문이었을까? 나는 정부에서 주는 기자 면허증 같은 보도증(속칭 Press Card)을 못 받아 편집국 내근을 하거나 보도증이 없어도 되는 주간지 취재부에서 오랜 세월동안 일하기도 했다. 또한 당국의 기자 근무 지역 제한 조치로 여러 곳을 옮겨 다니는 등의 어려움도 많이 겪었다. 그러나 경향신문사는 나와 관련된 많은 외압을 겪으면서도 나를 말석에서나마 정년까지 보호해줬다.

지금까지도 기억되는 정부 정책 관련 경향신문 보도 기사들을 몇 가지만 들어보면 다음과 같다.

▶ 60년대 중반 발전을 과시하던 우리 정부가 정책상의 세입 · 세출 예산 집행 과정에서 세입 목표 미달로 세출 사업 집행이 어렵게 되자 당국자들이 곤란한 입장을 모면하기 위해 법인 업체들에게 다음 해에 낼 세금을 미리 내도록 강요했었다. 이 사실을 한 지방 국세청에서 알게 된 나는 당국자들의 만류에도 사회면에 크게 보도했다. 조상징수로 일컬어지는 이 같은 무리한 시책은 당한 업체들이 당연히 응분의 보상을 바랄 것이고 당국도 마땅히 보상을 고려해야 할 처지인데다 다음 해엔 미리 거둔 세금 때문에 세수 사정이 더욱 어려워지는 악순환적인 심각한 문제인 것이었다.

▶ 70년대의 한 선거에서 저질러진 부정사건을 현지 경찰서 관련 간부에게 정확한 내용을 취재하여 사회면 머리기사로 보도했었다.

보도 당일 나는 모 권력 기관 언론 담당관에게 불려갔으나 대기실에서만 한 시간쯤 앉아 있다가 별다른 말도 못 듣고 풀려났다. 짐작컨대 언론

담당관이 자기 입장을 세우기 위해 나를 불러들였으나 윗선의 지시로 그대로 돌려보내줬던 것 같이 느껴졌었다.

▶ 군사 정부 시절 문교부 장관이 각급 학교 학생회장과 학급반장 선거제도를 전면 폐지하고 학교장이 임명토록 했었다. 지방 교육위원회에 시달된 장관 지시 공문을 통해 사실을 알게 된 나는 문교부 장관이 그 이유도 명시하지 않은 채 갑작스레 내린 이 조치가 민주 교육을 역행하는 나쁜 시책이란 학부모들의 비난 여론까지 붙여 경향신문 사회면에 크게 보도했다. 문교부의 이 조치는 경향신문 보도 후 여러 언론 매체에서 크게 다뤄져 정치문제로까지 비화되기도 했다.

▶ 1968년 10월 '관광의 달'에 판문점 중립국 감시위원단이 남·북한을 둘러보던 중 경주의 한 호텔에 들었다가 밤중에 금품을 몽땅 도둑맞았다. 국내 굴지의 유명 관광지에서 내국인도 아닌 국제적 공인들에게 나라의 체면까지 말이 아닌 지경이 된 이 사건은 내가 단독 취재하여 경찰의 적극적인 만류도 뿌리치고 사회면 머리에 보도함으로써 치안 당국의 특별 대책이 추진되기도 했다.

▶ 서기 42년부터 491년간 경남 김해 지방을 중심으로 반도의 동남녘에서 10대 왕조가 펼쳐졌던 가야국의 많은 유적들이 1970년대까지도 당국의 보존 관리책 없이 방치된 채 심하게 훼손되고 있는 실태를 철저한 현장 취재로 보도하여 당국의 적극적인 보존 관리 대책이 연차적으로 펼쳐지게 됐었다. 특히 국가 지정 사적 2호인 '회현리 패총'은 산란계의 칼슘 사료

채취장처럼 돼 심하게 허물어졌었으며 '대성동 고분군'은 흔적조차 알아보기 어려울 정도로 허물어진 채 밭작물이 가꿔지기도 했었으나 지금은 누가 봐도 손색없는 깨끗한 유적지로 철저히 보존 관리되고 있다.

▶ 1980년대에 국제 관광지 제주도 내의 각급 학교 주변에서 학교보건법이 정한 학교 환경정화 구역이 제대로 관리되지 않고 숙박 · 요식업소들이 즐비한 현장을 출장 취재, 보도함으로써 당국에서 신규업소 허가를 억제하고 기존 업소들도 시설을 개선, 보완토록 됐었다.

▶ 우리나라에서 매장문화가 보편화 됐던 시절 국토의 급속한 묘지화 위기에 대한 기획기사를 사회면 머리기사로 보도하여 당국의 대책을 촉구했다.

▶ 수산물 수출의 보고인 남해안 청정해역의 허술한 수질 관리 실태를 사회면 머리기사로 보도하여 시급한 대책을 촉구했다.

▶ 농본주의 시절 정부에서 입안하여 국회의 심의 결의까지 거쳐 시행되는 양곡 수매 시책이 수매 가격 책정에서부터 관계자들의 무지스런 탁상 실책으로 농민들의 필수 경비마저 무시된 사실을 명명백백하게 밝혀 경제면에 크게 보도함으로써 국민 70% 이상 농민들의 권익을 찾게 했다.

▶ 농업협동조합 조직이 농림부의 외청 같이 중앙회에서 도지회 군 지부로 내려가는 관료적인 하향식 지배 구조인 것을 읍 · 면 단위조합에서부터

엉킨 조직 바탕의 힘이 군 · 도 중앙회로 올라가는 상향식 자율구조가 되도록 촉구하는 기획 기사를 보도하여 농협의 발전에 크게 기여하기도 했다.

▶ 우리 한글이 영국의 옥스퍼드 언어연구소에서 '세계 6백여 가지 언어를 구사하는 30여 가지 문자들 중 독창성, 과학성, 합리성이 가장 뛰어나다'는 발표와 아울러 세계적 과학 잡지 디스커버리도 '한글이 세계 문자들 중 가장 돋보인다'는 발표에 맞춰 우리 정부가 한글의 세계화에 나설 것을 여러 매체를 통해 촉구하기도 했다. 그 결과 우리 정부가 지금까지 세계 57개국 130여개 도시에 세종학당을 세워 한글을 보급하고 있다.

▶ 그 밖에도 우리 국민 생활국어에 절대적 영향을 미치는 대중 매체들이 우리 말, 글을 바로 쓰도록 기협회보 등 여러 매체들을 통해 적극적으로 애쓰기도 했다.

권도호 | 1936년 6월 25일생. 경향신문 제2사회부차장대우, 지방부 취재 본부장, 문화일보 사회부장, 편집국 기획위원, 경향신문 사우회 부회장

사회부 기자가 겪은 격동의 세월

> 사실을 심각하게 왜곡한 영화는 한 순진한 택시 운전사와 독일 취재 기자가 본 현장을 중심으로 만들어졌다. 영화 첫머리에 "이 영화는 실화를 바탕으로 극화했다."고 돼 있어 사실감을 높였다.
>
> **김광섭**

필자는 산업화, 민주화를 이룩했던 1970~80년대 격동의 세월에 사회부 기자 생활을 했다. 그 당시 엄청난 정치, 사회적 사건이 터졌다.

유신 시절인 1974년, 사건기자를 하던 때, 내가 맡았던 서울 중부경찰서 관내에는 명동성당과 영락교회가 있었다. 명동성당에서는 밤마다 구국기도회가 열렸다. 이 기도회는 그해 여름부터 연말까지 계속되었다. 이를 취재하느라 거의 매일 야근을 했다. 그러나 피곤한줄 몰랐다. 이 기사는 사회면에 사진과 함께 비교적 크게 보도됐다.

구국기도회에서는 신부들이 돌아가며 '강론'을 하는데 그 중에 유신 독재를 비판하는 정치적인 내용이 들어있었다. 기도회가 끝나면 촛불을 든 신부와 수녀들이 앞장서서 성당을 나와 명동거리를 수백 미터 쯤 행진하다 밤늦게 성당으로 돌아갔다. 어떤 때는 언론을 담당하는 신부가 시국 관련 유인물을 기자에게만 배포했다. 기자를 가장한 중앙정보원이 유인물을 얻으려 하면 귀신같이 알아보고 주지 않았다. 이렇게 민주화를 위해 투쟁하던 일부 신부들이 오늘날에는 이상하게 변해 안타깝기 그지없다. 그들은 마치 대한민국은 없어져야 할 나라로 치부하고 북한에 대해서는 관대하다. 제주도 해군 기지 건설, 한진중공업 노사 문제 같은 일에는 어김없이 나타나 선동을 일삼았다.

1974년 봄에 있었던 '민청학련사건'이 지나고 계속 시국이 어수선했던 여름 8·15 광복절에 드디어 사건이 터졌다. 나는 그날 중부경찰서 수사과장 방에서 TV를 통해 장충동 국립극장에서 열린 광복절 기념식을 보고 있었다. 박정희 대통령이 막 기념사를 하는 순간, '탕, 탕' 하는 소리와 함께 대통령이 연단 아래로 숨고 소란이 시작되면서 화면이 꺼져버렸다. 동시에 얼굴이 하얗게 질린 수사과장이 밖으로 뛰어나갔다. 나도 그 뒤를 쫓아 나가 수사과장이 탄 지프차에 함께 올라탔다.

차는 국립극장으로 질주했다. 우리가 극장 광장에 들어서는 순간 문세광으로부터 저격당한 육영수 여사가 탄 구급차와 저격을 하다 오발로 허벅지를 다쳐 체포된 범인 문세광을 태운 차들이 극장 광장을 빠져나가고 있었다. 두 대의 차는 을지로 6가 국립의료원으로 들어갔다. 우리 차도 국립의료원으로 따라 갔다. 나는 병원 응급실로 뛰었으나 벌써 경찰이 육 여사와 문세광에게 접근 못하게 철통 경비를 하고 있었다. 그들에게 접근할 길이 없었다.

문세광에 대한 합동 수사가 진행되었다. 사회부장이 내게 준 임무의 하나는 사건 현장인 국립극장에서 지키고 있다가 사건 합동 수사 현장 검증반이 문세광을 데리고 나타나면 취재하라는 것이었다. 나는 꼬박 일주일간 사진 기자와 함께 현장을 지켰다. 합수부는 취재진의 접근을 차단할 것이기 때문에 비밀 취재 장소가 필요했다. 극장 내부를 샅샅이 살펴보다가 대

극장 3층에 있는 조명탑이 숨어서 취재하기 가장 좋은 곳으로 낙점되었다.

저격 사건이 있은 지 7일이 지나 드디어 현장 검증반이 나타났다. 나와 사진 기자는 조명탑으로 올라가 침을 삼키며 현장을 내려다보았다. 가장 문제는 사진 기자의 카메라 셔터 소리가 너무 크게 들린다는 점이었다. 금방이라도 검증반에 들킬 것만 같았다. 다행히 발각되지 않고 사진을 찍었다.

문세광은 부상 중이고 신변의 위험을 생각해 대동하지 않아 나는 좀 실망했다. 현장 검증반은 주로 문세광이 저격 시 뛰어나가며 총을 어떻게 쏘았느냐에 대해 조사를 했다. 문세광의 진술을 토대로 대역이 범행을 재현했다. 대역을 맡은 사람은 문세광이 뒤쪽 좌석에서 뛰어나가며 저격을 하는 장면을 연출했다. 문은 권총을 빼들고 뛰어 나가다 첫발이 오발되어 자신의 허벅다리에 맞았고 다시 총을 쏘며 뛰어 나가다 앞줄에 앉아 있던 광복회원이 다리를 걸어 넘어지면서 다시 쏜 것으로 나타났다. 문의 제1탄은 오발, 2탄은 연설대, 3탄은 불발, 4탄은 육 여사를 맞췄으며, 5탄은 태극기를 맞춘 것으로 밝혀졌다. 문세광 같은 명사수가 뛰어 나가며 오발을 해서 자기 허벅지를 맞춘 것이 저격 실패의 주요 원인이었다.

이 해에는 다른 사건도 유난히 많아 고달픈 사회부 기자 생활을 했다. 여름에는 희대의 2인조 갱 사건이 터졌다. 이종대, 문도석이 바로 그들. 몇 년 전 카빈총으로 여러 건의 강도사건을 저지르고 잠적했다가 또 다시 한탕을 하려고 승용차를 탈취해 고속도로를 타고 서울로 잠입했다. 이들은 마침 내가 담당하고 있는 서울 동부경찰서 관내(현재 강남)로 들어와 황급하게 취재에 나섰다. 경찰이 냄새를 맡고 추적하자 두 범인은 문의 친척이 사는 서울 영등포 쪽으로 잠입했다. 두 사람은 3년 전 서울 구로공단

카빈총 강도와 일본계 회사 호리호꾸의 월급 탈취 사건, 국민은행 서대문 지점에서 이성수씨를 납치해 살해한 장본인들로 밝혀졌다.

경찰에 쫓기던 2인조는 결국 비극적으로 생을 마감했다. 문도석은 영등포 친척 집에서 장남을 살해하고 자살했다. 주범 이종대는 인천 집에서 경찰과 오랜 시간 대치하다 아내와 두 자녀를 살해하고 역시 자살로 인생을 끝냈다. 비극적인 사건이었다.

그 해 겨울에는 서울 청량리역 앞 대왕코너에서 큰 불이 나서 88명이 불에 타 숨졌다. 대왕코너는 호텔과 나이트클럽, 상가 등이 밀집해서 연면적이 상당히 넓은 복합건물이었다. 화재 사망자 규모로는 1971년 크리스마스 때 발생한 대연각호텔 화재 다음이었다.

전날인 토요일에 야근을 한 나는 잠을 자다 일요일 이른 아침에 눈을 떠서 습관적으로 라디오를 켜니 "…이 시간 현재 확인된 대왕코너 화재 사망자는 57명입니다…" 하는 게 아닌가. 놀라서 부랴부랴 가죽점퍼를 입고 현장으로 출동했다. 현장에 도착해 보니 이미 불길은 어느 정도 잡혔다. 시경 캡 지휘 하에 후배 기자들이 취재를 하고 있었다. 조금 후에 캡을 통해 사회부장에게서 취재 지시가 떨어졌다. 화재가 진압된 건물 안에 들어가서 내부 현장을 스케치하라는 것이었다. 큰 불이 나면 경찰과 소방당국은 일단 주변을 차단하고 아무도 접근하지 못하게 하는 게 관례였다. 그것은 기자라도 예외는 아니었다.

나는 할 수 없이 경찰과 화재 감식반을 피해 창문을 통해 몰래 안으로 잠입했다. 화재는 진압됐지만 건물 안은 후끈한 열기로 겨울인데도 뜨거웠고 소방호스로 뿌린 물은 구두 위로 넘쳐 들어왔다. 여기 저기 검게 그을린 전기 줄이 늘어져 있었다. 금방이라도 유령이 튀어나올 것 같았다.

나는 일단 호텔 객실 내 인명 피해 상황부터 체크했다. 때마침 연말에 가까워 연인들인 청춘남녀 쌍이 많았고 술집 직업여성과 함께 온 남자, 부부가 아닌 것으로 생각되는 불륜 남녀 등도 있었다. 이들이 죽은 모습은 끔찍했다. 어떤 객실에서는 남자가 바지를 반쯤 입고 바닥에 엎어져 숨져 있었고 여자는 팬티만 입은 채 침대에 반듯이 천장을 보고 누워있었다. 이들의 특징은 검댕만 살짝 입힌 마네킹 같다는 것이었다.

그러나 가장 피해가 많았던 나이트클럽은 상황이 달랐다. 많은 사람들이 집단으로 엉켜 불에 타 숨졌다. 춤추던 사람이 많았던 데 비해 출입문은 회전문 하나뿐이었고 나이트클럽 종업원들이 서로 탈출하려고 아우성치는 손님들에게 술값을 내라고 회전문에 막아서서 더 피해가 컸다. 이 잠입 취재 덕분에 화재의 인명 피해 상황을 자세히 기사로 쓸 수 있었으나 끔찍한 경험을 했다. 최종 확인된 사망자 수는 88명이었다.

다음 해인 1975년 새해 벽두에는 서울 명동 사보이호텔에서 명동을 장악하고 있던 신상사파의 김수일씨 등이 호남파의 습격을 받아 중상을 입었다. 사보이호텔로 가서 종업원들로부터 사건 당시의 증언을 들었다. 또 백병원에 입원해 있던 김수일씨를 인터뷰하고 사진을 찍었다. 언제 호남파가 다시 습격하고 신상사파가 반격을 할지 모르는 위험한 상황이었다. 중부경찰서 형사계(현 형사과) 폭력반장에게서 이 폭력 사건의 수배자 명단을 알아냈다. 수배자에는 보스 일명 번개, 행동대원 조양은 등이 들어있었다. 이 사건을 계기로 신상사파는 결국 쇠퇴하고 호남파가 서울의 유흥가 등 밤무대를 장악했다. 한국 조폭계는 호남파에서 분파된 양은이파와 태촌파(서방파), 이동재의 OB파 등 3대 패밀리가 장악하게 되었다.

나의 기자 생활 중 가장 충격적인 경험은 1980년 5월 광주 민주화 운동

때 취재반장으로 가서 목숨을 걸고 현장 취재를 지휘한 것이었다. 최근 영화 '택시운전사' 등에서 사실을 심각하게 왜곡한 부분이 있어 언급하지 않을 수 없다.

이 영화는 한 순진한 택시 운전사와 독일 취재 기자가 본 현장을 중심으로 만들어졌다. 영화 첫머리에 "이 영화는 실화를 바탕으로 극화했다."고 돼 있어 사실감을 높였다. 정치는 전혀 모르고 생활에만 충실한 주인공 운전사의 시각에서 영화를 만들었기 때문에 감동이 더 해진다. 영화를 보고 눈물짓는 젊은 관객도 있었다.

그러나 이 영화의 클라이맥스 부분인 군인들의 총 난사 장면은 사실과 크게 다르다. 영화에서는 군인들이 대낮에 공포에 떨며 한 곳에 몰려 서 있는 군중을 향해 조준해서 총을 난사하는 장면이 있는데 이는 사실과 다르다. 당시 일부 과격 시위 군중(취재진은 간첩 등 불순분자가 상당수 끼어 있었다고 판단)이 예비군 무기고를 부숴 무기를 탈취하고 교도소를 습격했으며 아세아자동차 공장을 습격해 장갑차를 탈취했다. 본격적인 총격전은 5월 22일 밤, 도청에서 계엄군이 퇴각할 때 있었다. 이들 무기를 탈취한 일부 시위대가 밤에 도청을 점령하는 과정에서 계엄군이 총을 난사하고 시위대가 응사하는 과정에서 희생자가 많이 발생했다. 또 27일 새벽 도청이 계엄군에 의해 탈환될 때 시위대 희생자가 많이 발생했다. 영화에서처럼 대낮에 시민들을 향해 총을 난사한 게 아니라는 것이 취재진이 알고 있는 내용이다.

광주에서 돌아온 취재진은 그 후 회사의 뚜렷한 해명도 없이 본인 뜻과는 다른 전보 인사를 당했다. 함께 갔던 사회부 후배 기자 한 명은 주간부로, 다른 한 명은 삼성 계열 회사로 전보됐다. 나는 출입처를 보사부에서 문교부로 옮겨 정신없이 기사를 쓰던 때였는데 느닷없이 과학부 기자로 발령 났다. 더욱 놀라운 것은 동기생 중 두 명만 차장 승진을 하고 나는 승진에서 누락된 사실이었다. 그때 나는 문교부의 극한적인 기사 싸움에서 사력을 다해 취재하고 기사를 가장 많이 쓰며 특종도 했다. 일주일 내내 사회면 톱기사를 쓴 적도 있었고 1면 톱기사도 종종 썼기 때문에 이런 인사를 도저히 납득할 수 없었다. 씁쓸한 기억이었다.

1980년 5월, 광주의 한 여관에서 취재 관련 회의를 하고 있는 중앙일보 취재팀
(가운데 안경 쓴 이가 필자)

김광섭 | 1943년 11월 18일생. 중앙일보 사회부 기자, 사회부 차장, 생활과학부장, 편집국 부국장, 한국언론진흥재단 NIE 특임강사

스포츠 기자, 그 출발과 종착점

> 동아일보에 있으면서 두 가지 잊을 수 없는 것은 태평양 요트 횡단 기사와 조오련(趙五連)의 대한해협 횡단 단독 보도다.
>
> 김광희

1959년 4월, 서울신문 견습기자 최종 합격자(7명) 발표가 있던 날 나는 묘한 사령장을 받았다. '임 견습기자 명 휴직'. 이유는 신체검사 결과 폐결핵이라는 것이었다. 그러나 증세가 경미하니 2개월 정도 치료받고 오라고 해서 동기들보다 두 달 뒤인 6월에 입사했다. 사령장을 받고 얼떨떨한 기분으로 서 있는데 잠깐 주필실에 다녀가라는 전갈이 있었다. 당시 주필은 김영진(金泳鎭) 선생으로 일면식도 없는 분이었다.

"자네 폐에 문제가 있다고 들었네. 결핵에는 안정과 정양이 문제인데 조심하게." 이러시면서 지나가는 말처럼 "한 · 일 관계에 관심이 있는 모양이지?" 하셨다. 나중에 전해들은 바로는 입사 시험 논술 문제가 '한 · 일 관계를 논하라' 였는데 김 주필은 내 답안지를 들고 논설위원회의에서 "이 정도면 당장 사설로 취급해도 되겠다."고 칭찬했다는 얘기였다.

궁하면 통한다

두어 달 후에 출근해 보니 동기들은 2개월여의 훈련으로 눈망울이 또록또록하고 제법 기자 티(?)가 나는데 나는 갈데없이 꿔다놓은 보릿자루였다. 당시 편집국장은 고제경(高濟經)씨였는데 나를 부르더니 "이봐, 때마침 필리핀 대표 야구팀이 서울신문 초청으로 와 있는데 체육부장 도와서 심부름이나 하지." 솔직한 말로 나는 그때 야구의 '야' 자도 몰랐다.

체육부장은 왕년의 축구 국가 대표인 이유형(李裕瀅)씨로 홀로 자리를 지키고 있었는데 그는 편집국장의 연세대 대선배였다. 7월초로 기억된다. 필리핀 팀은 일본에서 열린 아시아선수권대회 참가 후 귀국길에 서울에 들러 국내 팀과 친선 경기를 하게 되어 있었다.

궁하면 통한다고 야구 기록과 게임 과정을 야구협회 관계자에게 1주일가량 연수하면서 바로 대회가 열렸고, 나는 얼떨결에 개막식 기사와 경기 경과를 작성하여 부장에게 넘겼는데 원고를 보지도 않고 그냥 편집으로 넘겨 버리는 게 아닌가? 편집과 교열에서 몇 차례 호출이 있긴 했지만 적당히 넘어갔는데 막상 신문이 나오자 대경실색한 것은 나 자신이었다. 사회면 톱과 중간에 개막 기사와 스케치로 내 기사가 꽉 차 있었기 때문이었다.

그때는 체육면이라고 해야 손바닥만 했고 기껏해야 스코어를 적는 정도여서 겨울철에는 할 일이 없을 정도로 한가했었다. 오랫동안 체육부를 혼자 지탱해 온 이 부장은 한 사람의 견습기자가 배당된 데 만족해했고 나를 꽉 잡고 놓지 않을 태세였다. 겨울 동안이라도 일을 배워야겠다는 생각으로 경찰서 출입이라도 시켜 달라고 떼를 써서 일선 경찰서로 나가게 된 것이 12월께였고 중부서와 남대문서로 들락거리기 시작했다. 동기들은 이미 베테랑 기자연 하고 있을 즈음이었다.

땀 뺀 서울역 압사 사고

1960년 1월 말께 구정 대목을 맞아 귀성객이 넘쳐나는 서울역에서 미증유의 압사 사건이 발생했다. 남대문서 기자실은 설을 앞 둔 탓인지 한가하기 짝이 없었고 많은 기자들이 일손을 놓고 있던 26일 밤, 이른바 '서울역 집단 압사 사고'가 발생한 것이다. 31명이 죽고 41명이 중경상을 입은 일대 춘사였다.

이른 바 사쓰마와리(察廻) 초짜인 내 눈에 당시 서울시경 유충열(柳忠烈) 국장의 긴장된 얼굴이 떠올라 무언가 심상치 않다는 예감이 들어 확인해 본 결과 대형 사고가 바로 코앞인 서울역에서 터진 것이었다. 그때쯤 소주잔을 기울이고 있을 선배들에게 연락하느라 진땀을 뺀 기억이 생생하다. 당시 동아일보가 이 사건을 까맣게 모르고 놓친 것도 잊을 수 없는 에피소드다.

나는 스케치 기사를 맡았는데 사회면 톱이었다. 다음 날 편집국장이 불러 가보니 "자네 배짱 한 번 좋구먼, 그 긴박한 상황에서 이런 시 같은 글이 나오다니…" 스케치 마지막에 '수십 명의 생명을 앗아간 서울역 그 마의 계단 위엔 무심한 눈이 내려 쌓이고 있었다'는 대목이다.

2개월의 공백에도 불구하고, 4월에 견습 딱지가 떨어졌다. 그러나 발령 부서는 체육부였다. 솔직한 말로 나는 사회부 기자가 되고 싶었다. 그 후 얼마 있지 않아 4 · 19가 일어났고 서울신문은 시위대가 지른 불에 타 무기휴간으로 들어갔다. 그런데 견습 딱지가 갓 떨어진 초년 기자에게 뜻밖에도 스카우트 제안이 날아왔다. 복간된 경향신문으로부터였다. 발령 부서는 사회부. 그러나 체육까지 맡으면서 내무부와 문교부 2진으로 일하라는 것이었다. 당시 내무부는 부장이, 문교부는 차장이 1진이었다. 내무부 1년, 문교부 1년을 거치면서 기자 티가 날 무렵인 1962년의 어느 날, 뜻밖에도 동아일보 최호(崔皓) 부국장의 부름을 받고 동아일보로 통하는 좁은 문이 열리기 시작했다.

나는 대뜸 "체육부는 사양하겠습니다." 했더니 자네는 "사회부로 스카우트 하는 거야."라며 웃었다. 당시 동아일보는 가위 전성기로 모든 사람의 동경의 대상이었다. 동아가족이 되고 출입처는 문교부로 확정이 되어 나름대로 안정이 되어가고 있는데 최호 국장의 호출이 있었다.

깐깐하고 빈틈없는 최 국장은 미소를 띠면서 자리를 권한 후 "나는 평생 올림픽을 구경 못했는데 한 나이 젊으면 체육기자를 했을 거야"라면서 운을 떼는 것이 척하면 척할 정도로 구렁이가 된 나에게는 번쩍 오는 것이 있었다. "2년 후면 도쿄 올림픽이 열리는데 체육부를 만들기는 해야 하고 마땅한 사람이 없고 고민이야." 성질이 급한 나는 "제가 가지요."라고 선뜻 대답하고 말았다. 이것이 20여년 나의 체육기자 생활의 출발점이자 종착지였다.

辛今丹, 韓弼花를 둘러싼 특종 공방

프랑수아즈 사강의 말처럼 스포츠는 수많은 세월을 한결같이 내 주변에서 선량한 공범자로 시종해 왔다. 때로는 인생을 가속시키고 때로는 좌절을 안겨주면서 내 인생 경영과 부침을 같이해 왔다. 1964년 10월 도쿄 올림픽은 한국 올림픽 취재 사상 새로운 지평을 연 기념비적인 이벤트였다. 그 이전의 올림픽은 외신에 의존하거나 한두 사람의 현지 특파원이 보내는 한국 팀의 동정 정도로 명맥을 이어왔다. 그러나 도쿄 올림픽은 아시아에서 처음으로 열리는 대회이며 60만 교포가 거주하고 남북이 분단된 지 20년 후 처음으로 조우한다는 역사성 때문에 대규모 선수단에 대규모 취재단 구성이 불가피해졌다.

체육부로 옮긴지 1년도 안 돼 나는 처음으로 해외 취재를 명받았다. 그것은 본 대회 1년 전에 열리는 프레올림픽 취재를 위한 것이었다. 1963년 무렵의 공항 풍경은 어려운 해외나들이라는 이유로 모든 가족 친지들이 환송 환영에 동원되는 진풍경을 이루던 시절이었다. 1964년 본 대회를 위해 출국하기 직전 한양대 이돈수(李敦洙) 교수로부터 묘한 제보를 받았다. 그는 신문준(辛文濬)이라는 사람을 만나보라고 했다. 세브란스 병원 경비실에서 만난 그는 북한 육상선수 신금단(辛今丹)이 14년 전에 헤어진 자기의 딸이라고 주장했다. 신금단은 가네포(인도네시아) 대회에서 8백 미터 세계 신기록을 세운 선수였다.

여러 가지 정황으로 미루어 가능성이 커 당시 이유천(李裕天) 민단 단장에게 특청을 해서 올림픽 응원단의 일원으로 일본에 보내기로 하고 신금단의 아버지가 서울에 있다는 기사를 내 보냈다. 특종이었다. 그러나 재일 조총련계에서는 신금단의 부친은 북에 건재하다는 반론이 나왔다. 북한 팀은 도쿄의 조선대학에 투숙하고 있었는데 삼엄한 경계로 외부인 출입을 금했으며 때마침 IOC에서 가네포에 출전한 선수는 올림픽에 참가할 수 없다는 통보를 낼 무렵 신문준씨가 도쿄에 도착했다. 북한은 신금단의 출전이 불가능해지자 올림픽 보이콧을 선언하고 귀국하겠다고 엄포를 놓고 있었다. 이때 나는 아사히신문 기자에게 신문준씨의 사진을 건네주면서 조직위원회를 통해 신금단에게 보여주도록 부탁했다. 신씨의 사진을 본 금단은 한동안 말이 없다가 사진을 꼭 껴안고 눈물을 흘리더라는 전갈이 었다.

이 기사가 아사히신문에 크게 취급되고 외신들이 일제히 보도하자 부녀 상봉의 압력이 드세게 일어났다. 조총련은 신문준, 이유천 민단 단장, 남측 임원, 일본 올림픽 관계자 등 4명만이 출입할 수 있고 언론 취재는 일체 봉쇄한다는 조건으로 상봉을 허락했다. 남측 임원은 사실상 정보부 요원 몫이었는데 이 사람이 늑장을 부리다가 차가 출발하려 하자 거기에 취재차 나갔던 본사 조항언(趙恒彦) 기자가 냉큼 타 버렸고 일본인 기사는 다 탄 걸로 알고 그대로 출발해 버렸다.

'한국 신문, 소설 잘 써'

조 기자가 돌아왔다. 그런데 그는 "별로 쓸게 없어요, 양 쪽에서 장정들이 스크럼을 짜고 멀찍이 세워 놓고는 '아부지', '금단아' 만 연발하면서 눈물만 흘리다 5분도 못 돼서 헤어졌는걸요." 이러면서 '14년 만에 만난 부녀 상봉은 얼굴만 확인한 채 갈라서야 했다. 국토 분단의 현실 앞에 망연자실할 수밖에 없는 서글픈 우리 민족의 자화상이었다'.고 그는 적었다.

그러나 그 원고는 2백자 4장으로 압축되어 있었다. 세계가 주시하는 가운데 벌어진 해프닝이지만 너무나 간단하게 처리한 것이 걸려 스케치를 보강하고 경과를 상세히 작성하도록 해서 15장 정도로 보완한 후 송고했다. 유일한 목격자요 현장의 생생한 뉴스라는 점에서 그것은 특종일 수밖에 없었다. 그런데 초저녁에 서울서 로켓이 날아왔다. "도대체 뭣들 하고 있느냐."는 것이었다. 한국일보가 호외성 지방판에 신금단 부녀 상봉 기사로 도배를 했다는 것이다. 나중에 밝혀졌지만 당시 외신부에서 지방판에 넘길 요량으로 기사를 책상머리에 두고 저녁을 먹고 오느라 늦었다는 얘기였다.

조항언 기자의 기사를 본사에 넘긴 지 1시간 후 한국일보 장정호(張廷鎬) 올림픽팀장이 "김 형, 미안하지만 조항언이 현장에 간걸 안다. 만났는지 여부만 가르쳐 달라."고 해서 확인해 준 기억은 있다. 그새 그 많은 기사를 쓰고 정리해서 신문을 낸 한국일보의 순발력은 놀라웠다. 다만 대부분의 기사가 14년 만의 부녀 상봉이라는 감상적인 터치와 본사 차원의 소설 같은 작문이었던 점은 우리 언론이 두고두고 경계하고 자성해야 되는 과제이다. 훗날 신문준씨가 "한국 신문들 소설 잘 쓰던데요."라고 비아냥댄 걸 잊을 수가 없다. 올림픽이 열리기 하루 전인 10월 9일의 일이었다.

한필화(韓弼花) 사건의 맥락도 비슷하다. 1971년 삿포로 동계 프레올림픽에서는 한필화의 언니라는 사람이 스탠드에 나타나 한바탕 소동이 일어났다. 이름이 비슷한 한계화(韓桂花)씨로 한국 빙상 대표 모 선수의 어머니였다. 이 기사가 한국일보와 요미우리신문에 대문짝만큼 크게 취급되었다. 나는 당시 성곡재단의 배려로 도쿄대학에서 연수 중 본사의 지시로 삿포로에 갔었다. 신금단에 이어 또 한 번 낭패를 당한다는 느낌이 들었다. 물론 북한은 부정했고 매스컴이 연일 이 문제를 거론하자 "오빠가 서울에 있다"고 실토했다. 본사에 연락하고 취재를 의뢰했는데 당시 체육부 이부영(李富榮, 전 한나라당 부총재), 송호창(宋鎬昶) 두 기자가 용케도 이문동에 사는 오빠 한필성(韓弼聖)씨를 찾아내는 개가를 올리는 등 특종 기사로 통쾌한 역전 드라마를 연출했었다. 동아일보와 아사히신문은 공동으로 한씨를 일본으로 불러 도쿄에서 대기시키면서 상봉을 시도했으나 북한 당국의 거부로 혈육의 만남은 이루어지지 않았다.

행운의 마무리

체육기자 생활은 1981년 편집국부국장으로 옮기면서 사실상 막을 내렸다. 그동안 도쿄, 몬트리올, LA 하계 올림픽 그리고 삿포로 동계 올림픽을 취재했고, 몬트리올 올림픽에서는 한국공동취재단장으로 양정모의 레슬링 금메달 획득의 역사적 현장을 목격하는 행운을 갖기도 했다. 1979년 6월, 모스크바 올림픽 1년을 앞두고 열린 AIPS(세계체육기자연맹) 총회에 참가하기 위해 노진호(盧鎭浩) 중앙일보 체육부장과 함께 한국 기자로서는 처음으로 국교가 없는 소련의 모스크바에 들어가 6박 5일 동안 머물렀고, 1988년 서울 올림픽을 앞둔 1984년, 문교부의 의뢰로 '평화의 제전'이라는 타이틀로 국정 교과서 국어 중학 2학년 2학기 논설문을 맡아 집필한 것은 매우 흔쾌한 일로 소중히 간직하고 싶은 일들이다.

뉴욕타임스의 제임스 레스턴도 원래는 스포츠라이터였다. 그는 자서전에서 "스포츠 기자는 문장력이 뛰어나지 않으면 안 된다. 사회면적인 언어로는 전달되지 않는 것이 스포츠 기사다. 다 같이 보고도 못 느끼는 것을 한마디로 집어내 독자들이 '아, 이거구나' 하고 깨닫도록 해야 한다." 공감이 가는 얘기다. 동아 광고 사태가 난 후 광고 없는 한 면이 완전히 스포츠에 할애되었다.

이때 각종 읽을거리와 칼럼 란을 신설한 것이 체육부 기자들에게는 문장력을 키우고 공부하는 계기를 만든 불행 중에 얻은 기회라고 생각되었다. 나는 미국 프로 스포츠에 관심이 있어 문득 성곡재단에 프러포즈할 생각을 하면서 정치부 일색으로 뽑는 관행(?)에 도전했었다. 그 시기가 좀 늦어 미국 콜롬비아에 못 간 것이 서운했지만 뒤늦게 도쿄대학으로 가서 중요한 시기에 나 자신을 방목할 기회를 갖게 된 것은 행운이었다.

내가 동아일보에 있으면서 전혀 다른 분야에서 이룩한 두 가지 성취는 잊을 수 없다. 하나는 태평양 요트 횡단(盧永文, 李載熊 현대)이며 또 하나는 조오련(趙五連)의 대한해협 단독 횡단이다. 동아일보는 매년 동아대상을 선정 발표하는데, 어느 날 김상만(金相万) 회장이 부르기에 가 뵈었더니 두툼한 봉투 하나를 주면서 "큰 사업을 성공한 것은 동아대상 감이지만 자네의 분야가 아니어서 양해하게." 하셨다. 동아대상은 1백만 원이었는데 봉투 속에는 1백 10만 원이 들어 있었다. 그 분의 안목에 고개가 숙여졌었다.

김광희 | 1935년 12월 11일생, 서울신문 경향신문 사회부 기자, 동아일보 체육부장 편집부국장 도쿄지사장, 이사 제작국장

우리나라 핵무기 연구 개발과 좌절

"저들은 어릴때 저희들끼리 불장난 다해놓고 우리보고 불장난 하지 말라면 안하겠어요?"
김상수

북한이 2017년 9월 3일 제6차 핵실험을 했다. 북한 중앙TV는 이날 오후 3시 30분 '중대보도'를 통해 "대륙 간 탄도 로켓에 장착하는 수소탄 시험에서 완전히 성공했다."고 밝혔다.

앞으로도 북한은 계속해서 핵무기 실험과 대륙 간 탄도 유도탄 발사 시험을 계속할 기세이다. 북한은 핵무기 제6차 실험을 계기로 우리나라와 미국을 협박하고 있는 모양새다.

핵무기 연구 개발 의지는 우리나라에서도 그 징후가 있었던 것으로 추정된다. 중국의 은밀한 비호 아래 진행된 북한의 핵개발에 비해 우리나라의 핵개발은 초기에 미국에 의해 좌절되었다. 과거 우리나라의 핵무기 연구 개발 의지를 살펴보자.

1970년대 정부는 과학 진흥을 위한 과학기술처를 신설하고 과학기술처 내에 원자력국이라는 부서를 두고 원자력 관련 사업들을 관장하기 시작했다. 물론 원자력의 평화적 이용을 위한 사업들이었지만. 그러나 기자들이 원자력국에 접근해서 취재하기는 어려웠다. 과학기술처에서 공개(Release)하는 것 외에는 보도할 수가 없었다.

1970년대 들어 산업 발전이 급속히 이뤄지고 있는 가운데 정부는 전력 생산을 위해 고리 1호 원자력 발전소 건설에 착수한다. 한미원자력협정에 따라 1972년 6월 12일 고리 원자력발전소 건설과 운영을 위한 허가를 얻어 턴키(turn key, 완성품 인도 방식) 형태로 건설된 뒤 1978년 4월 12일부터 운전에 들어갔다.

고리 원자력 발전소는 경수로 원자로를 이용해서 전기를 생산하는 곳이었다. 원자력 발전 과정에서는 핵무기 개발에 쓰이는 플루토늄이 생성되는데, 이에 대한 엄격한 관리가 이루어진다. 지금도 감시 카메라가 플루토늄이 생성된 수조를 3초마다 촬영하고 있다.

물론 고리 원자력 발전소 1호기가 가동되기 전에도 우리나라에는 학술적으로 쓰이는 실험용 소형 원자로가 있었다. 거기에서도 당연히 소량이지만 플루토늄의 형성이 있었을 것으로 보인다.

1970년대 후반부로 들어서면서 우리나라에서는 미사일 시험 발사가 성공했고 언론에서는 대대적으로 보도했었다. 그리고 우리나라도 은밀히 핵무기를 개발하고 있다는 풍문이 나돌았다.

1970년대에 나는 한 달간 미국의 각종 과학연구소를 취재하던 과정에서 재미 과학자들로부터 이휘소 박사라는 분이 노벨상을 받을 수 있을 만큼 대단하다는 말을 많이 들었다. 우리나라에서는 그 진위 여부(眞僞與否)를 떠나 소설과 영화로 만들어진 '무궁화 꽃이 피었습니다' 로 널리 알려진

분이기도 하다.

우리나라는 그 당시에도 노벨상에 목말라 했는데 마침 미국에 있던 이휘소 박사가 노벨 화학상 후보 물망에 오르면서 우리나라 국민들의 큰 관심을 끌었다.

박정희 대통령이 재임하고 있던 시절인데다 핵무기 개발이 목전에 있다는 풍문 때문에 이휘소 박사가 우리나라 핵무기 개발에 관여하지 않았나 하는 소문도 있었다. 그러나 이휘소 박사는 소립자를 연구한 분으로서 핵물리학자는 아니었다. 핵무기 개발 관련 여부는 알 수 없다. 이 박사는 미국에서 교통사고로 돌아가신 것으로 알려졌다.

나는 핵무기 개발에 대한 궁금증을 풀기 위해 당시 과학기술처 원자력위원을 사무실에서 만난 경험이 있다. 그는 과학기술처 원자력국장을 역임한 뒤 국제원자력위원회(IAEA) 위원직을 맡고 있었다. 나는 만나자 마자 단도직입적으로 "핵무기 개발이 은밀히 추진하고 있다는 데 사실이냐?"고 물었다. L원자력위원은 처음에는 전혀 그런 일은 있을 수 없다고 잡아뗐다. 그러면서 우리나라가 맺은 한미 원자력 협정에는 미국 동의 없이 핵연료의 농축이나 재처리를 할 수 없도록 돼 있고 핵확산금지조약에도 가입되어 있기 때문에 핵무기 개발은 있을 수 없는 일이라고 말했다.

그러나 나는 "핵무기 개발을 위해 여러 가지 실험을 한다는 소문이 여기저기 여러 곳에서 들려오는데, 아니 땐 굴뚝에 연기가 날 수 있느냐?"라고 불평하면서 자리를 박차고 일어섰다.

L원자력위원은 내손을 꼭 잡으면서 나를 자리에 앉힌 뒤 "저들(미국이나 당시 소련 등 핵무기 보유국을 지칭)은 어릴 때 저희들끼리 불장난 다

해놓고 우리보고 불장난하지 말라면 불장난 안하겠어요?"라고 말했다. 그러면서 자기가 말한 내용도 절대 비밀이라면서 더 이상 자세한 이야기는 할 수 없다고도 했다. 핵무기 연구 개발 실험을 하고 있다는 시중의 풍문을 간접적으로 확인해 준 순간이었다.

1979년 6월 29일 미국 제39대 지미 카터(Jimmy Carter, Jr.) 미국 대통령이 방한했다. 그해 7월 1일까지 3박 4일 동안 우리나라에 머물렀다. 당시 박정희 대통령과 정상 회담을 가졌지만 분위기는 대단히 좋지 않았던 것으로 보도되었다.

우리나라의 인권 문제를 거론하며 박정희 대통령을 몰아세웠다는 말이 흘러나오기도 했다. 그리고 우리나라의 핵무기 연구 개발 문제에 대해서도 거론되었다는 후문도 들렸지만 공식적으로 확인된 바는 없다. 그해 10월 26일에는 궁정동 술자리에서 권총 저격 사건으로 박정희 대통령이 사망한다. 그리고 1980년 9월 1일 전두환 정권이 들어섰다. 그동안 말도 많았던 핵무기 연구 개발에 관한 이야기는 전두환 정권 이후로는 우리 국민들의 관심사에서 슬그머니 사라졌다.

남북한은 1991년 12월 31일 여섯 개 조항으로 된 '한반도의 비핵화에 관한 공동 선언'을 발표한 뒤, 1992년 2월 19일 평양에서 열린 남북고위급회담 제6차 회담에서 정식으로 발효시켰다.

그러나 1992년 12월 21일 개최하기로 한 남북고위급회담 제9차 회담이 남한의 팀스피리트 훈련 재개로 결렬되면서 한반도의 비핵화에 관한 공동선언 역시 사문화되었다. 비핵화 선언으로 우리나라에서는 주한미군이 보유하고 있던 수백 기에 달하는 전술 핵무기를 철수시켰다. 그러나 유럽에는 아직도 철수시키지 않고 있는 미국의 핵무기 200여기가 그대로 남아 있는 것으로 확인되고 있다.

반면 북한은 한반도 비핵화 선언 이후부터 본격적인 핵무기 개발에 들어간 것으로 확인된다. 한반도 비핵화 선언 이후 우리나라에는 핵무기가 공백인 상태에서 20여년의 세월이 흘러가면서 오히려 북한은 여섯 번이나 핵실험을 단행해 왔다.

제6차 핵실험이 단행된 지 9일 만인 2017년 9월 12일 유엔 안전보장이사회가 북한에 대한 유류 공급을 30% 차단하겠다고 결의했다. 안보리 회원 15명 전원이 참석한 가운데 2017년 UN 안보리 결의안 2375호가 만장일치로 채택됐지만 그 실효성은 여전히 의심받고 있는 실정이다.

트럼프 미국 대통령은 유엔 결의안에 대해 “아주 작은 조치일 뿐 대수롭지 않다. 별 것 아니다.”라고 말했다. 또한 미 하원 외교위원장은 “북한과 거래하는 중국 농업은행 등 거대 국영은행을 제재해야 한다.”라고도 했다. 그리고 므누신 미 재무장관은 중국이 유엔 결의를 이행하지 않으면 국제 달러 시스템 접근을 막는 제재를 하겠다고 경고했다. 지금까지 북한 핵실험이 제1차에서 제6차까지 이뤄졌지만 그때마다 “북한 제재 UN 결의안에 대해 중국이 그 결의안을 제대로 실행하지 않았다.”고 미국은 평가하고 있다.

한편 류제이 유엔 주재 중국 대사는 “관련국들은 냉정함을 유지해야 하고 상황을 더 악화시키는 어떤 언행도 삼가야 한다.”고 말했다. 중국 외교부는 "결의안이 전면적으로 이행돼야 한다"면서, 대화를 강조하는 공식 입장을 발표했다.

새로운 대북 제재안 결의가 채택됐지만 북한의 도발이 계속되지 않는다는 보장은 없어 보인다. 전문가들 사이에서는 북한의 제6차 핵실험이 원자탄이라고 주장하는 측과 규모를 축소시킨 수소탄일 가능성을 제기하는 측도 있다. 수소탄이라는 것이 확인되어야 핵무기 보유를 인정받을 수 있는 국제 기준이 되기 때문에 부풀려 발표했다는 견해도 있다. 그럼에도 불구하고 북한은 빠른 시일 안에 핵무기 보유 기준에 도달할 수밖에 없다는 것이 전문가들의 일치된 견해이기도 하다.

이렇게 북한이 연이어 핵무기 실험을 계속할 수 있었던 것은 미국의 지적처럼 중국과 러시아가 묵인하고 있기 때문이다. 겉으로는 핵확산 금지를 위한 국제적인 여러 가지 조치들에 대해 찬성하고 실행하는 것처럼 보이는 척하고 있지만 뒤로는 북한이 핵실험에 필요한 유류 등 여러 가지 필요 물품과 달러를 제공하고 있었기 때문이다. 결과적으로 유엔에서의 여러 가지 대북 제재 조치가 10~20년 동안 무용지물이 된 것이다.

지금까지 유엔에서의 대북 핵문제 제재의 수면 아래에는 중국의 음흉한 의도가 잠복하고 있었다는 것을 우리는 심각하게 받아들여야 한다. 북 핵개발의 성공으로 다가오는 오늘의 엄연한 현실 앞에서 6자회담이나 유엔 제재를 통한 수사학으로만 은폐시킬 수 없다는 함의(含意)를 우리는 직시할 필요가 있다.

현재로서는 미국의 핵우산 밑으로 확실히 들어가는 것이 맞다. 괌과 오키나와에 있는 미국의 전술 핵무기 자산을 이용해야 한다. 이러한 미국의 전술 핵무기 자산도 우리가 위급할 때는 능동적이고도 적극적으로 요청하는 것이 현실적인 대책이 될 것이다.

우리는 6 · 25 한국전쟁으로 엄청난 고통을 겪었다. 전쟁은 안 된다. 우리가 전쟁이든 평화든 남북문제를 주도하는 것은 맞다. 단지 그렇게 하기 위해서는 우리에게 힘이 있어야 한다. 당분간은 외교적 역량을 키우고 국방력도 더욱 강화해야 한다. 그리고 우주산업(宇宙産業)에도 박차(拍車)를 가해야 한다.

불평등 조항이 많았던 한미 원자력 협정 개정은 2015년 11월 미국 의회를 통과했다. '원전 연료의 안정적 공급'과 '사용 후 핵연료 관리', '원전 수출' 등이다. 특히 미국 측의 사전 동의 없이 우라늄 농축과 사용 후 핵연료의 재처리를 하지 못하게 규정했던 조항이 삭제되었다. 앞으로 우리의 자율적인 우라늄 농축과 재처리 등의 길이 열렸다. 새로운 한미 원자력 협정의 유효기간은 20년이다.

많은 우리 국민들은 핵무기 개발에 나서야 한다고 희망하고 있다. 그러나 우리의 희망사항은 위험하다. 북한의 핵을 인정하는 것이 되는데다가 동북아의 핵무기 도미노가 우려되기 때문이기도 하다. 그러나 종국적으로 우리는 살아남아야 한다. 앞으로 시간을 두고 서서히 음성적으로, 극비리에 핵개발 연구에 전념하는 방법을 모색할 수도 있을 것이다. 사전에 노출되지 않도록 우리의 핵무기 연구 개발 전략은 의도적으로 기만적이어야만 한다. 우리가 은밀히 핵무기를 개발하게 되면 조용히 배치를 끝내면 된다.

북한에 협박당하면서 중국에 끌려 다니고, 미국의 눈치만 봐야 하는 지금까지의 수치스러운 역사성을 거세하기 위해서라도 지금 당장은 아니지만 차분히 준비는 해나가야 할 것 같다.

김상수 | 1943년 1월 9일생, KBS 수도권부장, 문화과학부장, 지방부장, 대전방송총국장

그 위대한 힘은 어디서 나오는가
– 미국 대륙 횡단 취재기 –

> 열악한 환경 속에서도 '잘살아보자'는 일념으로 남보다 두 배 세 배 일한 우리들의 노력에 위대하다는 자부심도 생긴다. 그때 우리의 전망이 옳았다는 감회가 눈물겹고 자랑스럽다.
>
> **김은구**

〈… 우리나라의 건국 200주년을 맞는 이 해에 우리는 한 국가로서 위대함을 성취했고 또 인류를 위해 기여했다는 사실을 인식하면서 3세기 째로 접어들게 되었다. 우리 독립선언문에 구현된 원칙에 따를 것을 새삼 다짐하면서… 1976년이 이 역사적인 거사의 200주년임을 감안하여 그리고 의회의 뜻을 받들어 본인은 모든 미국인이 금년 7월 2, 3, 4, 5일에 경축과 감사와 기도의 행사에 참가해 줄 것을 당부하는 바이다 …〉

이 미국 대통령의 독립 200주년 선포문과 함께 외국인인 나도 경축의 땅 미국 대륙을 횡단, 취재하는 기회를 가졌다. 미국 국무성이 전 세계 언론기관에 초청장을 보냈고 그중 하나가 한국의 KBS이었다. 그리고 고맙게도 내가 선택된 것이다. 회사의 출장 명령에 따라 나는 즉각 '미국 독립 200주년 특별취재계획'을 세웠고 취재팀이 구성되었다.

* 취재팀장 겸 제작책임자 : 김은구 취재부국장
* 기자 겸 오디오맨 : 임용균 외신부 기자
* 촬영감독 : 이창원 카메라취재부장

자그마치 7편의 특집 계획과 취재, 촬영 장비를 둘러메고 출발이다.

〈이제 여기 기록되는 사실들은 1976년의 이야기이다. 오늘의 한국에서 보는 시각과는 천양지차가 있을 수 있음을 미리 말해둔다.〉

장정(長程)… 2만리 취재 길

미국 대륙 횡단 취재는 1976년 5월 3일부터 6월 11일까지 40일 가까이 하와이-LA-샌디에이고(캘리포니아주)의 캐러밴(karavan) 캠프에서-애리조나-뉴멕시코-텍사스-오클라호마-아칸소-미시시피-앨라배마-테네시-조지아-노스캐롤라이나-버지니아 등 12개주를 달려 워싱턴D.C에서 대장정의 막을 내리는 것이었다. 장장 4,860마일, 7,776km, 1만9천4백리 길이었다.

이제 일지 형식으로 그 지난날의 취재 수첩을 다시 꺼내본다.

1976년 5월 3일(월요일): 김포공항에서 NWA 여객기 편으로 일본 하네다 경유, 호놀룰루에 도착. 3일 동안 '우리 이민 70년', '미국의 태평양 방위' 특집 취재를 했다.

5월 6일(목요일) : 하와이 취재 마치고 로스앤젤레스로 가서 2일간 본토진출 이민(미국 속의 한국)편을 취재하면서 LA 시장 전용 헬리콥터를 빌려 타는 행운도 따라주었다.

5월 8일(토요일) : 로스앤젤레스에서 로컬 라인으로 샌디에이고로 갔고, 공항에서 Bicentennial Caravan위원들의 안내를 받아 해변의 캐러밴 캠프로 가서 주인을 기다리는 대륙 횡단용 장비 일체를 인수한다. 캐딜락 8기통 승용차와 이 승용차가 끌고 갈 트레일러(하우스), 그리고 미국 지도와 로드맵, 운행계획표 등 자료가 한보따리이다. 이 홈카는 공장에서 출고되어 시험운전 점검을 마친 새 차란다. 이제부터는 이 트레일러에서 살아야 한다. 알루미늄 차체에 우주선처럼 생긴 이 하우스에는 더블베드로도 쓸 수 있는 소파 2개와 옷장. 서랍이 있는 거실, 주방의 가스레인지, 찬장 조리대와 냉장고, 화장실과 샤워실, 세면대가 있다. 냉난방이 되고, 가는 곳마다 트레일러 캠프에 주차하면 전기 수도 가스 변기 호스를 연결하여 살림집이 되는 것이다. 전 세계 제품 중에서 가장 가볍고 견고한 물건들로 짜여 있단다. 예컨대 냉장고는 노르웨이제, 목재는 캐나다산, 그 밖의 제품은 미국제. 그런데 여기에 made in Korea가 있어 놀란다. 뭐냐? 주방 서랍 속에 있는 스테인리스 스푼 나이프 포크 등이다. 허어! 지금 생각하면 이런 틈새 끼임을 놓치지 않은 '메이드업 정신'이 오늘날 세계적 일류 한국 상품을 이뤄낸 것이 아닌가 싶다. 우리 팀도 살림 분장을 한다. 자동차 운전은 이 부장. 이 부장은 서울에서도 자기 승용차를 운전했으니까. 청소와 시설 운영은 임 기자. 김 팀장은 주방장을 맡는다.

5월 9일(일요일) : 트레일러 침실의 하루가 밝았다. 아침 일찍 트레일러 게양대에 태극기를 달며 애국심에 젖는다. 이날부터 4일간은 캠프에서 함께 움직일 18개국 팀의 각국 언론인들 간에 친목, 교류와 자동차 시운전, 트레일러 생활 적응 훈련이다. 그런데 이건 알 수 없다. 영국 독일 스페인 등 유럽의 팀들은 물론 브라질 등의 남미, 나이로비 등의 아프리카에서 온

팀의 구성을 보니까 이건 취재팀이 아니라 무슨 가족 여행단이라 할까. 영국 기자는 아내와 어린 남매를, 스페인 기자는 어머니를 모시고 왔고 아내 기자에 얹혀온 브라질 사내도 있다. 대부분이 아내와 형제들이다. 모두 모범 사원 위로 출장 같은데 한국만 완전무장에 긴장한 취재팀이었다. 이게 한국이었다. 지금이라면 어떨까.

캐러밴 출발!

5월 13일(목요일) : 미국 대륙 횡단 캐러밴 대장정의 아침. 08:00 운전자 도상훈련, 승용차에 트레일러를 달고 캠프 주차장에 연결했던 생활 호스를 거둔다. 단단히 다 잠그기, 준비완료. 군대 점호 하듯 한 점검이다.

09:00 역사적인 대장정. 캐러밴 출발! 20여대의 트레일러 대열이 장관이다. 좋은 승용차, 넓은 길, 승차감이 썩 좋다. 자신만만이라는 우리 운전자. 그러나 조수석에 앉아 로드맵과 도로 표지판을 대조하며 코치하는 팀장의 눈망울이 바쁘다. 지금으로 치면 내비게이션. 캘리포니아 끝자락에서 애리조나 땅에 들어서서 계속되는 돌산, 사막지대. 그러더니 끝없는 목초지에 소떼와 일렁거리는 밀밭이다. 새파란 밀밭인가 하면 누렇게 익은 수확의 모습이다. 일 년 내내 사뭇 자라고 거둔다는 이야기가 된다. 지난날 우리 보릿고개를 생각한다. 언젠가는 이 식량이 무서운 무기가 되는 세상이 올 수 있겠다는 생각이 든다.

첫 기착지는 애리조나의 Yuma 캠프, 이곳까지 오는 길은 이글이글 불타듯 뜨거운 날씨였다. 여기서부터 6일간은 사막과 만년설이 함께 있는 조화의 땅, 애리조나 땅에서 생활한다. 주도인 피닉스, 제일 큰 도시 플래그스

테프로 캠프를 옮기면서 공식 일정인 초청, 견학, 관광과 독자적인 취재 스케줄을 소화한다. 모두가 처음 맞는 현장들이지만 특히 영화에서나 봤던 미국 서부의 땅에서 많은 것을 보았고 개척정신으로 일궈낸 그 위대한 현실에서 많은 것을 배웠다. 황폐한 사막과 돌산, 선인장 밭을 지나면서 그곳을 옥토로 가꾼 현장에 고개가 숙여졌다. 그 거대한 사막 속에 첨단 연구시설이 있다고도 했고 차세대 국방연구기지가 있다고도 했다. 피닉스까지의 황량한 땅과는 달리 하늘을 가린 대 산림이 끝이 없는 플래그스태프까지를 달리면서는 열사(熱砂)와 만년설(萬年雪)이 함께 있는 거대하면서도 오묘한 자연에 압도당할 수밖에 없었다. 그중에서도 그랜드 캐년은 큰 감동이었고 아메리카 인디언의 추적 취재는 슬픈 새로운 관심사였다.

인디언 애화(哀話)

애리조나의 주도 피닉스 주변에는 현재 5만여 명의 인디언이 살고 있다는 것과 그 옛날 그들의 본거지를 취재하면서 서울을 떠날 때는 생각지 못했던 '아메리카 인디언 특집' 을 구상한다. 그러나 피닉스 2일 동안 인디언 취재를 집중적으로 했으나 어려웠다. 어느 곳도 카메라는 NO! 다만 공개된 뮤지엄에서 만날 수 있었던 유물과 유적에서 우리 조상들의 생활 틀과 닮은 게 많다는 것이 취재의 유혹이었다.

아메리카 인디언. 콜럼부스가 신대륙을 발견할 때 이곳이 인도인줄 알고 원주민을 '인디언' 이라고 했다는 건 다 아는 일. 그 후에 인도인과 구분하느라 '아메리카 인디언' 으로 수정됐다는 것이다. 그러니까 아시아 대륙에서 흘러간 인디언이 아메리카 대륙의 원주민이고 주인인 것도 틀림없는 사실. 미국 내에는 '나바호', '아파치', '코만치', '체로키' 등의 부족이 있고 중남미까지에는 500여 부족이 있다고 했다. 현재 인디언들은 대부분이 지정된 보호지역에서 살고 있다.

인디언 취재는 그들의 또 하나의 본거지였던 뉴멕시코에서도 계속되는데 Laguna에서의 취재는 완전히 공포 속이었다. 필름을 넣지 않고 빈 카메라를 돌릴 지경이었으니까. 그러나 애리조나 Tugigood의 벼농사 흔적이 우리 옛날 논 그대로였고 Montezuma의 '푸에블로' 족의 산중턱 혈거(穴居) 현장을 비롯한 인디언의 초기 바스켓 문화와 푸에블로 문화의 흔적을 취재한 것은 큰 소득이었다.

피닉스에서 플래그스태프로 가는 길은 황무지에서 고원지대로 계속 오르는 코스였다. 염열(炎熱) 속에 있다가 만년설이 그림 같은 산봉우리를 배경으로 하니 정말 무진장한 자연과 자원의 나라임을 절감한다. 이 지역 기자클럽의 공식 만찬을 끝내고 캠프에 들어가니 "안녕하세요." 반가운 목소리이다. 6 · 25 전쟁 때 해병으로 참전했었다는 노신사가 트레일러의 태극기를 보고 반가워 찾아왔다는 것이다. 이 참전 노신사에 감사와 경의를 표했다.

그랜드캐니언… 3번의 눈물

애리조나 6일째(5월17일)엔 그랜드캐년을 간다. 협곡에 서니 감동! 감격이다. 〈수천수만의 선녀가 구름을 타고 나는 것 같기도 하고 무적의 무사들이 종횡무진 짓쳐나가는 것 같기도 하다. 이를 데 없는 섬세함인가. 장엄무비인가. 잘려나간 산들이 무수히 공중에 떠서 기슭으로 기슭으로 이어지는가 하면 성채가 아라비안나이트의 융단을 타고 협곡을 날듯 연결되기도 한다. 이 등마루에서 내려다봐도 저 등허리에서 봐도 똑같은 듯, 다른 듯. 색깔은 또 그리 각양각색인가. 붉기도 하고 푸르기도, 검붉고 희고 검기도 하다. 협곡 밑으로 흐르는 콜로라도 강물은 시뻘건 황톳물이 시퍼런 급류로 굽이친다. 이 대협곡이 장장 290마일이라니…〉 캐러밴 출발 전 LA에서 만났던 후배는 '형은 그랜드캐년에 서면 3번은 눈물을 흘릴 것' 이랬는데. 그러나 눈물에 앞서 호흡이 멎는 충격이다. 위대한 창조주의 힘이여…

5월 19일(수요일) : 애리조나 굿바이. 이제 뉴멕시코 땅에 들어선다. 소나기가 한줄기 쏟아져 시원하다. 뉴멕시코는 오랜 세월 스페인의 지배였던 땅이라 미국에서 유일하게 영어와 스페인어 공용지대란다. Gallup을 지나 Bluwater lake의 연방공원 안 캠프에 머문다. 오늘도 250마일 길이었다. 역시 뉴멕시코도 넓은 땅. 여기서도 6일간을 머문다. 그러나 캠프는 바뀐다. Albuquerque 캠프, 서부 영화에서 보던 Rio Grande와 산타로사 캠프다. 200마일을 달리면서 뉴멕시코 3일째의 공식 일정은 주도인 Santafe 관광. 미국에서 가장 오래된 도시란다. 해발 2,100m의 휴양 관광도시. 인디언과 멕시코 스타일의 고색창연한 고장이다. 4일째의 공식 스케줄은 Sandio 국립공원의 산정 오르기. 해발 4000m의 삼림 정상을 오르는 케이블카의 운행거리가 2.6마일, 미국에서 가장 긴 것이란다. 산꼭대기에 오르니 맞은쪽 봉우리들에는 눈이 쌓였고 스키어들의 세상이다. 산 아래는 열대인데. 곳곳의 독립 200주년 기념행사도 놓칠 수 없는 취재 대상이다. 다양한 행사들의 공통점은 자원봉사가 돋보이고 모든 게 정말 자연스럽다는 것이다. 이 모습은 우리도 배워야 할 일이었다.

텍사스의 감동… 캐년 앰프극장

5월 25일(화요일) : 산타로사 캠프를 떠난다. 뉴멕시코는 스페인과 멕시코의 영향으로 지명도 San이거나 Santa가 많다. 뉴멕시코 고원을 내려가며 텍사스 땅. 텍사스에 들어서자 이제까지의 황무지, 고원, 캐년은 사라지고 산자락도 볼 수 없는 평원. 소떼가 있는 목초지나 밀밭이다. 끝없기는 마찬가지. 뉴멕시코에 이어 텍사스로부터 또 1시간을 앞으로 돌려놓아야한다. 기가 차다. 애머릴로 교외 캠프에 내리기 무섭게 공식 스케줄. 애머릴로 남쪽 Country canyon의 앰프 야외극장 견학이란다. "그랜드캐년도 봤는데 또 무슨 캐년이냐?"고 투덜대는 일행을 실은 버스가 산 계곡을 굽이굽이 돌아 깊은 골짜기로 간다. 눈앞에 수천 석은 될 것 같은 야외극장이 나타나 모두 놀란다. 이게 뭔가. 눈이 휘둥그레진 일행인데 순간, 교향악단의 대연주가 산굽이를 휘돌아 울려 퍼진다. 계곡이 무너지는 듯 아니 솟구치는 듯 하늘에서 쏟아져 내리는 오케스트라의 대향연이다.

또 한순간 계곡을 통째로 흔들어 놓는 기적소리, 말 달리는 굉음, 망아지 울어대는 소리가 협곡을 흔들어 놓는다. 이것이 텍사스인가? 골짜기 골짜기의 거목과 바위 뒤에 보이지 않게 숨겨져 있는 고성능 앰프에다 산울림까지를 이용한 장관의 하모니이다. '캠프 앰프 극장' 감동이 좀처럼 식지 않는데 이번에는 천둥번개가 치더니 세찬 비가 쏟아진다. 자연의 화음까지이다.

5월 26일(수요일) : 텍사스를 떠난다. 캠프를 나와 Helium 연구전시관 견학과 애머릴로 근교의 목장이다. 수천 마리인가, 수만 마리인가. 비육우를 기르는 목장인데 눈에 보이는 것마다 크고 넓어서…. 목장을 나와 동쪽으로 달린다. 다음 캠프는 오클라호마. 150마일 길이다. 69만㎢나 되는 광활한 땅, 텍사스를 하루 만에 떠난다는 게 섭섭하다기보다는 일정의 소홀함 아닌가싶다. 텍사스 Shamlock을 지나 오클라호마 땅에 들어서니 이제까지와는 다른 자연의 훈향이다. 아름다운 풍경이다. 이제까지의 와일드한 서부 카우보이 형이 아닌 부드럽고 온화한 인상이다.

'Welcome to the OK' 도로변 입간판이 곱다. 오클라호마 농촌을 무대로 목동과 농부의 소년 소녀들의 사랑과 향토애를 그린 뮤지컬 '오클라호마'는 1943년 3월 31일부터 브로드웨이에서 2,248회 연속 공연의 최고 기록을 세웠다는 자랑이다. Elkcity redriver 강변의 캠프. 이곳 할머니들의 아이스크림 대접을 받는다. 미국 개척시대의 유물 박물관을 관람하는데 시시콜콜 별 것을 다 진열해놓았다. 이젠 캐러밴 팀들이 싫증을 낼만큼 가는 곳마다 뮤지엄, 전시관이 의무 관람처럼 있다. 그러나 우리는 그 유물, 유적들의 보전정신이 탄탄하고 정확한 미국 역사의 기반이 될 것이라는 생각에 볼 때마다 존경의 마음이었다. 우리 5천년 역사의 정확도를 생각할 때 말이다. 오클라호마 이틀째에는 오클라호마 시장의 오찬 초청. 카우보이홀에서 융숭한 차림이다. 곱게 늙은 할머니 시장이다. 이 자리에서 만난 목사님의 주선으로 3백 명이 살고 있는 오클라호마의 교민을 취재하기도 한다.

"노병은…" 맥아더 장군의 고향

5월 29일(토요일) : 사흘을 머문 오클라호마를 떠난다. 이제 아칸소 땅. Morrilton 캠프에 트레일러를 세우고 50마일 거리의 주도 리틀록을 찾아간다. 그곳에 '더글러스 맥아더' 장군의 생가와 기념관이 있다. 맥아더공원을 찾았고 벽돌 3층의 기념관도 찾았지만 6월 1일까지 휴관 팻말. "노병은 죽지 않고 사라질 뿐이다."라는 명언을 남긴 미국의 위대한 군인. 한국의 꺼져가던 불길을 인천상륙작전의 성공으로 되살려놓았던 한국의 은인. 물론 풍부한 자료가 있기는 하지만 오늘의 일이 아쉽다.

아칸소 주도인 리틀록은 생각보다 작은 도시였다. 인구 12만5천명, 리틀록은 맥아더 장군의 고향 말고도 '리틀록 흑백 사건'이라는 게 있었기에 더 귀에 익은 곳이다. '리틀록 사건'은 1957년 가을 백인 학교에 흑인 학생 취학을 허용하자 백인들이 반대하면서 일어난 사건이다. 흑인 학생의 등교를 위해 주 방위군과 연방군까지 출동해야 하는 폭동상태로 남북전쟁이후 가장 큰 흑백 분쟁이었다.

5월 30일(일요일) : 모릴톤 캠프를 떠난다. 도로는 계속 40번 고속도로. 미국 남부의 젖줄인 미시시피 강을 건너 테네시 주. 주의 최대 도시인 Memphis(인구 62만 명)에 들어서니 오랜만에 도시구경을 하는 것 같다. 멤피스 경기장 공원 캠프에 트레일러를 풀어놓고 다시 취재길. 전화번호책에서 찾아낸 교포 집, 멤피스에 5백 명의 동포가 살고 있다는데 마침 돌잔치가 있는 가정에 50여명의 동족들이 모여 있었다. 좋은 취재를 할 수 있었다. 저녁에는 야구장 나이트게임을 보기로 한다. 9개의 시원한 홈런을 볼 수 있었다. 피처마운드가 우리보다 훨씬 높다. 멤피스의 이틀째는 멤피스 대학 취재, 한국인 교수의 도움을 받았다. 그러고 보니 이제 5월도 다갔구나. 5월 한 달 동안의 미 대륙 횡단 길에서 과연 어느 만큼의 소득이 있는가. 매일 2백~3백 마일을 달렸고 공식 스케줄 틈새의 취재였지만 캐러밴 후반에 오면서 프로그램 제작 압박이 만만치 않기도 하다. 멤피스 사흘째 오전에는 시내 관광이 공식 스케줄. 멤피스 시내에 있는 마틴 루터

킹 목사가 암살된 모텔 현장은 아직도 보전되어 있었다. 흑인 해방 운동의 최고 지도자로 노벨 평화상(1964년)을 받았던 킹 목사가 암살 당한 건 1968년 4월 4일이었다.

체로키로 가는 길… 곰이 어슬렁

6월 4일(금요일) : Nashvill 캠프를 떠나 40번 고속도로에서 24, 19번 지방도로로 바뀐다. 한 달 가까이 달려온 40번은 이제 안녕이다. 오늘의 목표는 노스캐롤라이나 땅 Cherokee까지 320마일. 첩첩산중, 울울창창한 숲길을 계속 달린다. 이 대륙은 어떤 형태든 시작됐다 하면 끝이 없고 한이 없다. 오늘은 심산유곡이 종일이다. 아파라치안 산맥의 8부 능선길이다. 체로키 가는 길은 구름이 발치에서 노는 길. 구름 위 동네이다. 가다가는 깊은 계곡을 굽이치는 큰 강물이, 그래서 댐이 있고 또 가다가는 광산촌, 그런가하면 과수단지가 있고 꿀 생산단지도 지난다. 참으로 무궁무진한 자원을 안고 있는 땅이다. 깊고 깊은 골짜기에 때로는 비가 쏟아지고 그러다간 눈부신 햇살이다. 상상할 수없는 조화를 부린다. 그래서 자연인가. 미국의 위대한 힘의 바탕이 이 위대한 자연 속에 있음을 터득하게 된다. 저녁 늦게 체로키에 들어선다. 10시간의 320마일 길, 아파라치안 산맥 속, Great smoky Mt. nationalpark 캠프. 곰이 어슬렁어슬렁 걸어 나와 사람이 주는 먹이를 받아먹는 모습이 보인다. 체로키 이틀의 일정은 인디언촌 방문이다. 서부에서는 볼 수 없던 인디언 관련 공식 일정이다. 여기에 열쇠가 있는 것 같다. 미국 동부의 인디언은 서부의 인디언과는 확실히 다르다는 것을 보게 된다. 오클라호마에서도 인디언 춤의 공연이 있었는데 역시 서부와는 다른 것이었다. 깡마르고 사나워 보이는 서부의 인디언과는 달리 동부의 인디언들은 체중이 제법 나가고 배도 나와서 유순해 보인다는 것이다. 이제 백인화 된 듯 현실에 안주하는 모습이다. 체로키의 인디언 지도자(추장)는 '우호'를 강조했고 역시 백인들도 그랬다. 다만 인디언촌의 통나무집에서 보는 살림 도구가 역시 우리 조상들의 것과 같은 게 많기는 마찬가지였다.

위대한 미국… 한국도 위대하다

6월 6일(일요일) : 체로키 캠프를 떠난다. Bristol에서 주경을 넘으니 Virginia 표지판이 보인다. 반갑다. 수도권에 접어들어 캐러밴 대단원이 보이는 듯하다. 버지니아 땅 Wytheville 캠프에 짐을 푼다. 모두가 아름답다는 버지니아. 그런데 무엇보다 중요한 것은 이 거대한 땅을 보아갈수록 고독감이 커졌다는 것이다. 날이 갈수록 광야에 홀로 서 있다는 생각이었다. 그것은 우리 민족이 너무나 천연의 혜택을 받지 못하고 살아왔다는 것이 확대되어 그것이 고독으로 나타나는 것 같았다. 그러나 그러한 열악한 환경 속에서도 '잘 살아 보자'는 일념으로 남보다 두 배, 세 배 일하고 있는 우리들의 노력이 오히려 위대하다는 자부도 생긴다. 미국의 관광지에서 백화점에 이르기까지 Made in Korea가 없는 곳이 없었다는 사실을 확인할 수 있었다는 것도 위대함을 주장하는 한 근거가 될 것이다. 아직 고급, 고가 제품에는 미치지 못한다. 하지만 우리의 각오와 노력으로 머지않아 이 현실을 추격, 추월할 수 있다는 기대와 희망은 컸다. 정말 2012년의 현 위치에서 36년 전을 회고하면서 그때 우리의 전망이 옳았다는 감회에 눈물겹고 자랑스럽다.

와이더빌 캠프의 오후, 수채화 같은 아름다움에 둘러싸인 파킹 그라운드의 6월 햇살이 눈부시다. 저녁에는 200주년 축하 행사와 함께 이 마을 사람들이 만들어주는 음식으로 즐거운 캠프 파티의 시간. 캐러밴에서 또 하나의 감동은 곳곳의 모든 행사가 사랑과 자원봉사의 정신들이었다는 것이다. 특히 연세 많은 분들의 탁 털어놓은 듯한 "Hi!"는 바로 소통이요, 인정이었다. 어찌 보면 미국은 복잡하면서도 단순한 나라라는 생각이 든다. 광대한 국토, 그에 따른 기후와 지리조건, 그리고 다양한 인종으로 보면 복잡하다고 할 수 있겠는데 한편 단순하고 위대할 수 있는 근거는 우선 언어가 영어 하나, 조지 워싱턴과 토머스 제퍼슨, 에이브러햄 링컨 등의 위인들을 보는 국민의 생각이 자유평등의 민주주의이념과 일치된다는 것에서 찾을 수 있고 또 신분제가 없고 국민생활의 균등이 이뤄져있다는데 있다.

6월 7일(월요일) : 와이더 빌 캠프를 떠난다. 81번 연방 도로를 달려 Harrisonburg 근교 캠프까지 200마일, 내일은 최종 목적지다. 그래서 오늘이 실질적인 송별의 밤이 된다. 이제는 친해진 사람들과 작별인사를 나눈다.

6월 8일(화요일) : 다 온 것 같은데 또 200마일을 더 가야 한다. 조심스럽게 달린다. 유종의 미를 거둬야지. 아름다운 버지니아의 지방 도로를 가는데 Washington D.C 표지판이 나온다. 이제 다 왔구나. 누가 마중이라도 해줄 것 같다. Bullrun park가 라스트캠프가 된다. 개선행진곡은 없지만 숲속을 흐르는 바람소리와 산새소리가 맞아준다. 트레일러를 풀어 앉히고 박수를 보낸다. 그동안 멀고 낯선 길을 사고 없이 달려준 캐딜락과

트레일러. 그리고 무사고 운전의 이창원 부장, 무작정 취재에 고생한 임용균 기자에 대한 감사의 박수이고 임무 완수의 자축이다. 뜨거운 악수를 나눈다. 김도진 워싱턴지국장과 미국에 이민 온 오일룡 형(현역 때 체육국장, 문화 사업단 이사 역임)이 함께 캠프를 찾아왔다. 반가운지고. 한 달 동안 자란 내 턱수염이 그럴듯하단다.

캠프 휴식 3일간은 행복한 시간이다. 오일룡 댁 우리 팀 초청의 진수성찬과 김도진 특파원지국장 댁의 환영 파티는 지금도 잊을 수 없는 고마움이다. 그런데 김도진 국장도 이창원 부장도 지금은 저 세상 사람이다. 고인의 명복을 빈다. 임용균 기자는 미국에 이민을 가서 잘 살고 있다.

6월 11일(금요일) : 캐러밴의 마지막 아침, 이제 정말 최종 정리를 한다. 트레일러에 걸었던 태극기에 거수경례를 올려붙이고 하기식이다. 거의 다 떠난 캐러밴 캠프가 쓸쓸하다. 그동안 우리 집이었던 트레일러하우스와 튼튼한 발이었던 캐딜락을 깨끗이 청소해서 반납한다. 오래 추억이 될 캐러밴 아메리카의 종장이다. 이 감정을 멋지게 표현할 리드나 클로징이 떠오르지 않는다. 그냥 "땡큐!" "잘 있거라, 아메리카여!"

김은구 | 1938년 2월 20일 출생, 조선일보 기자, 서울신문 사회부 차장대우, 경향신문 사회부장, KBS 사회부장 · 뉴스센터 주간(보도국장) 겸 보도본부 부본부장 · 부산방송 본부장 · 기획조정실장 · 경영본부장 · 아트비전 사장 · 이사

나의 청와대 출입 시절

> 한 나라의 최고 지도자, 그것도 성공한 대통령을 가까이에서 지켜 볼 수 있었던 것은 언론인으로서 큰 행운이 아닐 수 없었다.
>
> 남시욱

내가 청와대를 출입한 것은 1966년 여름부터 1967년 말까지 약 1년 6개월간이었다. 이듬해 3월에 주일 특파원으로 부임하느라 비교적 짧은 기간 동안 이곳을 출입했지만 이 시기는 국가적으로 대단히 중요한 때였다. 한국 현대사에 결정적 전환점을 마련한 박정희 대통령의 3공이 출범한 초기였기 때문이다. 이런 중요한 시기에 청와대를 출입하다 보니 당시에는 일도 많고 사연도 많았지만 내 개인적으로는 기자로서 대단히 소중한 경험을 쌓은 셈이다. 무엇보다도 한 나라의 최고 지도자, 그것도 성공한 대통령을 가까이에서 지켜 볼 수 있었던 것은 정치 문제 전문기자를 지향했던 언론인으로서 큰 행운이 아닐 수 없었다. 나는 그때 박정희 대통령을 관찰해 본 경험 때문에 후대의 대통령들이나 지망생들을 평가할 때 곧잘 박 대통령과 그들을 비교하는 버릇이 생겼다. 그래서 나는 "박정희 같으면 이렇게 했을 텐데…" 하고 박 대통령의 장점과 단점을 일종의 준거(準據)로 삼았다.

한국 경제가 이룩한 자랑스러운 시기

내가 청와대에 출입한 이 기간은 5 · 16 군부 세력이 민정을 출범시킨 초입이었기 때문에 정치적으로는 5 · 16 발발 후 군정 기간 동안 억눌렸던 구 정치 세력이 한일 회담 반대 투쟁을 계기로 본격적인 정치 투쟁에 나서서 여야 간에 대립이 극심했다. 이 무렵에는 또한 동베를린 간첩단 사건이 일어나 국내외적으로 시끄러웠다. 국제적으로는 동서냉전이 정점에 달한 시기여서 미국이 벌인 월남전에 한국도 파병을 한 상황에서 전황이 점점 미국 측에 불리하게 전개되고 있었다. 언론 상황은 군정 때보다는 훨씬 나은 편이었지만 뒤에서 살펴보는 바와 같이 언론인에 대한 테러가 빈발해 큰 정치 문제가 되었다. 박 정권은 여전히 권위주의적 언론 정책을 펼 때였다. 나는 가끔 취재 때문에 청와대측과 마찰을 빚었다. 이에 비하면 이 기간은 경제적으로는 박정희 대통령의 제1차 경제 개발 계획(1962~1966년)이 성공적으로 마무리되고 제2차 계획(1967~1971년)이 막 시작되어 한국 경제가 바야흐로 이륙하던 시기였다. 청와대에는 활기와 희망이 넘쳤다.

나는 박정희가 정치적으로는 무리수를 둔다고 생각하면서도 그가 박력 있게 추진하는 경제 정책에 대해서는 큰 호감을 가졌다. 그런 이유로 해서 나는 우선 박 대통령의 밝은 면, 즉 그의 성공적인 경제 정책을 취재하면서 느낀 것 중 기억나는 것부터 이야기하고자 한다. 대한민국을 오늘의 세계 15위 경제 강국으로 만든 출발점이 된 이 시기를 먼저 되돌아보고 이 시기의 어두운 면은 그 다음에 살펴보고 싶다.

박 대통령은 경제를 살리기 위해 쿠데타를 일으켰다고 할 정도로 혁명

거사 후 곧 바로 경제에 손을 썼다. 1961년 군사 혁명에 성공한 박정희는 2년여 간의 군정 기간을 거쳐 1963년 10월 대선에서 5대 대통령에 당선되었다. 그는 혁명에 성공한 지 채 2개월도 안된 1961년 7월 국가재건최고회의 시절에 경제기획원을 신설하고 이듬해인 1962년 1월에는 경제 개발 계획 최종안을 확정하는 즉시 시행에 들어갔다. 다시 말하면, 3공이 정식으로 출범하기 1년 전인 최고회의 시절에 1차 5개년 계획이 시작된 것이다. 1965년 진통 끝에 한일 국교 정상화를 이룩한 그는 국교 수립 즉시 일본으로부터 청구권 자금을 들여와 경제 개발의 재원으로 사용했다.

그는 곧 바로 울산공업지구, 호남비료 나주공장, 인천 제철공장, 포항종합제철 등을 건설했다. 박정희는 해외 자금으로 건립한 공장의 기공식과 준공식에는 반드시 직접 참석했다. 물론 기자들도 대개 동행 취재를 했다.

박정희는 이 무렵 버릇처럼 "내가 항상 잊어버릴 수 없는 것은 어떻게 하면 우리 민족도 남과 같이 잘 살 수 있겠느냐는 것이다."라고 말했다. 그의 집무실 벽에는 항상 경제 개발 계획 추진 상황을 나타내는 차트, 특히 공장 건설 진행 상황을 표시한 도표가 걸려 있었다. 그는 기자들에게 이 공장은 여기에 문제가 있고. 저 공장은 저기에 문제가 있다고 소상하게 설명해 기자들을 놀라게 했다. 물론 그는 우수하고 열성적인 경제 전문가들을 잘 활용했다. 깐깐한 성격에다 숫자에 밝은 그는 지방 연두 순시 때는 과장에게까지 질문을 하고, 그 지방의 은행지점장을 불러다가 중소기업 자금이 그 지역에서 얼마나 회전되고 있는가를 묻는 철저함을 보였다. 그 결과 1차 5개년 계획 기간 중 연평균 경제 성장률은 당초 예상치인 7.1%보다 훨씬 높은 8.1%에 달했고, 1인당 국민 소득은 1962년의 87달러에서

120달러로 껑충 뛰었다. 1차 5개년 계획은 우연하게도 박정희 대통령 1기 임기 말과 비슷한 시기에 완성되었다. 나는 1966년 연말 신문에 '정치 함수의 변화' 라는 제목으로 그의 1기 동안의 성과를 평가하는 분석 기사에서 경제 성장 못지않게 민주주의 발전의 중요성을 강조했다. 이듬해 5월 그가 대통령에 재선된 직후에는 '박정권 제2의 4년 (1) 시련 속의 출범' 이라는 제목으로 앞으로의 2기를 점치는 전망 기사도 썼다.

3선 개헌에 대비한 부정 선거였던 6 · 8 총선

나는 지금도 1967년 6월 8일의 제7대 국회의원 총선 때의 목포 취재를 생생하게 기억하고 있다. 박 대통령이 이 해 5월의 6대 대통령 선거에서 신민당 후보인 윤보선에게 100만 표 이상의 표차로 재선되자 공화당은 그 여세를 몰아 1개월 후에 있은 총선에서도 다수 의석을 얻기 위해 무리수를 썼다. 공화당은 국무총리 이하 전 국무위원을 동원해서 노골적인 관권 선거를 감행했다.

박 대통령은 직접 목포에 내려가 지원 유세를 통해 공화당 후보인 전 체신장관 김병삼을 지원했다. 박 대통령은 현지에서 '긴급 경제각의' 라는 이상한 임시각의를 개최했다. 이 각의에서 목포에 중요한 공장을 세우기로 하는 등 이 지방의 공업화 방침을 의결했다. 신민당은 이에 대해 극도로 반발했다. 유진오 총재는 이 긴급 경제각의를 '이성을 잃은 대표적인 처사' 라고 비난했다. 목포가 이렇게 중요하게 된 이유는 공화당이 이 지역에 출마한 신민당 후보 김대중을 낙선시키려 했기 때문이다. 김대중은 6대 국회 때 재경위에서 정부를 비판하는 발언으로 집권 세력의 미움을 샀다.

이 해 5월의 제6대 대통령 선거 때 행한 그의 연설이 집권 세력을 더욱 자극했다. 그는 "만약 박정희씨를 이번에 재선시키면 그는 틀림없이 3선 개헌을 할 것"이라고 공개적으로 발언을 했다. 결국 김대중의 예언은 들어맞았지만 박정희는 목포 지원 유세에서 3선 개헌을 하지 않겠다는 마음에 없는 약속을 하지 않을 수 없었다. 그런데 박 대통령이 경제 각료들을 대거 거느리고 직접 내려와서 메가톤급 선거 지원을 했지만 김대중의 교묘한 선거 운동 방식에는 이길 수가 없었다.

김대중 측은 선수를 쳐서 어느 지역에서 지금 공화당이 선거 부정을 저지르려 하고 있다고 신문사에 연락을 해 카메라맨들이 현장에 들이닥치는 바람에 공화당 운동원들의 부정 선거를 사전에 차단했다.

그러나 목포 등 특수한 지역구를 제외하면 전반적으로는 공화당이 총선에서 압승을 거두었다. 신민당은 불과 20여 석 밖에 건지지 못하는 부진을 보였다. 정국은 이때부터 극도로 요동치기 시작했다. 신민당은 9월 정기 국회 보이콧을 강행해서 결국 공화당은 부정이 심한 지역구의 당선자를 사퇴 또는 제명함으로써 그해 11월에야 국회를 정상화했다.

미국의 존슨 대통령은 1966년 10월 마닐라에서 월남전 참전 7개국 정상회의를 개최했다. 박 대통령을 따라 청와대 기자들도 동행 취재를 했는데 박 대통령은 마닐라로 가기에 앞서 월남을 먼저 방문했다. 나는 그때 사이공의 탄손누트 공항에 영접 차 나온 키 월남 수상과 같이 걸어 나오면서 그에게 월남의 전황을 물었더니 그가 아주 유창한 영어로 내게 친절하게 답변하던 모습이 지금도 기억에 생생하다. 마닐라 정상 회의 때 나는 특별한 취재를 시도했다. 그 무렵 막 구입한 라이카플렉스라는 독일제 고급 카메라로 직접 정상 회의 개회식 사진을 찍어 서울로 공수해서 이튿날 10월 25일자 신문 1면에 크게 실렸다. 당시는 요즘과 같은 이메일은 물론 없었고 사진 전송 시설도 없었기 때문에 필름을 비행기 편으로 동경에 보내 동경의 동아일보 특파원이 하네다 공항에까지 나가 이를 찾아 다시 서울행 비행기 편에 공수하면 본사에서 김포에 나가 필름을 찾아오는 방식이었다.

지금 생각하면 외신 사진을 써도 될 것을 사진 전문가도 아닌 내가 굳이 사진을 직접 찍어 서울로 공수한다고 소동을 피운 것이 관계자들에게 미안한 생각이 든다.

마닐라 정상 회의를 주재한 존슨 대통령은 그해 10월 말 서울을 방문했는데 그때의 일화가 생각난다. 마침 내가 그 전날 청와대 비서실의 어느 방에 앉아서 비서관과 이야기를 나누고 있는데 미국 백악관의 경호원들이 갑자기 들이닥쳐 청와대 비서실 방마다 폭발물 조사를 했다. 국가적으로 대단히 자존심이 상한 미국 측 처사였으나 하도 창피한 일어어서 보도를 할 생각조차 안 났다. 이튿날 신문에 보도된 것을 본 외무부(지금의 외교통상부)에서는 더 기막힌 일이 벌어졌다. 미국 경호원들이 폭약 탐지견까지 데리고 와서 외무부에서 난리를 피웠다고 한다. 지금 같으면 그런 비상식적인 일은 안 일어나겠지만 1960년대 후반의 대한민국은 아직 국제 사회에서 이런 대접을 받았다.

존슨과 관련해서 박 대통령의 재미있는 일화가 있다. 자신의 키가 작은 것에 항상 콤플렉스를 지닌 박정희는 미국인 치고도 장신인 존슨과 상대하기가 고약했다는 것이다. 그래서 특별히 키가 큰 서종철 장군이 지휘하는 6군단 사령부를 시찰하도록 했다고 박 대통령은 기자들에게 공개하면서 앞으로 한국의 대통령은 키가 큰 사람이어야 한다고 말했다. 그는 1964년 서독을 방문하고 귀국해서도 같은 이야기를 했다.

호랑이 담배 피던 시절의 청와대 기자실

내가 청와대를 출입하던 시절에는 출입 기자가 모두 15명 정도였다. 그야말로 호랑이 담배 피던 시절이었다. 기자실은 신관 1층에 있었다. 당시 청와대는 구 조선 총독 관저 건물을 그대로 쓰고 있던 시절이어서 이 낡은 건물은 본관이라 불렀다. 본관에는 대통령의 집무실과 서재 및 접견실, 그리고 비서실장실만 있었고, 수석 비서관 이하 비서관들은 모두 청와대 정문 바깥에 위치한 신관에 있었다. 기자들은 주로 대변인실에 들르는 것이 일과였고 보통 때는 기자실에 앉아 환담을 하거나 독서를 하면서 시간을 보냈다. 지금은 어떤지 몰라도 당시만 해도 정무 경제 안보 수석 비서관과 만나려고 했으면 불가능하지는 않았을 테지만 기자들이 취재를 위해 비서실과 접촉하는 경우는 별로 없었다. 어떤 기자들은 경호실에 놀러가 간부들과 이야기하는 경우가 있지만 이 역시 일상적인 취재와는 관계가 없는 것이다.

나는 취재와 관계없이 가끔 권상하 민정비서관 방을 방문해서 세상 돌아가는 이야기를 나누기도 했다. 그는 박 대통령과 대구사범 동기여서 대통령 친인척 단속이 그의 주된 임무였다. 박 대통령은 당시에 전국 시찰과 중요 도로와 철도 개통식, 그리고 공장의 기공식 또는 준공식에 참석하기 위해 자주 지방에 출장을 갔다. 이 때문에 그는 출장지에서 자주 약식 회견을 했다. 이 때문에 오히려 청와대에서 갖는 정식회견은 많지 않았다. 지금 기억나는 회견은 1966년 12월에 있었던 그의 대통령 취임 3주년 기념 기자 회견 정도이다.

박 대통령은 군 출신이어서 그런지 권위주의적인 언론관을 갖고 있었지만 출입 기자들에게는 대단히 소탈하게 대했다. 그는 기자들에게 담뱃불을 붙여주는가 하면 방안에 담배연기가 자욱하면 손수 창문을 열곤 했다. 지금 생각하면 무안한 노릇이지만 당시에는 파이프 담배가 유행할 때여서 나 역시 박 대통령 앞에서 예사로 파이프 담배를 피웠다(내가 회사 편집국의 내 자리에 앉아서도 파이프를 만지작거리던 중 옆을 지나가시던 고재욱 주필이 빙그레 웃으면서 "자네는 파이프가 그렇게도 좋아 계속 만지작거리는가?"라는 핀잔 아닌 핀잔을 준 일도 있다).

그런데 박정희는 당시 최대 부수의 신문으로 압도적인 영향력이 있던 동아일보에 대해서는 약간 복합적인 감정을 가진 것 같았다. 그것은 무엇보다도 그가 존경하는 친형이자 좌파 계열의 독립운동가였던 박상희가 일제 강점기에 동아일보 구미지국장을 지냈기 때문에 젊은 시절부터 언론에 대해 이해가 생긴 것 같다. 한 번은 내가 기자실에 앉아 있는데 이후락 비서실장으로부터 자기 방으로 놀러 오라는 뜻밖의 전화를 받고 본관에 올라갔다. 그는 이런 이야기 저런 이야기를 하다가 이왕 본관까지 왔으니 대통령에게 가서 인사나 드리라면서 나를 대통령 방으로 데리고 갔다. 그는 박 대통령의 서재 문을 두들기면서 "각하, 동아일보 남 기자 왔습니다."라고 말했다. 박 대통령은 "어서 들어오세요." 하고 반겼다. 그는 한창 세상

돌아가는 이야기를 하던 중 신중한 어조로 "그런데 남 기자, 동아일보 정치부에서는 나의 국정 방향을 지지하지는 않지만 어느 정도 이해는 하고 있는 것 같은데, 사회부는 안 그런 것 같아."라고 했다. 나는 "그럴 리가 있습니까?" 하고 받아 넘겼다.

나는 모처럼 대통령을 단독으로 만난 김에 취재 욕심이 발동했다. 당시 박 대통령의 유럽 순방이 당면 과제였는데 나는 이 문제를 물어보았다. 그는 한참 생각하다가 외국을 방문해서 정상 외교를 할 생각이 있다고 답변했다. 나는 회사로 돌아와서 한참 고심하다가 이 문제를 기사화하기로 했다. 그 대신 박 대통령을 만난 사실을 밝히는 것이나 더욱이 그의 말을 인용하는 것은 청와대 측을 곤혹케 할 가능성이 있으므로 뉴스 소스를 '청와대 소식통'이라고 썼다.

정작 소동은 청와대 대변인실과 기자실에서 일어났다. 기자들이 대변인에게 뉴스의 확인을 요구했으나 대변인은 확인도 부인도 할 수 없는 딱한 입장에 빠졌다. 대변인은 내가 본관에 올라가 비서실장과 대통령을 만난 사실을 나중에 알았기 때문이다. 이 문제로 나는 대변인과 한동안 불편한 관계가 되었다.

선거 기사로 동아일보 박해 받아

동아일보는 1967년 5월의 제6대 대통령 선거 때 집권 세력과 마찰을 빚었다. 당시 선거 유세를 보도할 때 항상 말썽이 되는 것이 청중 수였다. 박정희 후보는 투표 며칠 전인 4월 29일 서울 장충단공원에서 유세를 했는데 청와대 출입 기자인 나는 그의 연설 내용을 보도하는 것이 임무였고 다른 유세장 보도는 주로 사회부 기자들로 구성된 특별취재팀이 맡았다. 20여 명으로 구성된 이 특별취재팀의 임무 중에는 청중 수를 산출하는 것이 가장 큰 일이었다. 특별취재팀은 유세장 1평당 청중 몇 명이라는 계산 방식에 따라 이날 약 25만 명이 모였다고 보도했다. 주최 측은 1백만 청중이라고 주장했고 많은 다른 신문들도 그렇게 보도했다. 동아일보 보도에 불만을 품은 중앙정보부는 다음날 이른 아침 김상기 방송국장과 김성열 편집국장대리, 그리고 이동수 뉴스담당부국장을 연행해 갔다가 그날 오후에 풀어주었다. 말이 연행이지, 중앙정보부의 처사는 법에도 없는 물리력 폭력이나 다름없었다. 이 바람에 김성열 국장대리는 나중에 결국 편집국장이 되지 못하고 런던특파원으로 밀려나게 되었다.

나의 선임자로 청와대를 출입한 동아일보 정치부의 최영철 기자는 1966년 3월 28일자 신문에서 '소신은 만능인가' 라는 제목의 글을 썼다가 얼마 후 퇴근길 자택 부근 골목길에서 테러를 당했다. 집 현관에 던져진 흰색 봉투에는 '최영철, 펜대 조심하라. 너의 생명을 노린다-구국특공단장' 이라고 적혀 있었다.

1963년 정권 출범 초부터 한일 회담 반대 데모 때문에 서울 일원에 비상계엄까지 펴서 겨우 사태를 수습한 집권 세력은 언론, 그것도 동아일보와 동아방송을 탄압했다. 당국은 동아방송에 대해 이른바 '앵무새 사건' 을 일으켜 최창봉 방송국장 등 간부들을 구속했다. 이 무렵 군인들과 상이군인을 자칭하는 청년들이 신문사 편집국에 난입하여 기물을 부수기도 했다. 집권 세력은 이에 그치지 않고 동아일보의 일부 간부들에게 테러도 불사했다. 변영권 편집국장 자택의 대문을 폭파하는가 하면, 거의 같은 시각에 동아방송 조동화 제작과장이 괴한에게 납치되어 몰매를 맞았다. 얼마 후에는 권오기 정치부 차장이 귀가하다가 괴한들에게 폭행을 당했다.

나는 청와대 출입을 마치고 주일 특파원으로 간 후에는 박 대통령을 만날 기회가 없었는데, 그가 김재규의 총에 맞아 별세하는 불운을 맞기 3개월 전인 1979년 7월 카터 미국 대통령이 방한했을 때 태평로에서 그와 함께 카퍼레이드를 하는 모습을 멀리서 지켜 본 일이 있다. 그때 내 눈에 비친 박 대통령은 검은 얼굴빛에 흰 머리가 많고 몹시 안색이 좋지 않게 보여 어딘지 모르게 불길한 감이 들었다.

남시욱 | 1938년 4월 22일생, 동아일보기자, 동경특파원, 이사 편집국장, 논설실장 상무이사, 문화일보 사장

나의 新聞 읽기

단지 신문을 챙겨 아버지에게 갖다드리기만 하던 나는 언제부턴가 신문을 읽기 시작했다. 아는 한자를 찾아 읽는 재미에 신문을 뒤적이게 되었는데, 차츰 기사 내용에도 관심이 갔다.

민정기

원로 언론인들의 부음이 자주 들려온다. 우리 '대한언론인회' 회원이기도 한 그분들은 평생을 언론인으로서 한길을 걸어 왔다. 선배 언론인들의 얼굴을 떠올리며 나의 지난 삶을 되돌아본다. 어떤 말로 나의 일생을 설명할 수 있을까. 나는 기자로서 사회에 첫발을 내디뎠지만 10년 만에 언론사를 떠났다. '대한언론인회' 회원 자격도 턱걸이 한 셈이다. 그러나 기자가 되기 훨씬 전인 어린 시절 처음 관심을 갖게 된 신문과의 인연은 오늘날까지 끈질기게 이어져 오고 있다. 언젠가는 염라대왕 앞에 서게 될 터인데 "저 세상에서 무엇을 하던 사람인고?"라는 물음을 받으면 뭐라고 해야 하나. 나는 잠시도 멈칫거리지 않고 "신문을 열심히, 정말로 열심히 읽었습니다."라고 말할 것이다. 사실 나처럼 평생 그렇게 신문을 열심히 읽은 사람도 많지는 않을 것이다. 초등학교 5학년 무렵부터 시작된 신문 읽기는 기자 시절은 물론이고, 그 뒤 공직에 있을 때, 그리고 오늘 이 시간까지도 나의 가장 중요한 일과가 되어 있다. 근래 구독하는 신문의 수를 줄였는데도 매일 2~3시간 이상 신문을 읽는다. 하루 24시간 가운데 잠자는 시간을 빼고는 가장 많은 시간을 신문 읽기에 소비하는 셈이다. 언론인의 한길을 걸어온 것은 아니지만 '신문과 함께 한 일생' 이라고 할 만한 것이다.

휴전이 되고 피난지 부산에서 서울로 돌아 온 후 내가 아침에 일어나 맨 처음 하는 일은 대문에 나가 문틈 사이로 던져 놓고 간 신문들을 챙겨 아버지에게 갖다드리는 일이었다. 집으로 배달되는 신문은 이른바 '5大紙'(경향신문, 동아일보, 서울신문, 조선일보, 한국일보)였다. 고향을 떠나 월남한 뒤 크지 않은 철물상을 하며 생계를 꾸려가던 아버지는 어쩐 일인지 신문 여럿을 구독하고 계셨다. 6 · 25가 터진 다음날, 큰 은행나무가 있던 동네 모임터에 대한민족청년단 단원들을 모아놓고 연설하던 모습이 떠오르고, 또 서울 수복 후 당시 여당이던 자유당의 한 유력 의원과도 친분을 갖고 있었던 사실로 미루어 보면 직접 정치에 뛰어들지는 않았지만 정치-사회 문제에 관심이 많으셨던 것 같다. 우리 집에는 6 · 25 전에도 신문이 여러 개 배달되었던 것으로 기억된다. 6 · 25 1년 전인 1949년 6월, 백범 金九 선생 암살 사건이 났을 때 나는 누구랑 갔는지 생각나지 않지만 하여튼 京橋莊 빈소에도 갔었고 남대문 앞으로 지나는 장례 행렬을 따라가기도 했다. 색다른 구경거리가 많아져 신이 난 나는 그 며칠 동안 어른 주먹만 한 크기의 金九 선생 영정 사진이 실린 신문을 사진이 보이도록 완장 크기로 접어 팔뚝에 차고 다녔다. 몇 개 더 만들어 동네 아이들에게도 나눠줬던 일이 생각난다. 우리 집에 신문이 여러 개 배달되고 있었던 것이다.

처음에는 단지 신문을 챙겨 아버지에게 갖다드리기만 하던 나는 언제부턴가 신문을 읽기 시작했다. 아는 한자를 찾아 읽는 재미에 신문을 뒤적이게 되었는데, 차츰 기사 내용에도 관심이 갔다. 당시 경향신문, 동아일보는 '野黨紙', 서울신문은 '與黨紙' 라고들 했다. 신문들 스스로 기사 속에 그런 표현들을 썼다. 동아일보의 '統一天下' (金八峯), 경향신문의 '久遠의 情火' (朴啓周)나 서울신문의 '自由夫人' (鄭飛石) 등 연재소설을 읽기도 했지만 漢詩나 중국고전의 글귀들을 많이 인용하는 '壇上壇下' 라든가 '餘滴', '橫說竪說', '京鄕싸롱', '地平線' 같은 존평 기사나 칼럼을 더 열심히 읽었다. '야당지' 를 더 열심히 본 셈이다. 중학생이 되었을 무렵에는 정가의 뒷얘기들도 제법 꿰뚫게 되었다. 옆자리의 짝이 자유당 소속 국회의원의 아들이었다. 당시 자유당은 '강경파' 와 '온건파' 가 당내 헤게모니 다툼을 벌이고 있었는데, 내 짝의 아버지는 국회 재경위원장을 지낸 중진의원이었지만 어느 파벌에 속하는지 신문 기사에는 이름이 없었다. 궁금증을 못 이겨 내 짝에게 "너의 아버지는 강경파냐 온건파냐" 고 물어봤다. 며칠 뒤 내 짝의 아버지가 교무실로 전화해서 담임선생님에게 "우리 아이 짝을 바꿔 달라." 고 했다는 얘기를 들었다. 내 짝도 "아버지가 너하고 놀지 말랬다." 면서 한 동안 말도 안했다.

정치 문제에 대한 관심이 커지면서 월간지 '思想界' 와, 시사 문제도 많이 다룬 천주교 발행의 '京鄕雜誌' 도 열심히 읽었다. 사상계 기사 가운데에는 씨알 咸錫憲 선생과 尹亨重 신부(경향신문 사장 역임) 간에 몇 차례에 걸쳐 전개된 치열한 紙上論戰이 기억에 남는다. 기독교를 비판한 咸선생의 기고문에 대한 尹신부의 반박으로 시작된 이 논전으로 사상계는 나오자마자 매진되고는 했다. 그런데 나에게는 논전의 쟁점보다 당대의 지성들이 서로 '쌍스럽다', '양의 옷을 입은 이리', '우물 안 개구리', '제발이 저린 도둑놈', '공산당의 오열'이라는 인신공격적인 비난들을 주고받는 모습이 자극적이었다. 실망스러웠다기보다는 멋있다는 느낌이 더 강했다. 당시 언론인으로서 필명을 날리던 朱耀翰, 申相楚, 千寬宇, 梁興模, 白光河 선생 등의 글에 끌려들어 가던 나는 언젠가는 나도 그런 글들을 쓸 수 있으면 좋겠다는 생각을 해보곤 했다. 머릿속으로 신문사 논설위원을 미래의 내 모습으로 그려보았지만, 기자가 되겠다는 명확한 목표를 정한 것은 아니었다.

4·19, 5·16 등 우리 사회가 격동을 겪는 동안 나는 흥미를 잃고 있던 대학 생활을 접고 군에 입대했다. 의미 없이 세월을 흘려보내느니 그 시간에 병역 의무라도 때우자는 생각이었다. 입학 초에 관례적으로 냈던 징집 연기원 때문에 육군으로는 징집이 되지 않아 공군에 들어갔다. 5·16 후 병역 미필자들을 대거 징집해 갔기 때문에 육군은 일시적으로 병력 자원이 넘쳤던 것이다. 일과가 끝나도 사역병으로 차출되기도 하고 불침번도 서야 하는 사병 생활인만큼 신문과는 거리가 먼 일상을 보내게 된 듯싶었다. 그러나 신문과의 인연은 군복무 시절 더욱 깊어지게 되었다. 1964년 국방부에서 창간하는 일간 '戰友新聞'(현재의 '국방일보')의 편집실로 파견 근무 발령을 받은 것이다. 편집실 인원은 전원 민간인 신분이어서, 각 군과의 연락 업무를 맡을 현역 사병 1명씩을 각 군에 차출 요청을 한 것이다. 한국일보-조선일보 기자의 경력을 갖고 공군 정훈감실 장교로 근무하던 李相禹(서강대학교 명예교수) 선배의 갑작스런 연락을 받고 찾아간 전우신문 편집실에서 3년간의 군 복무 기간 중 2년을 보내게 되었다. 인사

발령이 나기 전에 일부터 시작했는데 사병 신분이었던 만큼 책임 있는 일이 주어지지는 않았지만 당초 맡겨진 연락 업무 대신 편집 보조 일을 보았다. 신문 기사의 작성, 편집 실무를 견학–견습하는 기간이 되었던 셈이다.

생각하지도 않았던 계제에 신문 만드는 일을 옆에서 거드는 경험을 얻게 됐지만, 군 복무를 마치고 복학한 후까지도 졸업하면 신문 기자가 되겠다는 작정을 하지는 않았다. 한때 북한–통일 문제 전문가가 되려는 생각에서 그 길을 찾아 본 일이 있다. 그 시절 우리 대학 게시판에는 중앙정보부의 요원 모집 안내문도 볼 수 있었다. 나는 북한–통일 문제 관련 서적이나 자료들에 접근할 수 있기 위해서는 중앙정보부에 들어가야 하는 것 아닌가 하는 생각에서 그 방면에 관해 조언을 해줄 수 있는 집안 어른에게 상의 드렸는데, 그런 계획이라면 미국으로 유학을 가라는 말씀이었다. 미국 유학이나 대학원 진학은 포기하고 취직을 한다는 생각을 굳혔는데 갈 곳은 막연하기만 했다. 인문 계열 대학 졸업자가 취직 시험을 볼 수 있는 직장은 매우 제한적이었다. 재학 중 教職 과목을 이수하지 않은 까닭에 교사가 될 수 있는 길은 막혀 있었고, 응시 원서를 낼 수 있는 곳이라고는 한국은행 정도를 빼면 언론사밖에 없는 실정이었다.

사람의 일생은 어느 날 우연의 모습으로 나타난 운명과 만나면서 진로가 결정되는 것 같다는 생각이 든다. 내가 신문 기자가 된 일이 그렇다. 졸업을 몇 달 앞둔 1967년 가을, 입학동기 金俊一 군과 우리 집으로 가기 위해 18번 시내버스를 타고 태평로를 지나고 있었다. 18번, 19번 버스는 서울역~퇴계로~대학로~율곡로~태평로의 순환 노선을 운행하고 있었다.

덕수궁 앞을 지날 무렵 대한일보 빌딩에 내걸린 수습기자 모집 현수막이 눈에 띄었다. 옆에 있던 金 군이 "우리 저기 한번 가볼까?" 하는 제의에 서둘러 버스에서 내렸다. 그 시점에서도 딱히 신문 기자가 되겠다는 생각을 굳히고 있지는 않았지만, 아마도 '신문'이라는 너무도 친숙한 존재가 내 발길을 이끌었던 것이 아닐까. 그때 그 현수막이 눈에 띄지 않았다면, 옆에 있던 친구가 소매를 끌지 않았다면, 그리고 신문사가 대한일보가 아닌 다른 곳이었다면 그 후 지금까지 이어져 온 내 삶의 진행이 달라도 많이 달랐을 것이다. 대한일보에 입사했던 때로부터 꼭 50년이 된 지금, 이 자리에 서있게 되기까지 겪어왔던 그 적지 않은 곡절과 쉽지 않았던 나의 선택들이, 대한일보 기자 시절에서 비롯됐다는 생각이 드는 것이다.

1973년 대한일보가 '尹必鏞사건'의 유탄을 맞아 폐간되기까지 6년간 내가 대한일보 정치부에서 부장으로 모셨던 분은 洪性源(작고), 朴鉉兌(KBS 사장 등 역임), 任在慶(한겨레신문 부사장 등 역임), 辛卿植(정무장관 등 역임) 네 분이다. 이분들이 나에게 보여준 관심과 가르침이 그 뒤 50년간의 나의 삶에 결정적인 길잡이가 되었다. 洪性源 부장님은 견습도 안 끝난 나의 출입처를 국회-공화당으로 배정해서 나보다 훨씬 연조가 높은 각 신문사의 선배 정치부 기자들과 함께 할 수 있는 기회를 만들어 주었다. 朴鉉兌 부장님의 나에 대한 애정은 각별했다. 대한일보 시절의 길지 않았던 인연을 잊지 않고 지금도 수시로 불러 세상사에 대한 식견 높은 말씀도 해주시고 격려를 아끼지 않는다. 任在慶 부장님은 기자로서의 나의 장래에 어떤 기대를 갖고 있는 듯 느껴졌다. 대한일보가 폐간된 뒤 내가 기자 생활을 계속할 수 있도록 많은 배려를 베풀어 주었다. 任 부장님의 그 기대를 저버린 듯한 미안함이 지금까지 가슴에 남아 있다. 얼마 전 모처럼 뵐 수 있었는데 다정하게 대해 주어 감사했다. 견습 선배이기도 한 辛卿植 부장님은 성격 그대로 꾸밈이 없이 지금까지도 나를 친동생처럼 아껴주고 정을 베풀어 준다. 대한일보가 폐간되자 기자들은 뿔뿔이 흩어지게 되었지만 대부분은 기자 경력을 살려 다른 언론사로 옮겨갔다. 2004년 대한일보 출신들이 모임을 갖고 대한일보 기자 시절의 이야기를 기록으로 남기자는 뜻에서 '신문은 가도 기자는 살아 있다'는 책자를 발간했는데, 자료에 따르면 다른 언론사로 옮겨간 후 편집국장, 보도국장, 논설주간 등을 역임한 사람이 30여 명에 이른다. 능력을 인정받았던 것이다. 정치부 선배 기자들 가운데 국회-여당 담당이었던 趙昌化, 金聖培 선배는 동서남북도 분간 못하는 나를 친동생처럼 살피고 가르쳐 주었고, 야당 담당이었던 金漢洙, 盧東求 선배도 동료들이 시기할 정도로 나에게 애정을 보여 주었다.

1976년 당시 여러 문학상을 받으며 작가로서의 성가가 높던 徐基源 국무총리 공보 수석 비서관이 나에게 진로를 바꿔보는 게 어떠냐면서 옆에 와서 도와달라는 제의를 해 왔다. 그즈음 나는 중앙일보를 거쳐 동양통신 정치부에 자리를 잡고 있었다. 5년째로 접어든 유신 체제 하에서 정치부 기자들의 취재-보도 환경은 삭막했다. 이미 기자 생활에 의욕을 잃고 있을 때였다. 나는 별 망설임 없이 그 제의를 받아들였다. 공보 비서관으로서 나에게 맡겨진 일은 국무총리의 각종 연설문 초고를 만드는 일이었다. 얼마 후 또 하나의 일이 얹혀졌다. 朝刊 街販을 체크하는 일이었다. 공보 비서실이었지만 기자 출신은 나뿐이어서 다른 사람들에게는 맡길 수 없었다. 지방에 발송하기 위해 전날 저녁에 발행하는 조간신문의 가판을 미리 살펴보고 필요할 경우 언론사의 협조를 구하는 일이었다. 그런데 대통령 권한 대행을 거쳐 정식으로 대통령에 취임한 崔圭夏 국무총리가 1979년 12월 청와대로 옮겨갈 때까지 3년이 넘는 동안 그런 일은 단 한 번도 없었다. 그러나 어쨌건 기자 시절보다 신문을 더 꼼꼼히 읽어야 했다. 10 · 26을 겪은 뒤 崔圭夏 대통령을 따라 청와대로 자리를 옮겨 그동안 하던 연설 비서관의 일을 계속했는데, 보도 담당의 업무도 맡아 보도 자료 작성과 기자실 운영이 나의 일이 되었다.

1980년 8월 崔圭夏 대통령의 사임에 이어 全斗煥 대통령이 취임했고 나는 청와대를 떠나게 되어 있었다. 崔 대통령이 청와대의 주인으로 옮겨 올 때 국무총리 시절 모셨던 보좌진 가운데 의전 비서실의 2명과 공보 비서실의 徐基源 수석과 나, 이렇게 모두 4명만이 따라왔던 만큼 崔 대통령이 사임하는 마당에 4명 모두 함께 따라 나가는 것은 당연한 일로 여겨졌다. 崔 대통령이 사임하고 全 대통령이 취임하기까지의 열흘 남짓한 기간에 나는 중앙공무원교육원의 연수 과정을 밟게 되었다. 전출에 따른 사전 교육으로 생각하고 있었다. 그런데 연수를 마치고 돌아오니, 동아일보 편집국장에서 全 대통령의 공보 수석 비서관으로 자리를 옮긴 李雄熙 수석(작고, MBC 사장-문공부장관 역임)이 "결국 閔 비서관은 그대로 남아 더 수고해 주어야겠다."며 잔류 방침을 통보했다. 의외의 일이어서, 李 수석이 '결국'이란 말을 앞세웠던 일이 유별나게 느껴졌다. 그 말로 미루어 아마 나를 남겨두기로 결정하기까지 내 머리 위로 이런저런 이야기들이 있었던 것으로 짐작되지만 그 곡절은 지금까지도 궁금한 일로 남아 있다.

全 대통령의 공보 비서관으로서 나의 업무는 崔 대통령 비서관 시절과 다름이 없었다. 조간 가판을 살펴보는 일은 면했지만 모든 신문을 꼼꼼히 읽는 일은 게을리 할 수 없었다. 1983년경 나는 내 삶에 어떤 변화를 찾아보기로 했다. 1976년 국무총리 공보 비서관으로 자리를 옮긴 뒤 7년 이상을 같은 일을 하게 되니 판에 박힌 듯한 생활에 발전이 없다고 느껴졌다. 위에서 자리를 옮겨주기를 기대할 수 없는 만큼 먼저 그런 뜻을 밝히기로 했다. 黃善必 공보 수석 비서관(MBC 사장 역임)을 통해 대통령께 말씀을 드려달라고 했다. 그 뒤에도 黃수석의 후임인 鄭九鎬(KBS 사장 역임), 李鍾律(작고-국회사무총장 역임) 수석을 통해 거듭 말씀드려 달라고 했는데, "어느 자리로 가겠다는 것이냐?", "남들은 청와대에 오지 못해 애태운다는데 특별히 마음에 두고 있는 자리도 없다면서 왜 나가겠다는 거냐?"면서 역정을 내셨다는 것이다. 全 대통령의 임기 말이 가까워 오는 1987년이 되자 취임 초부터 모셔온 분인 만큼 끝까지 모시는 것이 도리라는 생각에 崔在旭 수석(환경부장관 역임)에게는 더 이상 말을 꺼내지 않았다.

全斗煥 대통령이 헌정 사상 처음으로 임기를 마친 뒤 퇴임하고 盧泰愚 대통령이 취임했다. 취임식 바로 다음날, 나는 李秀正(작고, 문공장관 역임) 신임 공보 수석 비서관에게 청와대를 떠날 생각이 확고하다는 점을 밝혔다. 새로 온 수석 비서관이 필요한 사람과 함께 일할 수 있도록 자리를 비워줘야 한다는 생각이었지만, 그보다는 이 기회에 기필코 '공보 비서관'의 자리를 떠나야 한다고 작심했던 것이다. 아울러 아무 자리건 마련해 주면 그리로 옮겨 갈 것이고, 안되면 3개월까지는 대기 발령 상태로 있을 수 있으니 기다리겠다고 했다. 그 3개월간 나는 출퇴근 시간은 철저히 맞

줘가며 사무실을 지켰지만 일은 하지 않음으로써 전출 의지를 분명히 보여줬다. 3개월이 지난 1988년 6월 초 나는 짐을 쌌다. 8년 반 만에 청와대를 나온 것이다.

바로 그때, 安賢泰(작고) 전 경호실장이 만나자고 하더니 全斗煥 전 대통령이 나를 부르신다는 말씀을 전해줬다. 全 전 대통령이 퇴임하고 100일쯤 지난 시점이었다. 그 무렵 이른바 '5공 비리' 보도가 신문 방송에 홍수를 이루고 있었다. 安 전 경호실장은 "지금 상황이 상황이니만큼 오라고 권유하는 것이 아니고 의견을 묻는 것이니, 가족회의를 해서 거취를 신중히 결정해 달라."는 당부를 곁들였다. 나는 그 자리에서 "가족회의가 무슨 말이냐, 무슨 생각할 일이 있겠느냐."며 다음날 연희동으로 찾아뵙겠다는 뜻을 밝혔다. 이때부터 나는 퇴임과 동시에 야당을 비롯한 정치권과 재야는 물론 언론으로부터 융단 폭격의 목표물이 된 全 전 대통령을 대변하는 역할을 하게 된 것이다. 그때로부터 오늘에 이르기까지 나는 익명의 공보비서관에서 '全 전 대통령의 민정기 비서관', '연희동 측의 한 관계자', '백담사 측의 한 관계자', '全 전 대통령의 한 측근', '全 전 대통령의 전 비서관', '전 청와대 비서관'으로 지칭되는 취재원이 되고 있는 것이다. 기사를 쓰던 기자에서, 기사거리를 매개하던 공보 비서관으로, 다시 기사거리를 제공해야 하는 입장으로 변신한 것이다.

1988년부터 1998년까지 10년간은 '5공 청산', '백담사 유폐', '해외 망명 공작', '폭탄 선언', '국회 청문회 증언', '백담사 하산', '5 · 18 특별법 입법과 그에 따른 검찰 수사-재판-사면' 등 全 전 대통령의 거취와 관련

된 논란이 정치권과 언론의 초미의 관심사였던 만큼 나는 한시도 긴장을 늦출 수 없는 생활을 이어와야 했다. 중앙 언론사의 신문은 물론 주간신문과 월간잡지까지 모두 구독했다. 이 시절 나는 조간신문 가판을 집으로 배달시켜 보았다. 백담사는 1~2주 간격으로 찾아갔기 때문에 日日報告할 일이 없었지만, 崔圭夏 전 대통령에게 보고를 드리기 위해서는 언론 보도 상황을 그때그때 파악해야 했던 것이다. 崔 전 대통령은 어떤 날은 하루에도 몇 차례나 전화를 하셨다. 검찰의 수사, 국회의 청문회 출석 요구, 5.18 재판부의 증인 출석 요구에 끝내 불응한(5.18 재판 항소심 때에는 구인되어 출석했지만 심문에는 불응) 崔 전 대통령은 그러한 일들과 관련한 全 전 대통령의 입장에 관해 신경이 예민해져 있을 수밖에 없었던 것이다. 새벽이라고 해야 할 이른 아침에 전화하셔서 "신문 보셨수?" "당 원내총무가 뭐라고 그랬더군. 잘 살펴보슈." 잠시 후 다시 "방송 들었수? 검찰이 너무 하는 거 아냐? 에이 고약한 사람들." 이런 식이었다. 워낙 세심하고 신중한 분이라고 정평이 난 그 어른은 한때 비서관으로 데리고 있던 내가 편하게 대할 수 있는 처지였기 때문인지 수시로 전화를 하셨을 뿐 아니라 자주 부르시기도 했다. 백담사, 그리고 옥중에 계신 全 전 대통령보다 崔 전 대통령의 부르심 때문에 더욱 신문을 비롯한 언론의 보도 내용에 신경을 써야 했던 시기였다.

1997년 말 사면 복권된 후 全 전 대통령은 모든 예우가 박탈된 처지였으나 한동안은 IMF외환 위기로 빚어진 國難 극복을 위한 종교 행사에 두루 참석하는 등 모처럼 국가 원로서의 모습을 찾아가게 되었다. 2002년의 16대 대통령 선거를 전후한 시기에는 全 전 대통령이 舊與圈 지지층에 일정 부분 영향력이 있다고 보았기 때문인지 정치권과 언론에서 全 전 대통령의 동향에 관심을 보이기도 했다. 하지만 全 전 대통령이 정치적 행보로 여겨지는 움직임을 보이지 않자 기자들이 나를 찾는 일은 뜸했다. 모처럼 긴장된 일과에서 해방된 기분이었다. 그럴 즈음 2002년 1월, MBC 기자를 지낸 대학 동기 李敏雄 한양대 교수가 대학에서 강의할 준비를 하라고 느닷없이 통보를 해왔다. 국민대학교에서 '미디어 문장 연습' 과목을 맡을 강사를 소개해달라는 요청에 나를 추천했다는 것이다. 외국 유학 경력도 없고 박사는커녕 석사 학위도 없는 내가 대학 강단에 선다는 일은 생각조차 해본 일이 없었다. 더욱이 신문방송학은 내가 대학 때 전공한 학과도 아니었다. 개강까지는 채 두 달도 남지 않아 처음 하는 강의를 준비할 시간도 촉박했다. 李 교수는 이미 국민대학교에 통보가 된 상태인 만큼 없던 일로 할 수는 없다면서 소개해주는 책 2권만 훑어보면 된다며 강권하다시피 했다.

내가 끝내 고사하지 않고 강의에 나설 수 있었던 것은 강의 과목이 '미디어 문장'이기 때문이었다. 초등학교 5학년 때부터 지난 50년 세월 나의 가장 중요한 필수적인 일과가 신문 읽기 아니었던가. 10년간은 '미디어문장' 쓰는 일을 한 경험도 있지 않은가. 그렇게 스스로 자신감을 일깨우며 강의에 임했지만 모든 일이 낯설어서 힘겨웠다. 그런데 첫 학기를 마치고 다음 학기 강의를 준비할 때 주임교수한테서 의외의 제의를 받았다. 수강신청이 몰려 지난 학기 때보다 두 배가 넘는 90명으로 마감을 했는데 큰 강의실이 없으니 두 반으로 나누어 강의를 두 번 해달라는 것이다. 나의 어설픈 강의를 학생들이 평가해 주었다는 사실에 나는 스스로 감격해 했다. 다음해인 2003년 1월, 나하고 함께 청와대에서 비서관으로 일했던 金聲翊 인하대학교 교수가 한양대학교의 부탁을 받았다면서 '언론문장론' 강의를 맡아달라는 요청을 해 왔다. 역시 개강이 두 달도 남지 않은 촉박한 시간이었다. 다음 학기에는 또 새로 마련한 '고급 언론 문장론' 강의도 맡으라고 해서 2006년까지 한양대학교에서는 두 과목을 강의했다. 언론학을 전공하는 3, 4학년을 상대로 하는 강의였던 만큼 그 기간 나는 어느 때보다 신문 읽기, 단순히 읽는 것만이 아니라 비교 분석하고 연구하는 일을 게을리 할 수 없었다.

퇴임 후 30년이 되도록 全 전 대통령에 대한 정치적 핍박이 이어지고 있는 상황에서 내가 해야 하는 일이란 것이 權府와 정치권, 여론과 언론을 상대로 한 피곤한 신경전일 수밖에 없다. 신문과 방송은 내가 신경전을 벌여야 할 상대인 동시에 그 속성상 全 전 대통령을 향한 날선 공격의 매개체다. 나의 일상에서 신문 방송을 떼어 낼 수는 없다. 나는 몸이 하나여서 방송을 모두 챙긴다는 것은 불가능한 일이지만, 신문만은 가능한 한 꼼꼼히 보려고 노력한다. 기자들의 접근을 피해본 적도 없다. 내 휴대 전화에 '언론' 그룹으로 분류 저장돼 있는 전화번호가 280여개에 이른다. 그동안 10년, 20년간 통화한 일이 없는 언론인들의 번호들도 삭제하지 않은 채 남겨 놓고 있다. 그러니까 앞으로 그 숫자는 더 늘어날 것이다.

한동안은 모든 조간 가판을 집으로 배달시켜 보기까지 했지만, 지금은 조선, 동아, 중앙일보만 구독한다. 세상을 보는 눈이 균형을 잡으려면 보도 방향과 논조가 다른 신문도 보아야 하지 않느냐고 하는 사람도 있는데,

그처럼 피곤하고 낭비적인 일을 왜 해야 하느냐 하는 것이 내 생각이다. 대학에서 강의했던 5년간 딱 한 번 한 학생한테서 “왜 조선, 동아, 중앙일보만 강의 자료로 쓰느냐?”는 질문을 받은 일이 있었다. 예상 못한 질문이었지만 나는 망설이지 않고 “기사 문장으로서 완성도가 높기 때문”이라고 말했는데, 더 이상 질문이 이어지지 않았다. 그러고 보니 나는 1950년대 초부터 지금까지 60년이 넘는 세월 조선일보와 동아일보(중앙일보는 1965년에 창간)는 단 한 번도 끊은 일 없이 구독하고 있는 셈이다. 근년에 주변에서 이 세 신문의 보도 내용이 못마땅하다면서 ‘수십 년 보던 ○○신문을 끊었다.’는 얘기들을 많이 들었는데, 나 역시 못마땅하다는 생각은 그들과 마찬가지이지만 구독을 중단하지는 않을 것이다. 중학교 1학년 때 짝이었던 인연으로 60년이 넘는 오늘날까지 단짝으로 지내는 金玄鎭 군(같이 밥 먹은 횟수가 아마 친형제들하고 보다도 더 많을 것이다)과는 하루도 거르지 않는다고 할 만큼 자주 전화를 하는데 그 친구도 신문을 열심히 읽고는 하니까 전화로 얘기할 거리가 있는 것이다. 대학 동기인 趙南鶴 군과는 단체 모임과는 별도로 자주 만나는데 신문 보도를 중심으로 세상 얘기를 나누다 보면 시간 가는 줄 모르게 된다.

다시 염라대왕 앞에 선 장면–

“그래 그렇게 신문을 열심히 읽다 왔다는데 오늘 신문에는 무슨 기사가 실렸는고?”

“네. ○○신문은 북한 지역에 사는 주민들을 상대로 통일된 대한민국의 법제와 생활 관습에 대한 설명회가 지역별로 열리고 있다는 내용을 머리

기사로 실었고, XX일보는 金日成 왕조 체제하에서 지배 계층에 있던 사람들이라 하더라도 金正恩과 핵심 측근들을 제외하고는 민족의 화해를 위해 관용을 베풀자는 요지의 사설을 실었습니다."

민정기 | 1942년 11월 17일 생, 대한일보-중앙일보-동양통신 기자, 崔圭夏 대통령의 국무총리 시절부터 대통령 퇴임 때까지 공보 비서관, 全斗煥 대통령의 취임 초부터 퇴임 후까지 공보 비서관

아직도 생생한 '2 · 4 보안법 파동'

지금 와 생각해 보니 정치인들의 형성 과정과 정치 무대의 병폐를 지켜보며 분노하고 개탄했던 정치 사건도 허다했다. 그 대표적인 사건이 이른바 '2 · 4 보안법 파동'이다. 당시 자유당 정권은 1958년 4대 국회가 개원되면서 국가 보안법 개정 작업을 서둘렀다.

박기병

언론 생활 반세기… 인쇄 · 영상 매체 고루 체험

돌이켜 보니 1958년 대한통신사 기자로 언론계에 입문하여 2006년까지 거의 반세기에 가까운 49년을 언론에 종사한 셈이다. 국제신보, 부산일보, MBC, 대전 MBC, 강릉MBC, 춘천MBC, 구로케이블TV, (주)G.T.B 강원민방을 거치면서 인쇄 · 영상 매체를 고루 체험했고 경영인으로선 18년 강릉 춘천 MBC 사장으로, 구로케이블TV와 (주)G.T.B강원민방은 직접 창업하여 운영하기도 했다. 정치부 기자로 20년은 국회와 정당만을 출입하는 행운도 있었다. 국회와 정당만을 출입하다 보니 많은 정치인을 만날 수 있어 대인 관계도 맺을 수 있었다.

지금 와 생각해 보니 정치인들의 형성 과정과 정치 무대의 병폐를 지켜보며 분노하고 개탄했던 정치 사건도 허다했다. 그 대표적인 사건이 이른바 '2 · 4 보안법 파동' 이다. 당시 자유당 정권은 1958년 4대 국회가 개원되면서 국가 보안법 개정 작업을 서둘렀다. 그해 8월 자유당은 간첩죄에 대한 조문 강화를 비롯하여 언론 출판 결사의 자유 그리고 정치인의 연설 내용까지 규제하는 것을 골자로 하는 국가 보안법 개정안을 마련, 추진키로 한 것이다. 간첩 방조에 대해서는 첫째, 범죄 구성 요소를 명백하게 하고 둘째, 변호사 접견 금지 셋째, 3심제 폐지 등이 중요 골자였다. 이 같은 자유당의 움직임에 야당인 민주당이 가만히 있을 리 만무했다. 민주당은 간첩 개념 확대 규정은 선거를 앞두고 야당과 언론인의 활동을 제약하고 탄압하려는 술책이며 변호사 접견 금지와 3심제 폐지는 헌법 위반이라고 반대하고 나선 것이다.

보안법 개정 문제를 둘러싸고 여야 관계가 경색되고 이로 인해 정국은 극도로 긴장이 고조돼갔다. 이러한 가운데 자유당은 강행 처리 방침을 세우고 야당의 법안 상정 봉쇄 방침에도 불구하고 12월 5일 국회 법사위에 국가 보안법 개정안을 상정했다. 야당의 극렬한 반대에 부딪혀 제안 설명도 못하고 좌절되어 다시 12월 11일에 회의를 열어 제안 설명을 시도했으나 민주당 우희창 의원과 자유당 오범수 의원 간에, 민주당 김선태 의원과 자유당 이사형, 이성주 의원 간에 몸싸움이 벌어지며 뒤엉켜 소란이 벌어져 또 회의가 유산됐다. 계속되는 소용돌이 속에 12월 19일 오후 3시에 회의가 소집되었다. 여야 의원들은 늦은 점심 식사를 하고 쉬고 있는데 오후 3시 정각에 자유당 의원은 회의장에 들어와 자리를 잡았으나 민주당은 조재천 의원 한 사람만 참석해 있었다. 이때다 싶은 김의준 법사위원장이 개회를 선포하면서 독회를 생략한다며 법안 통과를 선포해버린 것이다. 야당은 날치기로 원천 무효라고 주장하며 본회의장 농성에 들어가 정국은 한치 앞을 내다 볼 수없는 소용돌이에 휩싸이게 됐다. 여야 간 평행선 대치 관계가 계속되는 가운데 12월 24일을 맞았다. 자유당은 민주당의 농성 전략에 대응 경호권을 발동, 국회 경위로 하여금 농성중인 민주당 의원들을 끌어내 단독 처리 방침을 세워 놓고 있었다. 자유당은 국회 경위로는 수적으로 감당하기 어렵다고 보고 무술을 익힌 경찰관을 극비리에 동원, 부평경찰학교에서 교육을 시켜 국회 휴게실로 이동 대기시켜 놓았다.

10시 개회 시간이 되자 농성중인 민주당 의원들은 애국가를 부르며 전의를 다지는 순간 한희석 국회부의장이 2명의 국회 경위를 앞세우고 본회의장에 입장, 의장석에 앉자 농성 중이던 이철승, 우희창 의원 등 소장 의원들이 의장석으로 뛰어올라 의장의 사회를 막았다. 이 때 한희석 부의장이 경호권 발동을 선언하면서 의장석 남 · 북문에서 급조한 국회 경위들이 비호같이 들이닥쳐 단상의 민주당 의원들을 끌어내기 시작했다. 의사당은 순식간에 아비규환의 소용돌이에 휩싸였다. 의석에 앉아있던 의원들은 3, 4명의 무술 경위들에 의해 한 사람 한 사람씩 남문 밖으로 끌어냈다. 이러한 소동 속에서 무술 경위들에게 반항하던 김상돈, 김응주, 구철회, 조일환, 조일제, 박창화, 윤택중, 유성권, 허윤수 의원 등은 병원 치료까지 받았다. 헌정 사상 유례없는 폭력적 수단으로 야당 의원들을 몰아낸 가운데 자유당 의원만으로 국가 보안법을 일사천리로 통과시킨 것이다. 치욕적인 사건을 취재하면서 분통을 억제할 수 없었다. 그리고 파란만장했던 의정에서 단상의 주역들의 모습은 어떠했을까. 궁금해진다.

'2 · 4 파동' 을 취재하며 분노한 국회 출입 기자 중 김준하(동아) 기자를 비롯하여 12명의 중견 기자들은 2 · 4 파동을 잊지 말자며 '2 · 4회' 를 구성, 매월 24일 2 · 4 파동을 되돌아보는 모임을 가져 오고 있는데 현재는 조용중(조선), 이형(한국), 김준하(동아) 기자 3인 만이 모이고 있다.

국회 출입 20년…정일권 의장과의 만남

국회를 20년 출입하면서 의정 30년을 뒤돌아보니 1,244명이 금배지를 달았고 25년간 의원직을 역임한 분이 있는가 하면 48시간의 금배지를 단 단명 선량도 있었다. 최단명 의원은 61년 5월 13일의 5대 국회의원 보궐선거에서 당선된 정인소(음성), 김대중(인제), 김사만(괴산), 김성환(정읍), 김종길(남해) 의원으로 이들은 기록상 5월 13일에서 16일까지 4일간 재임한 것으로 됐으나 14일 아침에 당선 선포되고 16일 아침 5 · 16 혁명으로 국회가 해산되었기 때문에 사실은 48시간 재임 의원이 된다. 또한 단명 케이스로는 전국구 후보로 전임자의 임기를 승계 받은 6대 국회말의 전 민정당 박중한, 우갑인씨의 5일간 재임과 자유민주당 이원호 씨의 10일간 재임이다. 반대로 최다선 기록은 정일형 의원의 8선이나 의정 50년에서는 김종필, 김영삼 의원의 9선이다. 그 다음이 유진산씨의 7선이고, 6선으로는 김도연, 홍익표, 윤제술, 정해영, 서범석, 김진만 의원 등이다. 부자 의원으로는 신익희-신하균, 이태용-이해원, 최신환-최재구 의원 등이, 삼부자 의원으로는 정일형-정대철-정호준, 이재학-이교선-이응선, 조병옥-조윤형-조순형 의원 등이다. 또한 4대 국회는 4 · 19의거로 2년 2개월 만에 중단됐고, 5대 국회는 5 · 16 군사 혁명으로 9개월의 최단명 국회로 기록됐으며, 8대 국회는 유신으로 법정 임기를 채우지 못하고 해산됐다. 때문에 4, 5, 8대 국회의 3선을 했지만 법정 임기를 채우지 못해 9대 국회 임기 6년을 단임으로 한 의원보다 통상 재임 기간이 짧다. 이에 해당하는 의원이 박영록(원주), 김준섭(화천) 의원 등이다.

이 밖에 국회를 출입하면서 취재를 통해 많은 의원들과 만남의 기회가 있었다. 물론 취재원이 되어 불가피하게 만나는 경우도 많았지만 자주 만나는 과정에서 친분이 두터워져 사적으로 만나는 경우도 있었다. 그 가운데 정일권 국회의장과의 만남은 잊을 수가 없다. 정 의장과의 만남은 정 의장이 강원도 고성과 속초에서 당선되어 국회에 입성, 의장에 당선되면서 내가 강원도 출신이라는 데서 인연을 맺게 되었다. 국회 출입을 마감하고 MBC에서 홍보조사실장으로 재직하다가 대전 MBC 상무로 발령받아 부임 여부로 고심하다가 정 의장을 방문한 것이다.

통상 MBC 본사의 국장급으로 재직하다가 지방 MBC로 갈 때는 사장으로 나가는 게 관례인데 CIP 작업에 전무이사의 명을 거슬렀다 해서 좌천이나 다름없는 불이익의 인사라고 판단, 정 의장에게 부임 여부에 대한 자문을 받은 것. 정 의장은 무조건 부임하라면서 자신이 공군 총참모장 재임 중 자신과는 관련이 없는 거창 사건에 책임지고 미2사단 부사단장으로 갔다가 나중에 육군 참모 총장으로 복귀한 일화까지 설명해주며 격려해주어 대전 MBC 상무로 부임했고 2년 재임 후 강릉 MBC 사장으로 영전을 하게 되었다.

그 뒤 춘천 MBC 사장 재임 중인 1989년 12월에 정 의장으로부터 연락이 왔다. 부인 박 교수의 음악 연주회를 춘천 MBC에서 개최할 수 없겠느냐면서 당시 부인 박 교수가 한양대에 재직 중에 있어 연주회 실적이 교수 평가와 관계된다는 얘기였다. 고심하다가 어차피 연말에 공연 행사를 하기로 했기 때문에 그 행사를 박 교수 행사로 대치해서 그 해 12월 30일 춘천 MBC 공개홀에서 연주회를 열었다. 그때 정 의장이 수행하여 뒷바라지하던 모습이 눈에 선하다.

대통령 수행 취재에서 본 '과음 해프닝'

부산일보사에서 국회 출입을 접고 1980년 3월 10일부터 청와대를 출입하여 1980년 12월 22일 MBC로 옮기면서 10개월 만에 청와대 출입의 막을 내려야 했다. 박정희 대통령 시절 10년을 출입해도 외유의 기회 한번 없었던 것에 비해 10개월의 짧은 출입 기간에 최규하, 전두환 대통령 두 분을 취재했고, 특히 최 대통령의 사우디아라비아 쿠웨이트 석유 외교를 위한 외유에 동행 취재하는 행운을 얻기도 했다. 최규하 대통령은 과묵하고 꼼꼼한 성품이어서 그대로 자신의 각종 연설문을 일일이 점검해야 식성이 풀리는 성격이었다. 그래서 당시 서기원 청와대 대변인은 연설문의 초안을 잡을 때 반드시 최 대통령이 교정할 수 있는 부분 2, 3곳을 적시하여 재가를 올리곤 했다. 그러면 최 대통령은 용케도 그 함정 부분을 지적해서 내려 보냈다는 것이다. 1980년 8월 27일 취임한 전두환 대통령은 활달하고 직선적인 성격에 솔직담백한 면모를 볼 수 있었다. 나는 전 대통령 재임 중에 풀기자로 비교적 자주 단독 취재의 기회가 있었다. 그 가운데서도 80년 11월 1일 제4회 육림의 날 기념행사가 포천군 소흘면 직동리 산림청 임업시험장에서 있었을 때 풀기자로 수행하게 됐다.

기념식 행사를 마치고 임업시험장 마당에서 점심 식사 자리가 마련됐는데 식사 시작 전 배석한 서정화 내무장관이 막걸리가 준비되어 있다고 하자 전 대통령이 바로 가져오라고 지시, 술자리가 마련됐다. 배석한 마을 주민 대표, 독림가, 새마을 지도자 등 10여명의 배석자들이 돌아가며 전 대통령에게 술을 권했다. 정동호 경호실장이 권하지 말라고 암시해도 막무가내로 술잔이 오간 것이다. 전 대통령이 취기가 돌자 느닷없이 배석해 앉아 있는 비서관들을 향해 "당신들은 가정 형편이 좋아 외국에 유학 가서 공부하고 왔으면 그 배운 지식을 국가를 위해 봉사해야 한다."며 고함을 쳐 점심 식사 자리는 아연 긴장감이 돌았고 전 대통령은 다음 부대 방문 일정을 취소하고 청와대로 돌아간 해프닝이 있었다.

두 번에 걸친 한국기자협회장

국회 출입 기자 시절 잊을 수 없는 것은 한국기자협회와의 인연이다. 한국기자협회는 초대부터 3대까지는 간선제로 회장을 선출했고, 4대부터는 전국 대의원 대회에서 직선으로 선출하도록 하여 오늘에 이르고 있다. 한국기자협회가 탄생하면서 직·간접으로 참여했던 탓인지 1973년 3월 31일 10대 회장 선거에 입후보자가 없어 2차 후보 등록할 때인 3월 24일 평양에서 남북적십자회담 5차 회의가 열려 취재 기자로 수행, 평양에 머물고 있을 때 국회 출입 기자들이 중심이 되어 나를 후보로 등록했다는 소식을 전해왔다.

뜻밖의 소식에 당황할 수 밖에. 후보로 나설 때는 회사와 협의도 해야 하는데 나와 사전 협의한 것도 없었기 때문이다. 서울에 돌아와서 보니 조선일보 최호 기자가 후보 등록을 하고 선거전을 펴고 있고, 대한일보 동홍석 기자는 관망 상태로 3파전의 선거 양상이 예상됐다. 주위의 강권으로 선거전에 뛰어들어보니 기협 회장을 어떻게 지방사 기자에게 맡길 수 있느냐고 타 후보진에서 공세를 펴왔다. 이에 나는 능력을 평가받고 싶다고 역공을 펴고 지방사 기자들에게는 자존심을 세우자고 반박하고 나섰다.

결국 최호 후보는 선거 2일 앞두고 사퇴하고 동홍석 예비후보는 등록을 포기하여 단독 후보가 되어 대의원 127명 중 찬성 101표 무효 26표로 당선되었다. 막상 기자협회회장으로 당선되어 3개월이 지나면서 기협회보 주간 발행을 월간으로 환원하라는 문공부의 조치와 동화통신, 한국경제신문의 폐간에 이어 대한일보의 폐간, 전북 3개 신문의 합병, 대전의 중도일보와 충남일보의 통합 등으로 인한 회원들의 실직 사태, 동아일보 기자들의 노조 결성에 35명의 무더기 징계 조치 등으로 언론 상황이 매우 긴박했다. 당국의 기자협회보 월간 환원 조치는 한양대 이영희 교수의 6월 22일자 회보에 "신문이 하나 둘 사라지는데…"라는 제목으로 사회가 위축되면 신문은 민중과 동떨어진 상태에서 규탄의 대상이 된다는 내용의 기고와 관련된 것으로 알려졌다. 나는 기협보의 월간 환원 조치에 책임을 지고 회장직 사임을 했으나 7월 16일의 운영위원회는 회장이 사임한다고 해서 해결될 일이 아니라며 사퇴를 반려하면서 책임지고 주간 환원을 하라는 것이었다. 관계 당국과 꾸준히 대화를 하면서 협회보 주간 환원을 협의하는 과정에서 중앙정보부는 정진석 편집실장과 김영성 사무차장을 교체하면 주간 환원을 해주겠다는 뜻을 전해왔으나 일언지하에 거절했다. 언론 자유 수호 운동이 기협 각 분회에서 확대되어가던 1973년 8월 중순 중앙정보부에서 확인할 일이 있다며 회장과 편집실장인 정진석을 연행하려고 사무국을 급습했으나, 회장인 나와 정진석 실장은 사전에 인지하고 피신, 10여일을 지방 산사에서 피해있기도 했다. 그 후 필자는 이영희 교수의 필화사건과 관련 당국에 연행돼 조사를 받았다. 이 사실을 국회 출입 기자단이 뒤늦게 알고 국회 본회의 취재 거부 움직임을 보이자 국회 김진만 부의장이 당국과 협의, 바로 귀가 조치 받은 기억도 생생하다. 기협회보의 주간 환원이 실마리를 찾기 어렵게 되면서 나는 IFJ(국제기자연맹)에 호소하는 한편 한국기자협회를 해체할 수밖에 없다고 판단, 전국대의원 대회 소집을 추진했다. 이 같은 움직임이 정부 당국에 인지됐는지 1973년 10월 어느 날 윤주영 문공부장관으로부터 기협보 주간 환원 약속을 받아 1974년 2월 7일에 주간 환원 조치가 이루어져 일단락됐다.

박기병 | 1932년 5월 20일생, 부산일보 정치부장, MBC 홍보조사실장, 대전 MBC 상무, 강릉, 춘천 MBC 사장. 구로케이블TV 사장, 주)GTB강원민방 사장, 한국기자협회 10, 17대 회장

대통령 탄핵과 운동권 체제 변혁을 객관 보도한 대한언론

격변기에도 대한언론은 언론의 정도를 지키며 좌고우면하지 않는 진실 보도에 앞장

박석흥

자유 민주주의 테두리 안에서 헌법적 가치와 법 질서를 지키면서 시시비비를 가린 대한언론

나는 대한언론 주필로 2017년에 50년간 신문 제작에 참여한 언론인 대열에 끼이게 되었다. 김대중 정부의 〈언론과의 전쟁〉 시기인 2001년 5월 급조된 정년 단축으로 문화일보를 떠나 직업인으로 언론인 생활은 마감했으나, 그 해 9월부터 외대 · 숙대 · 건대 · 가톨릭대학에서 언론학을 강의하며 『신뢰와 존경 받는 언론』을 펴내고 언론법학회 감사로 선임되는 등 언론학회 활동으로 언론과 인연을 끊지 않았으며, 2008년부터 2015년까지 격주로 대전일보에 〈박석흥 세상보기〉 고정 칼럼을 기고하며 현역 기자처럼 뉴스를 추적했다. 2008년부터 편집위원 · 논설위원으로 대한언론 제작에도 참여해 2015년 1년간 신문평을 연재했으며, 특히 2016년 8월부터 대한언론 편집위원장을 맡아 2016년 12월 9일 박근혜 대통령 탄핵과

2017년 3월 10일 헌재 탄핵 판결, 2017년 5월 9일 19대 대통령 선거와 문재인 정부 출범 과정을 충실하게 보도, 논평했다. 이병대 대한언론 발행인의 "자유 민주주의 테두리 안에서 헌법적 가치와 법 질서를 지키면서 시시비비를 가리자."는 보도 지침에 따르면서 격변기 언론의 허위 과장 보도와 가짜 뉴스를 경계하는 감시자의 역할도 충실히 했다. 대통령 탄핵 전야 혼란기부터 문재인 정부 100일까지 〈대한언론〉은 신문과 방송이 숨죽이고 좌고우면할 때 고급 언론지 역할을 하며 편향 보도 지양, 정론 · 바른 역사의식을 고취했다.

전직 대통령이 수감되고 기존 질서가 붕괴되는 시기에 대한언론은 대한민국 국가 정통성 · 체제 정당성 · 남북한 관계를 우려하는 6백 대한언론인회 회원들의 여론을 충실하게 반영하려고 노력했다. 광화문 반정부 집회가 본격화되기 직전에 대한언론 369호(2016년 12월 1일 발행)에 실린 남시욱 대한언론인회 회우(전 문화일보 사장)의 〈최순실 게이트와 언론의 역할〉과 문재인 정부 100일 특집호 378호(2017년 9월 1일 발행)에 기고한 조용중 대한언론인회 회우(전 연합통신 사장)의 〈박근혜와 언론 동반 추락〉은 6백 대한언론인 회우의 '나라 걱정'과 '언론 윤리 촉구'를 대변한 논단이다. '혐의 사실만으로 국민들을 분노케 한 언론의 보도 행태'라는 부제의 남시욱 회우 논단은 이병대 회장 앞으로 E-메일로 기고한 글에서 박근혜 대통령 탄핵 관련 언론 보도가 "언론 윤리 실천 요강에서 규정한 관계자의 답변 기회 제공, 피의 사실의 검증 원칙, 형사 피의자의 무죄 추정 원칙을 무시하는 행태"라고 지적했다. 대한언론 편집위원장의 청탁에 응한 언론계 원로 조용중 회우의 2017년 9월호 권두 논단은 박근혜와 동반 추락한 언론을 한탄하며 "진실 추구와 정치로부터의 언론 독립"을 당부했다. 조용중 회우의 글은 언론계 원로와 현역들에게 큰 충격을 주었다. 박근혜 탄핵 과정의 대한언론 논지를 대변하는 두 원로의 논단이 실린 직후 대한언론인회 이사와 부회장의 대한언론 제작 방향에 대한 문제 제기도 있긴 했으나, 언론계와 지식 사회의 반응은 대체로 호의적이었다. 일반 신문들이 기피하는 쟁점을 대한언론이 객관 보도했기 때문이다.

발행인 이병대 대한언론인회 회장의 독려로 격변기에도 대한언론은 언론의 정도를 지키며 좌고우면하지 않는 진실 보도에 앞장섰다. 함정훈(전 서울신문 전무) 편집고문, 서옥식(전 연합통신 편집국장), 육정수(전 동아일보 논설위원), 최명우(전 동아일보 편집위원), 김광섭(전 중앙일보 부국장), 신영수(전 경향신문 북경 특파원), 유자효(전 SBS 이사), 박문두(전 동아일보 사진부장), 장석영(전 서울신문 논설위원), 유한준(전 독서신문 편집국장), 최병요(전 한국경제 편집위원), 조희곤(전 내외경제 논설위원), 이철영(전 KBS부다페스트 특파원), 이홍우(전 동아일보 편집위원), 장석훈(전 농민저널 사장) 편집위원의 헌신적인 참여로 일간지 만드는 식의 열정으로 매월 대한언론을 제작했다. 매월 둘째 주 월요일에 열리는 편집회의에서는 일간지 편집회의처럼 열띤 토론이 있었고, 강판 직전까지 수정이 계속돼 밤 10시에 공장을 나설 때도 많았다.

대한언론 2017년 1월호(통권 370호)는 〈우리는 오늘 어디에 있고 어디로 가는가〉란 어젠다를 설정하고, 이병대, 조창화, 이상우, 민병문 원로 권두 긴급 좌담을 통해 혼돈의 탄핵 정국을 진단했다. 최대 인원 50만명을

170만명으로 뻥튀기 보도하는 언론의 사실 확인 외면 속에 형성된 촛불 여론과 인민 재판식 여론 몰이를 원로들은 지적했다. 반란 · 분열 · 반동의 정치를 걱정해온 양승함 전 정치학회장은 〈국가 개조할 때가 왔다〉는 논단을 통해 정치권의 환골탈태를 촉구하며 "한국의 정치 문화를 근본적으로 바꾸어야 한다."고 주장했다. 노재봉 전 총리는 2017년 1월호 대한언론 권두 특별 논단을 통해 "2017년 대한민국의 투쟁은 자유 민주 세력과 전체주의 세력의 대결"이라고 예언했다. 정치사상사 전공 학자인 노재봉 전 총리는 한국의 종족적 민족주의의 계보를 독일의 정치적 낭만주의에 근원한다고 밝히고, 독일 발 종족적 낭만주의는 신채호, 최남선에서 절정을 이루고 안호상의 평양 단군릉 참배로 그 모순을 드러냈다고 지적했다. 노 전 총리는 북한의 수령 중심 전체주의도 신채호 민족주의 사관 등이 학습한 독일의 정치적 낭만주의에 뿌리를 두고 있다고 분석하며, 386 운동권의 종족적 민족주의 한계 극복을 역설했다.

2016년 12월 9일 박근혜 대통령 탄핵 후 2017년 3월 10일 헌재 탄핵 판결까지 지속된 촛불 시위의 정체를 서옥식 편집위원이 현장 취재하여 대한언론 2017년 2월호(통권 371호)에 밝혔다. 서옥식 편집위원은 최순실 국정 개입 논단에 분노하고 박 대통령의 무능에 실망한 국민들이 거리로 쏟아져 나온 것은 사실이지만, 고비용의 가설 무대와 연예인 동원, 살기 넘치는 처단 퍼포먼스 등은 연출된 것이라며 2만명을 동원한 버스 500대 등을 고발했다. 서옥식 위원은 박근혜 퇴진 비상국민행동 1500여 단체와 반 헌법 · 반 국가 단체의 혼재를 걱정하며 이들의 체제 전복 구호도 분석했다. 최서영 전 코리아헤럴드 사장은 대한언론 371호에 기고한 논단을 통해 "시시비비를 가리고 정론을 펴야 할 신문과 방송이 사건의 전말을 바꾸면서 흥미 위주의 화젯거리만 찾아 다니는 옐로 저널리즘의 전시장으로 전락해 혹세무민에 앞장서고 있다."고 비판했다. 최서영 회우는 "탄핵 정국을 이용해 나라의 품격을 떨어뜨리고 헌정 질서를 어지럽히는 행위는 마치 불 난 집에 부채질하면서 가재 도구를 훔치는 도둑질과 다를 게 없다."며 "이런 사태를 고발하고 계도하는 것이 언론의 책무"라고 환기했다.

대통령 탄핵 소추로 대중 시위가 대의정치를 압도하는 헌정 위기 상태를 대한언론 2017년 3월호(통권 372호)는 〈황색 촛불 시위의 본질이 무엇인가〉라는 긴급 좌담 등 9면을 특집으로 냈다. 노재봉 전총리는 "준 전시 상태에서 북한의 전체주의 수령 체제가 무엇인지조차 정리하지 못한 상태에서 촛불을 찬성하면 선(善)이 되고 반대하면 악(惡)이 되는 사태가 연출되고 있다."고 개탄하며 "광장의 촛불 정치는 시민적 명예혁명이 아니라, 전체주의적 정복 혁명으로 변질될 위험이 있다."고 지적했다. 노 전총리는 대통령 탄핵 요구는 체제 탄핵을 노리는 전복 전략이 될 것이라고 예단했다. 이 특별 좌담은 30년 좌파 이데올로기 교육으로 일부 젊은 언론인들이 체제 전복 도구로 전락했으며, 이미 전체주의 세력이 공권력을 점령했다고 분석했다. 김영호 성신여대 교수는 372호에 "시민적 도덕적 분노를 왜곡한 촛불 선동이 헌정 위기를 초래했다."고 기고하며 〈전체주의적 국민 주권론〉을 내세운 촛불 선동이 의회 대표성 포기까지 노리고 있다고 경고했다. 대한언론 372호는 2017년 2월 22일 헌법재판소에서 1시간 반 동안 탄핵의 부당성을 지적한 김평우 변호사의 탄핵 심판 변론을 육정수 편집위원이 간추려 게재했다. 김평우 전 대한변호사 회장은 "적법 절차 무시

한 졸속 소추는 세계에 유례가 없는 중대한 위헌이며, 중립적이어야 할 주심 재판관의 요구로 만들어진 '준비 서면'이 새 탄핵 사유서로 둔갑한 탄핵 소추는 기각돼야 마땅하다."고 주장했다. 대한언론이 원로 언론인 및 시민을 대상으로 한 〈2017년 대통령 탄핵과 언론〉 설문 조사(2월 12일~16일)에서 대통령 탄핵 과정에서 오보 · 왜곡 · 날조 1위는 종편으로 집계됐으며, "탄핵 과정에서 특정 정파와 이념에 편향된 선전 선동 저널리즘이 가장 큰 문제"라는 응답이 80.6%였다. 대한언론 2017년 4월호(통권 373호)는 3월 10일 "재판관 전원 일치로 박근혜 대통령을 파면한다."는 헌재 판결을 검증했다. 17차례에 걸친 변론 과정을 지켜본 육정수 편집위원이 헌법 재판 방청기를 통해 "헌재가 헌법을 짓밟았다."고 고발하며, "이정미 김이수 이진성 김창중 안창호 강일원 서기석 조용호 8인의 헌재 재판관에 대한 역사적 심판이 남아 있다."고 주장했다. 송평인 동아일보 논설위원이 안창호 헌법 재판관을 공개적으로 비판하는 등 헌재 결정문과 헌재 재판관들의 지적 수준에 대한 지식 사회의 당혹감과 헌재 정체성에 대한 문제 제기는 심각했다.

대한언론 373호는 이런 사회 분위기를 비중 있게 다루었다. 8인의 헌재 재판관 사진을 대한언론 제호 아래 크게 싣고 〈역사가 심판한다. 헌재 8인의 심판〉이란 제목을 단 1면 편집이 크게 화제가 됐다. 2017년 5월호(통권 374호)에 이시윤 헌법재판소 전 재판관은 국회의 탄핵 소추 결의부터 명백한 하자가 있는 부적법한 결의이므로 헌재가 대통령 탄핵 소추를 각하함이 마땅하다고 주장했다. 증거만도 산더미 같은 사건에 심판 기간이 80일뿐인 것은 심리 미진이라는 지적을 받을 수 있으며, 헌재가 압수 수색

거부에 '헌법 수호 의지 없다' 고 몰아붙인 것과 당사자에 방어권조차 안 준 '불의의 타격' 은 문제가 있다고 지적했다.

2017년 5월 9일 19대 대선에서 선출된 문재인 대통령의 체제 개혁에 대한 담론을 2017년 6월호(통권 375호) 특집으로 냈다. 이재열 서울대 교수(사회학)는 6월호 권두 논단으로 노무현 · 박근혜 정권의 실패를 반면교사로 삼으라고 당부했다. 이념 논쟁과 권위 없는 리더십을 일찍 버리고 합리적 새 권위를 정립해야 민주적 통치의 정당성을 공고히 할 것이라고 이 교수는 충고했다. 대한언론은 문재인 정부의 포퓰리즘 정책과 종족적 민족주의 주술에 빠진 대북(對北) 평화 구걸 등의 모순을 통권 376호, 377호, 378호에 지속적으로 다루었다. 2017년 9월호는 〈문재인 정부 100일 대한민국 어디로 가고 있나〉를 특집으로 다뤄 일간 신문 제작 방향과 어젠다를 제시하기도 했다. 편향 보도로 '기레기' 라고 비난 받는 언론인의 정체성과 자긍심 회복을 촉구하기 위해 377호부터 〈인물 한국 언론사〉 연재를 시작, 바람직한 언론인상을 제시했다.

박성홍 | 1942년 9월 1일생, 경향신문 학술문화부장, 논설위원. 문화일보 편집국장대우, 출판국장 겸 오피니언 포럼담당국장, 대한언론 주필 겸 편집위원장.

대기자(大記者)의 작은 꿈

"텔레타이프가 토해내는 전문(電文) 한 줄로 세계 어느 국가로든 가야 되는 처지에 내 집이 꼭 미국에 있어야 하는 것은 크게 의미 있는 일이 아니다."

박용근(朴龍根)

1968년 초여름 일본 특유의 장마(쯔유, 梅雨)가 시작되는 계절의 어느 날 AP통신의 R기자가 전화를 했다. 자기 집으로 저녁 초대를 하고 싶다고 하며 하룻밤 자고 오는 것으로 일정을 잡으라고 했다. 며칠 후 우리는 그의 사무실 근방의 유라쿠초(有樂町)역에서 만나 전철에 올랐다. 약 한 시간여를 달려 가마쿠라(鎌倉)역에서 내렸다. 가마쿠라는 800년의 역사를 지닌 일본의 고도(古都)로 역사의 향기가 넘쳐나는, 지금은 유명한 관광지이기도 하다. 역 주차장에 있는 그의 장난감 같은 미니 자동차로 수풀이 우거진 산등성이를 한참 올라갔다. 그가 안내한 곳은 널찍한 정원에 아름드리 기둥이 돋보이는 2층 집이었다. 멀리 남태평양이 내려다보이는 빼어난 경관이 인상적이었다. 준비된 양식 저녁을 마치고 정원으로 자리를 옮겨 자정이 넘도록 이야기꽃을 피웠다. 여름 하늘에는 아기 주먹만한 별들이 금방이라도 쏟아질 것 같은 밤이었다.

나는 세계적 통신사의 도쿄 특파원인 그가 어떻게 이런 저택에 가까운 큰 집에 독신으로 혼자 살고 있는가에 대한 궁금증이 일어났다. 2층의 복도와 세 개의 방에는 어림잡아 수만 여 권의 책이 작은 도서관을 방불케 했다. 그가 이 주택을 갖게 된 경위를 아래와 같이 길게 설명했다. 어느 날 그의 사무실로 초로의 일본인이 같은 건물의 아사히신문 기자의 소개로 청년 한 사람을 대동하고 찾아왔다. 그는 R기자에게 한 가지 간청이 있다면서 청년은 자기의 외아들이며 현재 일본의 유명 대학 영문과에 재학 중인데 장래 영국 유학을 계획 중인바 영어 개인지도를 해줄 수 없느냐는 부탁이었다. 특파원이라는 바쁜 직업으로 그럴 시간적 여유가 없다고 사양했으나 막무가내로 계속 찾아 왔다. 결국 일주일에 한 시간 정도 찻집에서 만나 가벼운 대화를 나누는 것으로 우선 난처한 입장을 모면했다.

결국 그 대학생과 일 년여의 부정기적 대화가 있은 후 요행스럽게도 그는 영국의 옥스퍼드 대학으로 유학을 떠나게 되었다고 알려왔다. 해가 바뀐 어느 날 예고도 없이 그 대학생의 아버지가 불쑥 찾아와 고맙다고 몇 번이나 허리를 굽히며 인사를 했다. 그러면서 뭔가 꼭 사례를 하고 싶다고 했다. R기자는 자기도 그 대학생과의 접촉을 통해 몰랐던 일본의 생활 풍습과 문화 그리고 어려운 특유의 관용어구 등을 새로 많이 배울 수 있었으므로 사례를 받을 일이 아니라고 극구 사양했다. 얼마간의 시간이 흐른 후 그 대학생의 아버지는 R기자에게 자기의 소유지인 가마쿠라의 땅을 장기 무상 대여 형식으로 제공할 의향이 있으니 그곳에 당신의 꿈인 집을 지어 보지 않겠느냐고 제안해 오기에 이르렀다. 그가 자기의 설계로 조그마한 집을 지어 보는 것이 어릴 적부터 지녀온 꿈이라는 이야기를 유학을 떠난 아들로부터 들었다는 것이었다. 그 후 약간의 우여곡절은 있었지만 그는 결국 집을 짓기로 결심하고 AP통신 본사의 내락을 받아 20년 근무분의 퇴직금을 전도(前渡) 받아 건축비에 충당, 자기의 오랜 꿈을 낯선 일본 땅에서 실현하게 되었다는 것이었다. 나에게 그의 설명은 정말 꿈같은 이야기였다.

우리는 밤이 깊어가는 것도 잊은 채 위스키 한 병을 비우며 많은 국제 사안과 그의 다양한 경험담을 안주로 삼았다. 특히 그는 중국 공산당의 최고 지도자인 마오쩌둥(毛澤東)과 그의 맹우 저우언라이(周恩來)와 함께 찍은 옛 사진을 보여주며 1930년대 중반 시작된 중국 공산당의 고난의 만리장정(萬里長征) 과정의 연안 시절 취재 경험을 생생하게 설명해 퍽 흥미로웠다. 다음날 아침 우리는 어제 저녁 올라왔던 산등성이에서 같은 자동차로 내려와 같은 역에서 도쿄행 특급 열차에 올랐다. 열차 안에서 미리 준비해온 샌드위치를 먹으며 펴든 영자지 재팬타임즈에는 그의 기명 기사로 '미국과 중국의 장래' 라는 긴 전망 기사가 크게 실려 있었다.

미국 대기자의 일본에서 집짓기

R기자는 2차 대전 후 오랜 기간 단교 상태였던 미 · 중 관계의 물꼬를 튼 이른바 핑퐁외교로 알려진 미국 탁구팀의 1971년 10월 중공 입국 시 서방 기자로 수행 취재가 허용된 언론인으로 '죽(竹)의 장막' 에서 보낸 당시 그의 제1신 기사는 세계적인 뉴스가 되기도 했으며 그 스포츠 외교는 1979년 국교 정상화의 청신호이기도 했다. 당시 소련의 팽창에 큰 위기감을 느낀 미국은 1971년 8월 헨리 키신저 국가 안보 담당 보좌관이 극비리에 방중한 후 다음 해인 1972년 2월 리처드 닉슨 대통령이 베이징에서 마오 주석(毛主席)과 극적인 정상 회담을 가지며 1978년 중화민국(대만)과

단교, 다음해 중화 인민공화국과 전격 수교하기에 이르렀다. 국제 정치의 냉혹한 역사적 한 장면이었다.

이글의 서두에 표기한 R기자의 이름은 존 로더릭(John Roderick)이다. 미국의 저명 언론인의 한 사람으로 특히 1940년대 중반 모택동을 비롯한 중국의 공산주의 게릴라들과 함께 생활하면서 밀착 취재했으며 1949년 중국 공산주의 정부가 수립되기 전부터 1980년대 경제 개혁기까지 중국 정세를 선도적으로 취재 보도한 독보적 '중국 관찰자' 로 알려져 있다. 그는 한때 저우언라이 총리에 의해 중공을 세계 미디어에 '개방' 시킨 사람으로 칭송되기도 했다. 그는 1914년 5월 미국 메인 주 워터빌에서 출생, 콜비 대를 졸업 후 1937년 AP통신에 발을 디뎠다. 그는 50년 넘게 AP통신에 봉직했으며 1984년 퇴직 시까지 20년간 아세아 , 유럽, 중동 등 지역 특파원으로 활약, 미중 국교 정상화 직후인 1979년 북경총국을 재개설하기도 했다. 그는 평생 언론인과 저술가로 살다가 2008년 3월 향년 93세로 하와이 호놀룰루에서 타계했다.

이렇게 그의 이력을 장황하게 기술한 것은 중국 문제에 대한 세계적 '대기자' 가 왜 이국인 일본에서 그의 어릴 적 꿈이라는 집짓기에 집착했을까 하는 나의 소박한 호기심 때문이다. 그로부터 직접 들은 답변은 "텔레타이프가 토해내는 전문(電文) 한 줄로 세계 어느 국가로든 가야 되는 처지에 내 집이 꼭 미국에 있어야 하는 것은 크게 의미 있는 일이 아니다. 내 설계와 내 손으로 집이 완성되었다는 데 의미가 있다."였다.

'대기자의 작은 꿈' 이야기는 나에게 많은 것을 생각하게 했다. 흔히 삶은 인연의 결과물이라고 한다. 그가 작은 인연을 늘 소중히 하고 유학생 아버지의 사례를 굳이 사양한 '겸양의 덕성(德性)' 이 그의 작은 꿈을 실현시킨 행운을 가져다 준 것처럼 느껴졌다. 만약 그가 아직도 생존해 있다면 북한 김일성의 손자 김정은이 미국을 상대로 벌리고 있는 핵과 미사일 위협을 둘러싼 작금의 미국과 중국의 첨예한 관계를 어떻게 분석 논평하고 특히 오늘의 중국을 어떻게 바라볼까 혼자 깊은 상념에 젖어 본다.

후일담이지만 유학을 떠났던 학생의 아버지는 나중에 알게 된 일로 일본 황족(皇族)의 한 사람이었다고 했다.

박용근 | 1936년 7월 20일생. 동화통신 주일특파원 · KBS 정경부장 · 경제기획원 대변인 · 대우 일본본사 사장

왜 불가근 불가원(不可近不可遠)인가

> 한국은 국민 세금으로 정치 자금을 대주면서까지 돈에 의한 타락 정치를 막아보려고 하지만 현실은 공천 헌금 등 아직도 문제가 많다. 언론이, 기자들이 두 눈을 부릅뜨고 감시자의 역할을 충분히 해서 썩은 '돈 정치'를 바로 잡는 데 기여해야 할 것이다.
>
> **박응칠**

1970년대 유신 시절 백두진은 유정회 의장을 지낸 국회의장으로 유신 체제에 적극 참여한 정계의 거물이었다. 당시 박찬종은 부산에서 공화당 공천으로 당선된 초선의 30대 여당 의원으로 정치 신인이었다. 필자는 동아방송 정경부 소속으로 국회 공화당을 출입했는데 지방 정가 취재차 공화당 출입 기자들과 함께 부산에 내려갔다. 자연히 그 지역 출신인 박찬종 의원과 어느 일식점에서 저녁 회식을 갖게 됐다.

술잔이 오가고 분위기가 무르익어 갈 무렵 박찬종 의원이 의외의 말을 했다. "지금 유권자들은 국회의원이 세비를 어떻게 쓰느냐에 관심이 많은데 국회의장이란 분이 자기 부인을 비서로 등록시켜 월급을 타가는 것이 말이 되느냐?"고 격앙된 어조로 말하는 것이 아닌가. 정치부 기자의 입장에서 이것은 여당 초선 의원이 거물급 국회의장을 비난한 것으로 보통 일이 아니었다. 다른 기자들이 눈치 채지 않게 "뭐 그럴 수도 있지 않겠느냐."고 대충 얼버무렸지만 회식이 끝나갈 무렵 박 의원을 일식집 2층 조용한 빈방으로 불러내서 "당신의 발언은 정의감에 불타는 초선 의원으로서 너무나 훌륭한 것이다. 방송하게 녹음할 수 있겠느냐?"고 했더니 "좋다." 고 했다. 기자 세계 용어로 한 건 한 것이다. 이튿날 마산으로 가서 녹음한 것을 전화 송화기에 연결시켜 본사로 보냈다.

여당 초선 의원이 국회의장을 맹비난

당시 동아방송은 아침 8시에 하는 'DBS 뉴스쇼'라는 프로가 있었는데 담당 기자들이 출연해서 각 분야의 주요 뉴스를 심층 분석하고 보도해서 상당한 인기를 끌고 있었다. 그날 진행자는 이웅희 당시 동아일보 정치부장이었다. 이 부장도 놀라는 눈치였다. 박 의원이 공화당 초선 의원이 아니냐고 다시 확인하고 이 녹음은 전파를 타게 됐다. 동아방송은 가청 지역이 수도권으로 마산에서는 들리지 않았지만 서울에서는 난리가 난 모양이었다.

박 의원은 즉각 당시 길전식 공화당 사무총장에 의해 서울로 불려 올라갔고 국회의장실에서는 본사에 와서 방송 내용을 녹음해갔다고 한다. 그 보도가 크게 파문을 일으킨 것은 당시 정치 상황 때문이란 것을 뒤늦게 알게 됐다. 1972년 10월 유신을 단행한 박정희 대통령은 8대 국회를 해산하고 다음해 9대 국회를 구성하면서 여당인 공화당만으로는 불안했던지 대통령이 지명한 73명의 의원을 통일주체국민회의에서 선출하고 이들로 유신정우회라는 원내 교섭 단체를 구성해서 유신 정권 유지의 두 축으로 삼았었다. 그런데 공화당과 유정회는 같은 여당이지만 보이지 않는 갈등과 경쟁으로 묘한 관계를 유지했었는데 유정회 측에서는 박 의원의 발언을 공화당 중진들이 뒤에서 사주해서 유정회를 공격한 것으로 단정하고 일을 크게 벌였던 것 같았다. 아무튼 박 의원은 혼쭐이 났었지만, 얼마 뒤 필자와 만난 자리에서 그 일 때문에 자기는 선거구에서 격려도 많이 받았고 인기가 올라갔다고 오히려 고마워했다. 당시 부산일보가 가십란에 박 의원 발언 내용을 동아방송을 인용해서 보도했었다.

특파원 정원제 깨고 남미로 가다

1970년대 말까지 당시 문공부는 각 언론사가 내보내는 해외 특파원 수를 통제하고 있었다. 이른바 정원제를 지역마다 인원수를 정해 놓고 그 이상의 특파원에 대해서는 경제기획원에 외화 송금을 추천하지 않아서 가족과 함께 현지에 부임할 수 없게 하였다.

당시 동아방송은 광고주들을 설득해서 세계 여러 곳에 특파원을 내보내 현지의 다양한 뉴스와 화제를 방송하고 있었다. 뉴욕과 파리, 도쿄, 부에노스아이레스에 특파원이 나가 있는데 정원제에 걸려서 가족은 못 데리고 가고 혼자서 장기 해외 출장 형식으로 이산가족 아닌 이산가족으로 고생을 하고 있었다. 따라서 1년 넘게 혼자 나가 있는 특파원들은 빨리 교대해 달라고 아우성이었지만 가족과 헤어져서 나가려고 하는 사람이 없었다.

남미의 부에노스아이레스에도 김정서 기자(동아 8기 동기생)가 거의 1년 반이나 나가 있었는데 지원자가 없어 교대를 못해주고 있었다. 당시 필자는 청와대를 3년 이상 출입했고 기자단 간사를 하고 있었는데 이제 방송국 간부가 돼서 내근하는 것보다는 특파원으로 나가는 것이 좋겠다는 생각을 했다. 솔직히 말해 대통령한테라도 직접 애기해서 그놈의 정원제를 타파할 수 있겠다는 생각도 했다.

당시 청와대 출입 기자단 간사는 다른 부처와는 달리 기자단이 무기명 비밀 투표로 선출했는데 1979년 6월에 신아일보의 김길홍 기자와 함께 간사가 됐다. 간사의 가장 큰 특권(?)은 오찬이나 환담 시 바로 대통령 옆자리에 앉을 수 있는 것이다. 그해 9월초로 기억되는데 박 대통령이 각계 인사를 초청해서 청와대에서 친선 배드민턴 대회를 열었다. 대통령은 배드민턴을 좋아해서 때로는 출입 기자들과 아니면 가족과 함께 배드민턴을 즐겼다. 그날 저녁도 가족과 함께 배드민턴을 즐겼다. 만찬을 기자들과 같이 했는데 필자는 관례에 따라 대통령 바로 옆에 앉았고 한마디 했다.

"각하, 지금 언론계에서는 때 아닌 이산가족으로 고통을 받고 있는 사람들이 있습니다."

"그게 무슨 소리요?"

"해외 특파원을 나가는데 문공부에서 정원제를 실시해서 가족을 못 데리고 나가 1년 이상을 혼자 고생하는 사람들이 있습니다."

"아니 왜 정원제를 실시하는 겁니까?"

"외화를 아낀다고 그럽니다."

"사람들 그까짓 외화가 얼마나 들어간다고 그래?"……

그 다음날 새벽 6시 경에 당시 문공부 황모 보도국장이 집으로 전화를 해왔다. 그분은 동아에 같이 있던 잘 아는 사람이었다.

"박 형, 뭘 그런 걸 각하에게까지 말했습니까? 우리끼리 해결하면 될 건데…"

'우리끼리 해결 안 되니까 그랬지.'

이것은 나 혼자 한 말이다. 아무튼 그해 10 · 26 사건이 일어났고 그해

말 이 문제는 문공부장관을 직접 만나서 원만히 해결했으며 나는 이듬해 1980년 4월에 남미 특파원으로 부임했다. 여기서 청와대 출입 3년간의 얘기는 특별한 에피소드도 없었고 이미 다른 분들이 많이 썼기 때문에 생략한다. 다만 느낀 것이 있다면 기자는 취재원과 어떤 관계를 유지하는 것이 바람직한가 하는 점이다.

이른바 불가근 불가원(不可近不可遠)의 원칙은 출입 기자 쪽에서 지켜야 할 원칙인지도 모른다. 깊이 있는 뉴스를 캐내기 위해서는 취재원과 인간적으로 친해져야 한다지만 취재원과 한통속이 되어 기자 본연의 감시자로서의 역할을 못한다면 그 신문 방송의 독자와 시청자만 불쌍하다는 생각이다. 그 당시는 유신 시절로 모든 국가 정책이 청와대를 중심으로 이뤄졌고 출입 기자는 그 현장에 있었기 때문에 국가가 어디로 가고 있는지 보고 느낄 수 있었다.

내가 훌륭해서가 아니라 수많은 동아방송 청취자를 대표해서 대통령이나 막강한 힘을 가진 주요 비서관들과 접촉하고 대화를 나눈다는 사실을 잊지 않으려고 노력했다. 청와대 출입하면서 유신에 대한 필요성이나 당위성을 매일 듣게 되면 나도 모르게 유신에 대한 신념이 생기게 되지 않을까? 난 나를 객관화 시켜 나를 되돌아보고 기자 본연의 자세를 잃지 않으려고 노력했다.

언론 통폐합 - 웃을 수 없는 에피소드

남미 특파원으로 부임해서 1980년 9월에 어렵게 주재지를 부에노스아이레스에서 상파울루로 옮기고 최초의 한국 특파원으로 동아일보와 동아

방송에 남미 얘기를 독점적으로(?) 보도하고 있었는데 11월초에 서울에서 전화가 왔다. 동아방송이 KBS와 합치게 됐으니 그대로 KBS 특파원으로 남기를 희망하면 KBS 특파원으로 발령을 낼 것이라고 한다. 기왕에 어렵게 나온 것이고 월급을 알아봤더니 오히려 KBS가 20달러 정도 많고 당시의 정황으로 볼 때 동아방송이나 KBS나 군사 정권의 통제를 받는 것은 마찬가지였기에 그대로 남겠다고 했다.

멀리 외국에서 하루아침에 정부 권력에 의해 언론사가 통폐합되고 특파원이 현지에서 소속사를 바꾸는 세계 언론 사상 유례없는 일을 당하게 됐다. 1982년 4월 포클랜드 전쟁이 터졌다. 당시 아르헨티나의 군사 정권이 아르헨티나 남쪽 해안에 있는 영국군 지배지로 있는 포클랜드 섬을 기습 공격해서 점령한 것이다. 영국이 가만히 있을 리가 없다. 항공모함과 비행기 등을 동원해서 이 섬을 다시 탈환하기 위한 전쟁이 일어난 것이다. 세계의 이목이 집중되지 않을 수 없었다. 필자도 부랴부랴 부에노스아이레스로 달려가 한 호텔에 머물면서 전황을 매일 9시 저녁 뉴스에 전화 녹음으로 리포트하고 있었다. KBS가 매일 방송하니 MBC도 LA 특파원을 현지에 보냈는데 서울대 문리대 동문인 형진한 씨가 왔다. 언어도 통하지 않고 뭘 어떻게 하겠는가. 할 수없이 같은 호텔 옆방에 묵게 하고 서로 정보를 교환했다.

그날도 서울에서 전화가 오고 저녁 9시용 리포트를 녹음하자고 한다. 전망을 얘기하고 끝에 "KBS 뉴스 박응칠이었습니다."고 했더니 담당 기자가 "여기는 MBC인데요" 한다. 만일 생방송이었다면 큰일 날 뻔했다. 현지에서 소속사를 바꾸었으니 본사 외신부 기자들은 알 수 없었다. 호텔 교환이 서울에서 전화가 왔으니 무조건 나를 바꿔준 것이다. 무리한 언론 통폐합이 가져온 웃지 못 할 난센스였다.

낙후된 한국 정치 현실을 잠깐 경험하다

1996년 9월에 KBS 해설위원을 끝으로 정년퇴직하고 라디오 정보센터 편집위원으로 발령받았으나(계약직) 당시 신한국당 박찬종 고문의 간곡한 권유로 정치판을 경험하게 된다.

박찬종 고문은 1992년 대통령 선거에 신정당 후보로 도전했으나 김영삼 민자당 후보가 당선되고 4위를 기록했다. 하지만 박찬종은 거의 돈을 쓰지 않았고 추운 날씨에 트렌치코트 하나만 입고 목이 터져라 거리 유세를 벌여서 깨끗하고 소신 있는 정치가로 국민들의 망막에 비춰지게 된다. 그 이미지 덕분에 무균질 우유 광고에도 등장했고 낙선은 했지만 서울 시장 후보로 여론 조사에서도 1등을 했었다.

1997년 선거를 앞두고 실시된 신한국당 대통령 후보 여론 조사에서도 이회창, 이한동, 최형우, 김덕룡을 제치고 1등을 했었다. 나는 박찬종 고문이 대통령이 되고 나도 정치인이 되겠다는 생각은 전혀 하지 않았다. 다만 그동안 정치부 기자로 노하우를 제공하고 상응한 월급을 받기로 하고 박찬종 경선 캠프의 소장으로 취임한 것이다.

실제로 박 고문이 신한국당 경선 후보를 사퇴한 1997년 7월까지 8개월 동안 박 고문은 약속한대로 KBS 해설위원 급의 월급을 날짜도 정확하게 지급했다. 돈의 액수가 문제가 아니라 약속을 지켜왔다는 점에서 지금도 고맙게 생각하고 있다.

당시 내가 만난 신한국당의 대의원들은 애국심은 고사하고 애당심도 없었다. 그들의 마음속엔 오로지 돈뿐이었다. 낙후된 한국의 정치 현실을 뼈저리게 느꼈다. 박찬종 고문이 경선 후보를 사퇴한 이유는 여러 가지가 있겠지만 결국 자금이 없어서 실패한 것으로 생각된다.

세상에는 여러 가지 억측이 있지만 박 고문은 자기의 이미지가 깨끗한 정치인이기 때문에 재벌로부터 거액의 정치 자금을 끌어 모으는 일은 못한 것 같다. 물론 정치에 필요한 '경비' 는 친구나 기업에서 후원을 받았겠지만 정작 '자금' 을 모으지 못한 것 같다. 기계는 기름이 있어야 돌아가듯 정치는 돈이 있어야 돌아간다는 말도 있다. 정치 현장에서 보고 느낀 서글픈 현실이었다.

그래서 한국은 국민 세금으로 정치 자금을 대주면서까지 돈에 의한 타락 정치를 막아보려고 하지만 현실은 공천 헌금 등 아직도 문제가 많다. 언론이, 기자들이 두 눈을 부릅뜨고 감시자의 역할을 충분히 해서 썩은 '돈 정치' 를 바로 잡는 데 기여해 주기만을 간절히 바랄 뿐이다.

박응칠 | 1938년 7월 28일생. 동아일보 기자, 동아방송 부에노스 아이레스 특파원, KBS 상파울루 특파원, KBS해설위원, 아리랑TV 감사

40여년 전의 취재 수첩을 들춰보며

김정일 북한 노동당 위원장이 CNN 서울지사의 손지예 기자를 언급하는 것을 보고 깜짝 놀랐다.

백인호

취재 현장의 목격자들/YTN 남산서울타워 인수전

남산에 있는 남산서울타워(현재는 남산YTN타워)가 YTN 소유라는 사실을 아는 분은 많지 않을 것이다.

그러나 남산서울타워는 YTN 소유물이다. 국가 「가」급 시설인 남산타워는 단순한 시멘트 덩어리 철골물만은 아니다. 파리 하면 에펠탑이 떠오르듯 서울 하면 남산서울타워는 서울의 랜드마크이다.

전파 매체인 KBS, MBC, SBS TV 3사에는 방송의 사활이 걸려 있는 아주 중요한 시설이다. TV 3사는 남산타워에 걸려 있는 안테나 중계 없이는 청와대를 비롯한 서울 일원의 방송이 가능하지 않기 때문이다.

서울 일원을 뺀 전국 TV 방송이란 생각할 수도 없는 일이다. 하기 때문에 남산타워를 소유한다는 것은 TV 방송계를 장악한 강자이고 그 이상의 상징적인 의미도 갖는다. 사실 이런 중요한 시설을 주식회사가 소유한다는 것 사실 자체가 의외일 수도 있다. 필자가 YTN 사장 재임 시 국가는 이 시설을 매각했고, YTN이 이를 인수했다.

서울타워 매각을 둘러싼 인수전은 우리가 생각하는 것 이상으로 치열했고, 어느 현장보다 감추어진 이야기가 많다.

정부의 서울타워 매각 당시(2002년 2월) YTN의 경영 상태는 아주 어려웠다. 사장인 나는 어떻게 하면 회사의 수익 기반을 튼튼하게 만들 수 있을까 하는 것이 생각의 모든 것이었다. 서울타워 매각 공고를 보자마자 서울타워야말로 YTN의 경영을 강하게 만들어줄 황금알을 낳을 수 있는 거위로 판단했다.

매일경제신문에서 36년 동안 경제부 기자로 뛰었던 경제기자의 어떤 감각이었다면 좀 과장된 것일까? 당시 YTN 재정 상태가 어느 정도 어려웠는지는 서울타워 입찰 보증금이 준비가 되지 않아 서울보증보험에서 75억원 전액을 대출받은 사실을 보면 알 수 있다. YTN은 매각 입찰에 참여했고, 입찰에는 YTN을 비롯 KBS, MBC, SBS 등 공중파 TV 3사의 컨소시엄, 롯데호텔, SK텔레콤, E랜드 등 총 13사가 참여했다.

경쟁사들의 재력을 보면 모두 겁나는 상대들이었다.

어떻게 하면 이 겁나는 상대를 누르고 타워 인수에 성공할 수 있을까? YTN은 고민했다. 제일 두려운 상대는 재벌 그리고 KBS 등 TV 3사 컨소시엄이었다.

필자는 이렇게 생각했다.

이런 강한 상대하고 누가 더 많은 금액을 써넣는가 하는 돈 경쟁은 패배하는 게임이기 때문에 1, 2, 3차 차수를 높이면서 입찰 금액을 늘려가는 것을 피해야 한다. 그렇다면 1회차에서 끝내야 한다. 그렇게 하기 위해서는 매각 주체가 원하는 매각 총액을 예측해 보는 것이 필수다.

이것은 어려운 일이었다. 정답을 알려주고 시험을 보는 일은 없지 않은가? 40년 가까이 경제 기자로 뛴 취재 수단이나 감각을 발휘해 보기로 했다. 정부는 서울타워 관리 주체를 체신부 퇴직 공무원에서 정보통신부에 이르기까지 약 1만 8천명의 퇴직 공무원 조직인 체성회에 맡겼으며 타워 매각 대금으로 이들의 퇴직금을 정산해줄 계획이었기 때문에 퇴직금 총액에 근접하지 못하면 인수는 불가능하다. 이렇다면 그간 공무원들의 봉급 수준, 회원들의 총수를 감안해보면 정부의 매각 희망 대금은 어느 정도인지를 추론해볼 수 있겠다고 생각했다.

필자는 투찰 금액을 입찰 당일 현장에 가는 총무부장에게 수신호로 알려줄 정도로 보안에 신경을 썼다. YTN이 투찰한 금액은 701억이었으며, 낙찰에 성공했다. 사장이 지시한 금액은 원래 700억이었는데 총무부장이 1억원을 임의로 더해 701억이 되었다. 마치 정주영 현대그룹 회장이 사우디아라비아 주베일 산업항공사 입찰에서(1976년 2월 16일) 입찰실에 들어가는 J 상무에게 8억 7천만 달러를 지시했으나 J상무는 회장이 지시한 액수보다 6천 6백만 달러를 더한 9억 3천 1백만 달러를 더 넣었던 것과 같은 것이다.

정회장은 추후 그의 자서전에서(시련은 있어도 실패는 없다) 업무 수행 과정에서 내 지시를 제멋대로 어긴다는 것은 어불성설이라고 회고했다. 오너의 지시가 그만큼 엄중하다는 것을 말하고 있다. (필자 졸저 'YTN 1300일 드라마' 115쪽, 이 책은 조선일보 방일영 문화재단 지원으로 출간) 그러나 나는 총무부장을 질책하지 않았다. 그는 혹시 700억을 쓴 상대가 있다면 1억의 차액을 남김으로써 성공시키려고 그렇게 했다는 것이다. (참고로 2016년 YTN의 서울타워는 150억의 순익을 발생시켰다.)

추기/북 김정일 위원장과 YTN

필자는 재임 중 세계적 유명인사들을 만나 인터뷰하거나 대화해본 경험이 있다. 헨리 키신저 전 미 국무장관, 고르바초프 구 소련 서기장, 그리고 고 김정일 북한 노동당 위원장 들이다. 그 중 김 위원장과 나눈 5~6분 간의 대화 내용은 지금까지 잊혀지지 않는다.

필자는 2000년 8월 5일부터 12일까지 8박 9일간 고 김정일 위원장 초청으로 신문협회 회원사 사장 31명, 방송협회 회원사 사장 9명이 북한을 방문했을 때 일원이었다.

공식 일정을 모두 소화하고 서울 귀환에 앞서 고별 오찬이 계획되어 있었다. 일행들은 김 위원장이 오찬에 참석할지 여부를 궁금해 했는데 그는 오찬장에 나타났다.

일자(一字)로 된 헤드 테이블에 김 위원장이 중앙에, 좌우에는 신문협회장인 한겨레신문 최학래 사장과 방송협회장 KBS 박권상 사장이, 그 옆에 남측의 박지원 장관, 다른 쪽에 북한측 인사가 앉는 것으로 세팅되어 있었다. 오찬이 시작되고 라운드 테이블에 앉은 사장들이 차례대로 헤드 테이블 김 위원장에게 다가가 소속사를 밝히면서 와인 잔을 부딪치면서 인사를 나누었다.

그런데 내 차례가 다가오면서 고민이 쌓이기 시작했다. 김 위원장에게 내 소속사인 YTN을 어떻게 알려야 할지 때문이었다. YTN이라고만 하면, 폐쇄된 북한의 은둔의 지도자로 알려진 김 위원장이 이해할 수 있겠는가 하는 고민이었다. (졸저 YTN 1300일 드라마, 159P, 사진)

나는 고민 끝에 서울의 CNN인 YTN이라고 소속사를 설명해주는 것이 좋겠다고 생각했다. 나는 차례가 되어 김 위원장과 러브샷을 교환하고 서울의 CNN인 YTN이라고 소속사를 말했다. 그 말을 듣자 "그렇습네까? 반갑습네다. 그런데 CNN 여자 앵커 똑똑하드구만요." 라고 금방 대답 겸 질문을 던지는 것이었다.

사실 나는 경악했다. 아니 어떻게 김 위원장 입에서 CNN 앵커 이야기가 나온다는 건가. 나와 박권상 사장은 멈칫하지 않을 수 없었다. 박권상 사장은 방송협회 회장 자격으로 TV 사장들이 건배할 때는 일일이 김 위원장과 함께 했다. CNN의 수많은 앵커의 이름을 즉석에서 거명하는 것은 어려운 일이다. 김 위원장은 약간 당황하는 우리를 보고 "아, 그 손(孫) 뭐라는 앵커 말입니다."라고 말문을 열어주는 것이었다.

CNN 서울 지사의 손지예 기자를 말하는 것이었다. 아니 어떻게 서울지사의 손기자까지 알고 있으며 익히 잘 알고 있듯이 평범하게 말을 하는 것인가? 김 위원장에게 YTN을 설명했다는 보람을 느끼고 있다.

그러나 지금도 미스터리다.

김 위원장의 전파 매체 접근과 기억력, 그리고 순발력의 해명이다.

백인호 | 1938년 9월 2일생. YTN 사장, MBN 대표이사, 광주(光州)일보 사장, 매일경제 편집국장, 리빙TV 회장

뉴스 통신사 외신부는 오역과의 전쟁터

순간순간이 오역에 대한 공포와 두려움의 연속

서옥식(徐玉植)

언론사하면 외신(外信)을 다루는 부서만큼 바쁜 곳도 없을 것이다. 특히 전 세계로부터 리얼타임(실시간)으로 입전되는 외국어 뉴스를 우리말 기사로 만들어 배포하는 뉴스 통신사의 외신부는 촌음을 다투는 곳이다.

뉴스의 온라인화와 함께 글로벌 시대를 맞아 지금은 '국제뉴스부' 로 이름이 바뀌었지만 필자가 기자로 있던 1970년대와 80년대, 90년대는 외신부라고 불렀다. 필자는 30년 가까운 기자 생활 중 특파원 7년을 포함해서 외신부에서만 무려 13년을 보냈다.

세계 주요 도시의 상주 특파원들이 보내오는 뉴스는 물론, 지구촌 곳곳에서 AP, AFP, REUTER, UPI, ITAR-TASS, 교도(共同), 신화(新華) 등 국제적인 뉴스 통신사로부터 24시간 끊임없이 입전되는 영문 뉴스를 우리말 기사로 만든 다음 언론사와 정부, 민간에 송출하는 부서였다. 어림잡아 계산해 보니 필자는 외신부 근무기간 동안 최소한 1만 건의 국제 관련 기사를 썼으며 이 가운데 절대 다수는 영문으로 된 외신을 우리말로 번역한 것이었다.

정치부나 사회부의 기자가 '현장(現場) 취재 기자' 라면 외신부 기자는 텔레타이프로 입전되는 뉴스 원문(原文)을 우리말 기사로 재가공한다는 점에서 '지상(紙上) 취재 기자' 로 불리기도 한다. 외신부 기자는 미·영·불·중·러·일의 대형 뉴스 통신사들이 거의 모든 뉴스를 커버해 주기 때문에 현장 중심의 취재 부서 기자처럼 낙종(落種)에 대한 부담은 거의 없으나 늘 긴장 속에 지내며 경계해야 하는 것 하나가 있었다. 그것은 오역에 대한 공포와 두려움이었다. 순간순간이 오역과의 피 말리는 전쟁이었다.

얼마 전 국가기간통신사 연합뉴스가 도널드 트럼프 美 대통령의 트위터 글을 오역해 보도하는 바람에 수많은 언론사가 연달아 오보를 했고 청와대가 유감을 표시하는 등 난리가 난 적이 있었다. 트럼프 대통령은 2017년 9월 17일 문재인 대통령과 통화 직후 자신의 트위터에 "(유엔의 대북 유류 공급 제재로) 기름을 얻으려고 북한에 긴 줄이 형성되고 있다(Long gas lines (are) forming in North Korea)"고 올렸다. 하지만 우리 언론은 'gas line' (기름을 구하려 늘어선 행렬)을 '가스관(pipeline)' 으로 오역해 트럼프 대통령이 문 대통령의 러시아-북한-한국 가스관 사업 구상을 비판했다는 뉘앙스로 보도한 것이다.

그러나 영어 사전을 찾아보면 'gas line' 에 '천연가스 수송에 사용되는 관' (a pipeline used to transport natural gas)이란 의미도 들어 있어 필자가 번역하더라도 오역의 함정을 벗어났을 지는 장담하기 어렵다. 무엇보다 이미 트럼프 대통령은 문 대통령의 대북 유화정책을 비판하고 있었기 때문이다.

박근혜 탄핵 요구 촛불 시위에도 오역 뉴스가 한몫

오역 기사들은 박근혜 대통령 탄핵과 하야, 구속을 요구하는 촛불 시위를 격화시키는 데도 한몫했다. KBS는 2016년 11월 29일 밤 9시 뉴스에서 워싱턴 발 기사로 존 커비(John Kirby) 미 국무부 대변인의 말을 인용, 미국이 한국의 촛불 시위를 지지했다고 보도했다. 그러나 이는 KBS 워싱턴 특파원의 아전인수(我田引水)격 오역이었다.

국무부 대변인은 언론 브리핑에서 한국 사태에 대한 기자의 질문에 〈You know where we stand on the right of peaceful protest and assembly and we support that around the world. People should have the ability to go out and voice their concerns about their government.〉(국민에게는 평화적 항의와 집회의 권리가 있다는 우리 정부의 입장을 잘 아실 겁니다. 전 세계적으로 우리는 그런 입장을 유지하고 있습니다. 국민은 거리로 나가 정부에 대한 우려를 말할 수 있어야 합니다.)고 말했다. 대변인은 이어 다른 기자로부터 보충 질문을 받고는 〈Again, that's how democracy works. People have that right and ability to exercise the right. I think that's important.(다시 말씀드리지만, 그런 게 민주주의입니다. 국민에게는 그런 권리가 있고 그 권리를 행사할 능력이 있습니다. 그게 중요하다고 생각합니다.)라고 덧붙였다. 미국이 민주주의 국가 국민의 시위 · 집회의 권리를 인정한다는 것이지 문장 어디를 봐도 한국의 촛불 시위를 지지한다는 표현은 없다.

KBS의 이 보도는 나흘 후인 12월 3일 "주한 미 대사관이 광화문 촛불 집회 '1분 소등' 에 동참했다."는 일부 언론 보도(사실은 이것도 100% 오보)와 함께 '촛불에 기름을 부으면서' 시위를 격화시키는 요인이 됐다.

이에 앞서 중앙일보는 2016년 10월 27일 〈"최태민은 한국의 라스푸틴" 2007년 미 대사관 외교 전문〉 제하의 기사에서 "미국은 2007년 7월 20일 주한 미 대사관의 버시바우 대사가 미국에 보낸 외교 전문에서 최순실의 부친 최태민 목사를 '한국의 라스푸틴'이라고 평가했다…중략…라스푸틴은 황태자의 병을 기도로 고친다며 국정에 개입해 러시아 제국을 멸망으로 이끈 요승(妖僧) 그레고리 라스푸틴(1869-1916년)을 말한다…중략…카리스마 있는 최태민 목사는 인격 형성기에 박근혜의 심신을 완전히 지배했다(Park's 'body and soul' had been controlled by the religious cult leader Choi Tae-min in her youth)"고 보도했다. 중앙일보의 이 같은 보도 후 수많은 국내 언론들이 앞서거니 뒤서거니 하면서 무분별하게 인용 보도함으로써 최순실 사건을 사술(詐術)에 의한 청와대 스캔들로 몰아갔고, 촛불 시위 또한 격화되기 시작했다. 그러나 이 보도는 오역에 의한 오보였다. 주한 미 대사관도 오역이라며 공식 부인했다. 미국 대사관은 당시 한국 12대 대선을 앞두고 한국에 떠도는 '루머'를 본국에 전달했을 뿐, 대사관 차원의 공식적인 조사 분석이나 의견 표명이 아니었다고 밝혔다.

이명박 정부 전복 투쟁으로까지 발전한 광우병 오역 기사

언론의 오역은 중대한 오보다. 오역의 폐해는 무엇보다 사실을 왜곡, 독자를 오도(misleading)함으로써 사실 판단을 그르치게 한다는 데 있다. 오역은 독자에 대한 죄악일 뿐 아니라 뉴스 원문을 쓴 사람에 대한 죄악이다. 국내에서는 그동안 오역이 사회 갈등을 증폭시키고 정권 타도 운동으로까지 발전한 사례가 여러 차례 있었다.

2008년 여름 3개월여 동안 온갖 '괴담'(ghost story)과 '유언비어'(rumour)를 양산하며 수도 서울을 무법천지로 만들고 이명박 정부 타도 운동으로까지 발전한 '광우병 폭력 촛불 시위'는 대표적인 오역의 산물이었다. 당시 미국산 쇠고기를 광우병 위험 물질로 보도한 MBC PD수첩의 4월 29일자 〈긴급 취재! 미국산 쇠고기 광우병에서 안전한가?〉 편은 무려 30여 곳에 오역과 조작을 했다는 사실이 검찰 수사 결과 드러나기도 했다. 가장 심각한 오역이라고 지적된 대목은 '다우너 소'(downer cow: 주저앉은 소)에 대한 영상을 보여주며 '광우병 걸린 소'로 둔갑시킨 것. 그리고 광우병과 무관한 병명인 CJD(크로이츠펠트야콥병)를 인간광우병을 뜻하는 vCJD(변형 크로이츠펠트야콥병)로 오역해 자막에 내보냈다는 지적을 받았다. CJD와 vCJD는 하늘과 땅의 차이만큼이나 다른 질병이다. 예컨대 감기, 소아마비, 에이즈(AIDS)는 병원체가 다 같이 바이러스이나 질병의 속성이나 증상, 치료법이 전혀 다른 것과 마찬가지다. 이 영상은 국제동물보호단체인 '휴메인 소사이어티'가 동물학대방지 차원에서 제작한 것인데도 MBC는 광우병의 위험을 알리는 자료로 악용했다. MBC는 이 영상을 통해 국민에게 미국 소는 광우병 감염소이며, 미국산 쇠고기를 먹으면 광우병에 걸려 죽을 수 있다는 식으로 선동했다. '다우너 소'의 주원인으로 지적된 병원성 대장균이나 살모넬라균은 아예 언급하지 않았다.

MBC의 '광우병 오역 사건'은 단순한 오역 사건으로 끝나지 않았다.

대표적인 종북 좌파 단체로 국가 보안법 철폐, 미군 철수, 연방제 통일

방안 등을 주창해온 '한국진보연대'는 민주노총, 전교조, 전농, 참여연대, 민변, 천주교정의구현전국사제단 등 1천 872개 시민 단체로 구성된 소위 '광우병국민대책회의'를 주도하며 '광우난동촛불 집회'를 이명박 정권 타도에 이용했다. 2008년 6월 30일 경찰이 한국진보연대 사무실을 압수수색해 확보한 '집행 정책 조직 책임자 연석회의'라는 제목의 문건에 따르면 이들의 목표는 '국민의 건강권 보호'나 단순한 반정부 운동이 아닌 이명박 정부 전복이었음을 분명히 밝히고 있다. 이들은 이 문건에서 "미국과 (쇠고기 수입 문제) 재협상이라는 목표만 갖고 단기에 승부를 걸려면 늪에 빠질 수 있다. 우리의 진정한 목표는 이명박 정부를 주저앉히는 것이다. 밤에는 국민이 촛불을 들고 낮에는 운동 역량의 촛불로써 사회를 마비시켜야 한다."고 돼 있다. 검찰은 또한 MBC PD수첩의 광우병 왜곡 보도가 민주당의 2007년 12월 19일의 대선 패배와 2008년 4월 9일의 총선 패배, 그리고 이명박 대통령에 대한 적개심에서 비롯됐다고 해석되는 PD수첩 메인 구성 작가 K씨의 이메일 내용을 2009년 6월 18일 공개했다.

오역은 대한민국의 정통성까지 부정했다. 대표적인 종북 좌파 인사인 고 리영희 전 한양대 교수는 생전에 '코리아의 독립 문제에 관한 유엔 총회 결의 제195(III)호'(United Nations General Assembly Resolution 195(III); The Problem of the independence of Korea)를 오역, 대한민국이 한반도의 유일 합법 정부(the only lawful government in Korea)가 아니라고 억지 주장을 폈다. 그의 이런 주장은 2014년 검정을 통과한 좌파 성향의 교과서에 실려 있다.

필자는 외신부 초년병 시절엔 선임 기자들로부터 실소를 금치 못할 황당한 오역 사례를 많이 들었고 스스로 오역된 기사를 썼다가 데스크로부터 모욕에 가까운 꾸지람을 들은 적이 한두 번 아니었다. 언젠가는 이런 것들을 후일담으로 남겨두고자 맘먹었는데 대한언론인회가 기회를 줘 고맙게 생각한다. 아래의 오역 사례들은 외신부 기자 시절 필자가 전해 들었던 것, 그리고 당시에 있었던 황당하고 웃기는 사례 중 극히 일부를 모은 것이다. 빙산의 일각은 이런 때 쓰는 말일 것이다. 문제는 이런 오역들이 진실인 것처럼 지금 인터넷에 도배질이 돼있고 각종 문헌에 돌아다니며 오염시키고 있다는 점이다.

이승만 정부, 발췌 개헌 해외 논평 오역한 합동통신 기자 등 4명 구속

국내에서 오역을 이유로 언론인이 구속되는 초유의 사건이 이승만 정부 시절 발생했다.

전쟁 중이던 1952년 7월 12일 부산지검은 런던 발 외신을 오역해 국내 각 언론사와 정부기관 등에 송신했다는 이유로 합동통신의 김광섭 편집국 차장과 외신부 기자 2명, 무전사 1명 등 언론인 4명을 구속했다. 이들에게 적용된 당시 법규는 국헌 문란 선동(형법 제90조 2항)이었다. 사건의 전말은 이렇다. 당시 한국을 방문했던 영국의 로이드(Selwyn Lloyd) 외무부 부장관(副長官)이 7월 9일(현지 시간) 영국 하원에서 방한(訪韓) 보고를 통해 대한민국 국회에서 통과된 헌법 개정안을 'a fair compromise between the parties' (여야 간의 공정한 타협안)라고 평가했음에도 불구하고 합동통신에서 이를 'fail compromised between the parties' 로 오독, '여야 간의 타협된 실패작' 으로 번역한 것이 화근이었다. 이렇게 오독, 오역이 된 이유는 당시 모스(Morse)부호로 입전된 로이터통신 영문 기사가 판독하기 어렵게 '가블'(garble)됐기 때문이다.

김일성을 '두목' 대신 '지도자'로 번역한 동아일보 간부 2명 구속

김형욱 부장의 중앙정보부는 1968년 동아일보사의 '신동아' 10월호에 실린 미국 미주리대 조순승 교수의 영어 논문 '북괴와 중소(中蘇) 분열'에 나오는 김일성의 '직함'을 오역했다며 12월 3일 김상만 발행인 겸 부사장과 천관우 편집인을 연행했다. 12월 6일에는 홍승면 신동아 주간과 손세일 신동아부 부장을 구속했다. 이들에게 적용된 법규는 오역으로 인한 반공법 위반이었다. 영문을 우리말로 옮기면서 김일성에 해당하는 부분을 '공비 두목'이라 하지 않고 '빨치산 운동 지도자'라고 표기했기 때문이었다. 영문의 'communist guerrilla leader'(공비 두목)가 문제된 것이다. 동아일보사는 신동아 11월호를 통해 남만주 '빨치산 운동 지도자' 김일성은 '공비의 두목'이라는 말의 오역이었다고 정정 기사를 게재했다. 동아일보는 이어 12월 7일자 1면에서 "영어 원문 오역으로 독자 여러분에게 크게 심려를 끼쳐 드린 데 대해 충심으로 사과의 뜻을 표한다."라고 다시 한 번 사과하는 굴욕적인 사고(社告)를 게재해야 했다. 하지만 '빨치산'과 '공비'(共匪)는 둘 다 김일성에게 해당하는 말이기 때문에 문제될 것은 없었다. 문제는 영어 단어 'leader'였다. 김일성에게는 이 단어를 '지도자'로 하면 안 되고 '두목'으로 해야 한다는 것이 중앙정보부의 유권 해석이었다.

박정희 지칭 'tough guy'를 '의지의 사나이'로 번역한 기자에 감봉 처분

1960년대 중반 미국 시사 주간지 '뉴스위크'는 박정희 장군이 주도한 한국의 '5 · 16 군사 쿠데타'가 성공 궤도에 진입하고 있다며 커버스토리로 한국 특집 기사를 다뤘다. 박정희 대통령을 'tough guy'로 호칭하면서 그의 단호한 성격이 쿠데타를 성공시켰고 이제 한국에서 혁명적 개혁 작업이 사회 모든 분야에서 진행되고 있다고 소개했다. 그런데 당시 동화통신(1973년 경영난으로 폐간)에서 이 기사를 우리말로 내보내면서 'tough guy'를 '의지의 사나이'로 번역한 것이 화근이 됐다. 기사가 나가자마자 청와대에서는 동화통신에 전화를 걸어 "무슨 불순한 저의가 있는 게 아니냐"며 경위를 철저히 조사해 작성자를 문책하라는 불호령이 떨어졌다. 뉴스위크는 특집에서 'tough guy'를 긍정적인 의미로 썼음에도 불구, 청와대는 동화통신이 대통령을 시정잡배 수준의 사나이로 격하시켰다고 주장했다. 동화통신에서는 그러면 어떻게 쓰는 것이 옳으냐고 문의한 결과 '의지의 지도자' 또는 '의지의 화신(化身)' 정도로 해야 한다는 것이었다. 결국 '의지의 지도자'로 정정 기사가 나가고 기사 작성자 梁모 기자는 감봉 3개월이라는 중징계를 받아야 했다.

몸속 혈액을 몽땅 '새피'로 바꾼 '鳥血人間' 등장이란 황당 오역

1972년 6월 26일 국내 석간신문들은 해외 토픽난에서 혈액을 몽땅 새피(鳥血)로 바꾼 인간이 등장했다고 보도했다. 신문들은 동양통신사가 번역해 내보낸 UPI기사를 전재, 간장 질환으로 혼수상태에 빠진 미 공군의 토스 올슨 하사(당시 20세)가 몸 안의 혈액을 몽땅 조혈(鳥血)로 교환했다면서 혈액을 몽땅 새피로 바꾼 것은 올슨 하사의 케이스가 세계 최초일 것이라고 전했다. 흥분한 신문들의 제목도 가지가지. '혈액을 몽땅 鳥血로', '인간과 새의 혈액 교환 가능', '鳥血人間 등장' 같은 시커먼 제목들이 해외 토픽난을 장식했다. 그러나 이는 '새 피'(new blood)를 '새의 피'(bird's blood)로 착각한 신문사들의 오류였다. 동양통신 외신부에서는 '새로운 피' 라는 뜻으로 '새 피' 라는 말을 썼으나 신문사 편집부에서 이를 '鳥血' 로 바꿔 버린 것. 사람 간에도 수술할 때 혈액형이 서로 다르면 수혈이 불가능하다는 것이 기본 과학지식인데 하물며 인간과 다른 동물 간에 수혈이 가능하다는 것은 있을 수 없는 사실이라는 것을 조금이라도 이해했다면 이런 오류는 발생하지 않았을 것이다. 그러나 이 기사를 내보낸 뉴스 통신사도 '새 피'를 '鳥血'로 착각케 한 책임에서 완전히 자유로울 수 없을 것이라는 지적도 없지 않았다.

전통 한옥의 사랑방(舍廊房)을 'love room'으로 오역 전 세계에 소개

국가 기관 영어 방송인 아리랑 TV가 우리나라의 전통 한옥에 딸린 사랑방(舍廊房)을 'love room' 이라고 소개해 마치 성관계를 할 수 있는 장소를 주민들에게 제공하는 것처럼 전 세계로 방송이 나간 사실이 있다. 아리랑 TV는 2012년 8월 16일 한국 소개 간판 프로그램(flagship program)인 '코리아 투데이' 에서 전통 한옥으로 지어진 혜화동 동사무소의 사랑방(舍廊房)을 'love room' 이라고 소개했다. 한국에 대한 국제 사회의 올바른 이해를 돕기 위해 설립된 방송국이 한국의 전통문화를 왜곡하는 잘

못을 범한 것이다. 사랑방은 'reception room in a house for male guests'로 번역할 수 있을 것이다.

톱 가수 존 바에즈와 톰 존스를 '兩性器의 괴물'로 둔갑시킨 오역

오역으로 인해 세계적인 톱 가수인 존 바에즈와 톰 존스가 각각 암수 2개의 생식기를 가진 '괴물'로 둔갑됐다. 1973년 3월 10일 국내 일간지에는 포크송의 여왕으로 불리는 미국의 반전(反戰) 여가수 존 바에즈(Joan Chandos Baez, 당시 32세)가 여성 성기와 남성 성기 모두를 갖고 있는 것으로 소개돼 팬들로부터 진위 확인을 위한 전화가 빗발치는 등 소동이 벌어졌다. 바에즈는 한국에서 널리 애창되는 'Diamonds & Rust', 'River in the pines', 'Donna Donna', 'Imagine', 'Ace of Sorrow' 등으로 잘 알려져 있지만 베트남 전쟁 때 반전 운동을 하면서 호치민(胡志明)의 초청으로 하노이를 방문해 더욱 유명해 졌다.

소동은 뉴스 통신사 합동통신이 바에즈에 대한 샌프란시스코 발신 로이터 영문 뉴스를 우리말로 기사화하면서 양성애자(兩性愛者)라는 뜻의 'bisexual'을 '남성 성기와 여성 성기 모두를 가진 사람'으로 오역하면서 일어났다. 입전된 기사 해당 대목은 "Folksinger and antiwar activist Joan Baez says she has been bisexual since she was 21."(포크송 가수이며 반전 운동가인 존 바에즈는 21세부터 양성애자였다고 말하고 있다)이었다. 이 뉴스 통신 기사는 한 술 더 떠 "바에즈가 남녀 역할을 다해야 진짜 재미를 알며 갑절의 쾌락을 느낄 수 있다고 말했다."고 본문에도 없는 말을 추가함으로써 독자들로 하여금 그가 양성기(兩性器) 보유자라는 사실을 확신토록 만들었다.

'bisexual' 오역 소동은 바에즈에게만 일어난 것이 아니다. 1960년대와 1970년대 세계를 휩쓴 영국의 록 가수 톰 존스(Tom Jones)도 이 무렵 한국에서는 암수 2개의 성기를 가진 '괴물'로 오역됐다. 인기 가수 조영남씨가 번안해 부른 'Delilah', 'Green Green Grass of Home' 등으로 잘 알려진 존스는 해외에서는 일찍이 동성애자라는 소문이 돌고 있었다. 그래서 많은 팬들은 그의 sexuality를 확인하고 싶었다. 때마침 기자 회견이 열렸고 여기서 그는 동성애자인지를 밝히라는 질문을 받게 된다. 이에 존스는 'I'm bisexual.'이라고 거침없이 대답했고 이 내용은 외신을 통해 전 세계에 타전됐다. 그런데 한국에서 이상한 일이 생겼다. 역시 합동통신사에서 'bisexual'을 '두개의 성기를 가진 사람'으로 번역해 신문과 방송사에 송고하는 바람에 팬들 사이에 난리가 났다. '미스터 타이거'라는 별명 못지않게 골반 근육질을 강조한 꽉 끼는 바지와 풀어헤친 셔츠 사이로 보이는 가슴 털, 그리고 이것을 잔디 삼아 가슴 위로 자리 잡은 금 목걸이를 과시하던 존스는 1960년대와 1970년대 젊은이들의 아이콘이었다. 바리톤의 굵은 음색과 정력 넘치는 가창력은 특히 여성 팬들을 사로잡았다. 당시 존스의 목소리만 들어도 청각적 오르가슴을 느낀다는 여성들이 적지 않았다는 외신 보도도 있었다. 외국에서는 존스가 공연 무대에 서면 여성들이 자기가 묵고 있는 호텔 방 열쇠와 속옷을 무대 위로 던졌다는 일화가 있을 정도였다. 이 오역 사건으로 존스는 한국에서 더 유명해졌고 그의 음반 판매량도 급증했다. 이들 'bisexual' 오역 사건은 해당 뉴스 통신사의 정정 보도로 일단락됐지만 지금도 은퇴한 외신부 기자들 사이에는 잊지 못할 추억의 술안줏감 에피소드로 남아 있다.

인공별(위성)이 뜨면 지구가 가벼워질까? 밝아질까?

1957년 10월 4일, 소련은 인류 최초의 인공위성 스푸트니크(Sputnik)를 발사하는 데 성공했고 소련 공산당 제1서기 흐루쇼프(Nikita Sergeevich Khrushchyov, 1894-1971)는 기고만장해서 익살을 떨었다. "(스푸트니크가 지구를 벗어났으므로) 이제 지구가 전보다 더 가벼워졌다."(Now, the earth became lighter than before.)라고 말했다. 하지만 동화통신사는 이 대목을 "별(인공위성)이 이륙해 하늘에 떴으므로 지구가 전보다 더 밝아졌다."라고 오역해 각 신문사와 방송사에 보냈다. 'light'는 형용사로 쓰일 때 '가벼운'(예: light meal), '밝은'(예: light room) 등의 뜻이 있으나 흐루쇼프는 '가볍다'는 의미로 사용했다. 번역 과정에서 실수를 저지른 것이다.

French arts는 '오럴 섹스', French letter는 '콘돔'을 의미

French letter는 '콘돔', French arts, French culture, French way는 모두 '오럴 섹스'를 뜻한다. '프랑스 글자', '프랑스 예술', '프랑스 문화', '프랑스 방식' 등으로 번역하면 오역이다. 필자가 외신 데스크로 근무하던 1993년 가을 어느 날 'French arts'가 프랑스 예술로 번역돼 나간 적이 있다. 오역이었지만 어느 누구도 문제 삼지 않아 그대로 넘어갔다. 고객사인 다른 신문, 방송에서도 오역임을 제기하지 않았다.

왜 이렇게 French에 부정적인 의미가 있는 걸까? 영국과 프랑스가 전쟁을 하며 오랜 앙숙 이었다는 사실을 염두에 두면 실마리가 풀린다. 두 나라는 11세기 이후 35번 싸워 영국이 23번, 프랑스가 11번 승리했다. 15세기의 스페인, 17세기의 네덜란드가 영국의 앙숙이었던 것처럼 18~19세기에는 프랑스가 영국의 가장 큰 원수였다. 그래서 이 시기에 만들어진 프랑스 관련 영어 단어들은 대부분 부정적이고, 특히 호색(好色) 이미지에 집중돼 있다.

French kiss는 '진한 키스(deep kiss)', French lesson은 '매춘부로부터 성행위를 배우는 것', French love는 '갑자기 떠나는 사람', French postcard, French prints는 모두 '포르노 사진', '춘화', '외설 사진'을 의미한다. French compliment, French fever, French goods, French malady, French field, French pox는 모두 '매독'을 가리키는 말이다. French leave는 '인사 또는 허락 없이 떠나는 것'을 말한다.

french fries는 '(성냥개비처럼 썬) 감자튀김'이다. 미국 제3대 대통령 토머스 제퍼슨이 프랑스 주재 대사(1785-1789)를 지내면서 샘플을 가져와 'potatoes fried in the French manner(프랑스식으로 튀긴 감자)'라고 한 데서 유래됐다. 줄여서 french fries라고 부르게 된 것이다.

아래와 같은 두 농담에도 영국의 '프랑스 때리기'(French Bashing) 정신이 농후하게 배어 있다. When the Ethiopian is white, the French will love the English(에티오피아 사람들이 백인이 될 때 프랑스인들이 영국인들을 좋아하게 될 것이다). The English love, the French make love(영국인이 사랑을 할 때 프랑스인들은 성관계를 한다).

교과서 최대의 오역 – 민주주의 大章典 링컨의 게티즈버그 연설문

민주 정치의 대장전(大章典)의 하나로 평가되는 에이브러햄 링컨의 그 유명한 게티즈버그 연설문에 나오는 "government of the people, by the people, for the people shall not perish from the earth."는 지금도 국내 언론 기사는 물론 교과서와 학습참고서를 비롯한 거의 모든 서적과 인터넷에 오역돼 있다.

이 연설문은 272개 단어로 이루어진 짤막한 문장들의 조합이지만 민주주의 이념을 잘 압축하고 있다. government of the people은 '국민 주권', government by the people은 '국민 자치', government by the people은 '국민 복지'를 의미한다.

하지만 이 연설 문장은 언론 기사를 포함, 중 · 고 · 대학의 각종 학습 서적이나 일반 문헌에 "국민의, 국민에 의한, 국민을 위한 정부가 이 지구상에서 영원히 사라지지 않을 것이다(멸망하지 않을 것이다)"로 번역돼 있다. 이것은 중대한 오역이다. 여기서 government는 '정부'보다는 '정치'로 번역하는 것이 옳고, 'shall not perish from the earth'는 '지상으로부터 사라지지(멸망하지) 않도록 해야 한다'라는 뜻, 즉 '화자의 의지'를 천명한 것인데도 '국민의, 국민에 의한, 국민을 위한 정부가 지상으로부터 사라지지(멸망하지) 않을 것이다'로, 즉 '단순미래형'으로 오역돼 있다. 우리 학생들은 1백년 가깝게 이 엉터리 번역 문장을 열심히 외워왔으며 시험까지 치러왔다. '사라지지 않도록 해야 한다'와 '사라지지 않을 것이다'는 하늘과 땅 차이만큼 의미가 다르다. 여기서 'shall not'은 예컨대 기독교의 십계명(출애굽기 20장 13절)의 "You shall not murder."를 "살인하지 않을 것이다."가 아니라 "살인하지 말라"(살인하지 않도록 해야 한다)로 번역하는 것과 같은 의미로 쓰였다. 그리고 'government'는 'parliamentary government'를 '의회정부'가 아니라 '의회정치'로 번역할 때처럼 쓰이는 '정치'라는 의미다. 더구나 여기서 'government'는 보통명사로서의 '정부'가 아니라 추상명사로서의 '정치', '통치', '정체'(政體) 등을 뜻한다. 그것은 이 문장에서 'government'가 'of' 이하 즉, 'of the people'의 수식을 받고 있음에도 불구하고 그 앞에 정관사 'the'를 쓰지 않고 있는 데서도 나타난다. 따라서 이 문장의 정확한 번역은 "국민의, 국민에 의한, 국민을 위한 정치가 이 지구상에서 영원히 사라지지 않도록 해야 한다."가 돼야 한다.

링컨 대통령은 여기서 국민이 주인이 되는 정치 즉, 민주 정치의 이념, 정신, 가치 등을 단순히 언급하고 있는 것이 아니라 이러한 민주 정치의 이념, 정신, 가치를 수호해야 한다는 것을 강조하고 있는 것이다. 즉, 어떠한 희생과 대가를 치르더라도 민주주의를 수호하고 지켜나가야 한다는 것을 강조한 것이다. 이는 이 연설문 전반에 흐르는 내용을 보더라도 잘 알 수 있다. 따라서 이 문장을 제대로 바르게 번역한다면 기존의 교과서와 참고서만이라도 다시 고처 써야 한다. 단순히 민주주의의 이념이나 정신, 가치를 언급하거나 소개하는 데 그칠 것이 아니라 이들을 수호해나가야 한다는 것을 강조해야 한다는 것이다.

한편으로는 이 대목을 '~사라지지 않을 것이다'로 번역한다면 이는 링컨 대통령을 대 예언가로 만드는 것이 된다. 링컨 대통령이 역사적인 위인인 것은 틀림없지만 예수 같은 성자도 아닐 텐데 수십 년, 수백 년, 아니 수천 년을 미리 내다보고 "국민의, 국민에 의한, 국민을 위한 정치가 이 지구상에서 영원히 사라지지 않을 것"이라고 감히 단정적으로 말할 수 있다는 말인가? 민주주의는 완벽한 것이 아니고 지금도 발전 과정에 있는 진화의 산물이다.

서옥식 | 1942년 4월 1일생. KBS 모스크바 특파원, 연합뉴스 편집국장, 언론중재위원회 중재위원, 언론재단 상임감사, 경기대 정치전문대학원 연구교수

'언론 자유 수호' 불을 댕기다

경향신문 사회부 기자였던 나는 1971년 3월 31일 한국 기자협회 대의원대회에서 회장으로 선출되었다. 정국 살얼음판에 기협 회장이라는 막중한 책임을 지게 된 것이다. 회장 임기 시작 두 주일 만이었다. 그해 4월 15일 동아일보 기자들이 언론 자유 수호 선언을 한 것이다.

손주환

1971년은 한국 현대사에 매우 예민하고, 또 중대한 한 해였다. 그 한 해에 두 차례의 전국 선거가 치러졌다. 그해 4월 27일에 제7대 대통령 선거가, 또 5월 25일에는 제8대 국회의원 선거가 있었다. 정국은 연초부터 초긴장 상태였다. 거기에 더해 사회 불안 현상이 여러 분야에서 표출되고 있었다. 그 해의 대통령 선거는 3선에 도전하는 민주공화당 박정희 후보와 신민당 김대중 후보의 건곤일척의 승부를 건 각축전이었다. 3선 개헌안은 이보다 2년 앞선 1969년 9월 14일 새벽 여당 단독으로 국회를 통과해 국민 투표에서 가결(투표율 77.1%, 찬성 65.1%), 확정됨으로써 박정희 대통령이 후보로 나설 수 있는 법적 근거가 마련됐었다. 1971년 선거는 1987년 노태우 6 · 29 선언(1987년 6월 29일)이 있기까지 마지막 대통령 국민 직선이었다.

살얼음판 정국에 기자협회장 중책 맡아

경향신문 사회부 기자였던 나는 1971년 3월 31일 한국 기자협회 대의원 대회에서 회장으로 선출되었다. 정국이 살얼음판에 기협 회장이라는 막중한 책임을 지게 된 것이다. 회장 임기 시작 두 주일 만이었다. 그해 4월 15일 동아일보 기자들이 언론 자유 수호 선언을 한 것이다.

나는 당시 중앙정보부의 외압을 거부하고 동아일보 기자들의 언론 자유 수호 선언을 1면 머리기사로 특필해 기자협회보를 발행했다.(과정-daum blog, '손주환 세상산책' http: //blog.daum.net/chuwson/54) 이 기사가 실린 기자협회보가 기자들의 손에 쥐어지면서 언론 자유 수호 운동은 신문 방송 통신의 전 언론사로 확산되었다.

당시의 언론 상황은 중앙정보부, 경찰, 군 등 정보 기관 기관원의 언론사 상주 또는 출입이 상례가 되어 있었다. 또한 취재 기자들에 대한 당국의 임의 동행 형식의 연행이 빈번했다. 사회 동태적 관찰에서 보면 이런 권력과 언론과의 심대한 불균형 관계가 선거라는 힘의 이완 시기에 상호 충돌을 불가피하게 한 것으로 해석될 수 있다. 밀리기만 해온 언론계로부터의 균형 회복을 위한 반사 행동이었다. 기자들의 언론 자유 수호 선언은 불과 1주일 사이에 전 언론사로 번졌다. 나는 동아기자 선언 다음날 기협 보도 자유분과위원회를 긴급 소집해 전국기자들의 언론 자유 수호 운동에 따른 기협 차원의 행동을 논의했다.

언론 자유 수호 행동 강령을 제정하다

언론 자유 수호 운동은 당시로는 기자, 편집인, 발행인을 망라한 언론계 공동의 과제였다. 한국 기자협회와 한국편집인협회는 이에 공조했다. 그때 편협 회장은 동양통신 주필로 계셨던 원경수 씨(元瓊洙 · 1918~1980)였다. 그해(1971) 1월에 편협 회장에 선임되었다. 성품이 온화하고 친화력이 강한 분이었다. 기자들의 언론 자유 수호 운동에 전폭 지지를 보내며 기협과 편협의 공동대응에 나서 주었다. 그 분과 머리를 맞데 기자들이 댕긴 언론 자유 수호 운동의 불씨를 키워갔던 일들이 새롭게 감회로 떠오른다.

기협과 편협은 보도자유위원회 연석회의(1971년 5월 8일)를 열고 기자들의 언론 자유 수호 운동의 성공을 위한 지속적 지원에 합의했다. 이어 원경수 회장과 나를 포함한 두 단체 회장단이 중앙정보부(부장 이후락)를 방문(5월 11일)해 세 가지 사항을 요구했다. 정보부원의 언론사 출입 중지, 정보부원의 제작 관련 의견 제시 금지, 그리고 언론인의 연행과 신문은 편집책임자의 사전 동의를 받을 것 등이었다. 이에 정보부원의 언론사 출입을 않겠다고 약속했다. 그 약속은 바로 지켜져 정보부원들의 언론사 출입은 중단되었다. 다른 부분에 대해서도 최대한 협조하겠다고 했다. 이날 주 대화 상대는 당시 현역 육군 소장이었던 강 모 작전차장보(1927~2006)였다. 그는 중앙정보부의 국내 정치 파트 총 책임자로 매우 강한 성격에 직선적인 인물이었다. 원 편협 회장이 특유의 부드러운 화법으로 때때로 경색해지는 그 날의 대화분위기를 되돌리곤 했던 기억을 잊지 않고 있다.

기협 언론 자유 수호 선언은 言論史에 큰 획

기자들의 언론사별 선언을 하나의 맥으로 묶은 "한국 기자협회 언론 자유 수호 행동 강령"이 동아 기자 선언 한 달 만인 1971년 5월 15일 기협 전국 시도지부장 · 언론 각사 분회장 연석회의에서 드디어 채택되었다. 이 행동 강령은 전국 기자들의 언론 자유 수호 의지를 천명한 우리 언론사(言論史) 최초의 결의로 역사적 평가를 받고 있다.

한국 언론사에 큰 획을 그은 기협의 이 언론 자유 수호 행동 강령은 언론인의 임의 동행 형식의 연행 및 기관원 언론사 상주 또는 출입의 거부 등 5개항의 행동 지침을 담고 있었다. 이 언론 자유 수호 행동 강령의 초안은 당초 보도자유위원회 이연교 위원장(동아일보 · 작고)이 중심이 되어 작성되었다. 나는 이를 두어 분 신문 논설위원들에게 은밀히 전달해 의견을 가미했으며 강령의 최종 본에 대해 기협 고문 변호사의 법률적 자문도 받았다. 나는 '기자협회 언론 자유 수호 행동 강령' 을 채택한 후 그 보도자료를 각 언론사에 배포하도록 했으며 각 언론사들이 이를 기사화함으로써 기자들의 언론 자유 수호 운동 사실이 언론계 바깥 세상에 광범하게 알려지게 되었다. 기협 회장단은 그날 강령 제정 대회 후 각 언론사 편집 · 보도국을 방문, 행사를 성공적으로 마쳤다는 인사를 했다. 그리고 이 행동 강령을 인쇄하여 전국기자협회 분회에 배포, 편집국 벽에 부착하도록 했다. 실은 각 언론사의 강령 채택 보도를 독려하려는 의지가 담긴 발걸음이었다. 이 과정에 겪었던 몇 가지 일은 나의 개인적 아픔으로 남아 있다.

1971년 4월 15일 동아일보 기자들의 언론 자유 수호 선언은 대통령 선거를 불과 12일 앞둔 시점이었다. 중앙정보부가 이를 기사화한 기자협회보의 발행을 적극 막겠다고 나선 것은 대선에 미칠 영향을 고려했던 것으로 풀이된다. 당초 계획했던 동아일보 편집국에서의 선언식은 회사 간부의 만류로 보류되었으며 선언문을 편집국 기자들에게 나누어 주는 것으로 사실상의 선언을 한 것이었다. 정보부의 주요 인사는 선언식을 안했으니 없던 일인데 왜 기자협회보에 이를 기사화 하려는가 하고 나에게 따졌다. 회장이 그 요구를 수용하지 않자 협회보 인쇄를 막고 나섰다가 밤늦어서야 풀었다.

다음, 5월 15일의 '언론 자유 수호 행동 강령'의 채택시점은 국회의원 선거 10일 전이었다. 편협과 기협 회장단은 이에 앞선 5월 11일 중앙정보부를 방문(일자는 그 쪽에서 제시했던 것임)하고 3개항을 요구했으며 이에 수용과 협조하겠다는 답변을 주요 간부로부터 받았던 것이다. 정보부측 인사는 그 후 전화로 "기자협회와 편집인협회의 공동 요구사항을 받아들였지 않으냐, 그러니 '행동 강령' 채택 안 해도 되는 것 아닌가"라고 다그치듯 했다. 기협의 강령 채택 대회 자체를 원천으로 막겠다는 뜻으로 해석되는 말이었다.

나는 그 당시 기협 회장으로서 기자들의 자발적이며, 또 순수한 전문직업적 의식에서 시작된 언론 자유 수호 운동을 단 한 번도 그 해의 선거와 연관 지어 생각해 본 적이 없었으며 단 한 순간도 선거를 의식하지 않았다. 언론계 공동의 과제가 기자들에 의해 선거 시기에 수면 위로 부상한 것이었으며, 기자협회와 편집인협회는 전문 언론인의 대표기관으로 기자들이 중심되어 일어난 언론 자유 수호 운동이 당시 시대정신에 맞아 이를 하나로 동력화한 것일 뿐이었다.

아내 병원 폐쇄, 뒤이은 기협 회장 사임 강요

나는 아내에게 참 나쁜 남편이었다. 기자협회 언론 자유 수호 행동 강령이 채택된 시기에 아내는 견디기 힘든 시련을 겪었다. 상상도 못했던 일들이 벌어졌다. 의사인 아내는 당시 서울의 변두리 지역인 면목동에서 자그마한 개인 의원을 열고 있었다. 언론 자유 행동 강령을 제정한 기협의 대표자 회의가 열리고 며칠이 지난 어느 날 10여명의 장정이 아내의 구멍가게 같은 클리닉에 들이 닥쳤다. 온 의원을 들쑤시며 수색을 했다. 심지어 입원중인 산모의 이불 밑까지 들치기도 했다. 중앙정보부 요원들이었다. 그로부터 며칠 후 서울시로부터 병원 폐쇄 명령이 내려졌다. 이유는 불법 외제 의약품 사용과 무자격 간호사 채용이었다.

당시 의료계 현실은 미군 부대 PX에서 흘러나오는 의약품이 아니면 환자 치료가 어려울 만큼 의약품 공급이 열악했다. 국내 대부분의 병의원에서는 이 미군 부대 유출 의약품으로 우리 환자들을 치료하고 있었다. 의원급에서의 의료 인력의 공급은 의약품보다 사정이 더 나빴다. 의원 급에서는 자격 있는 간호조무사도 구하기가 하늘의 별 따기였다. 보건 당국도 그런 의료계의 실정이라 의약품과 인력에 관련해서는 현실을 묵인할 수밖에 없었던 의료 후진 시대였다. 그럼에도 불법 의약품 사용과 무자격 간호사의 의료행위가 아내의 의원 폐쇄 사유였다. 나는 그 지난 한 달여 사이 정보부 주요인사의 전화를 여러 차례 받으면서 신변의 이상을 느끼고 있었다. 극단적인 표현까지 서슴지 않는 경우도 있었던 것이다. 하지만 아내의 병원이 타깃이 될 것이라고는 생각도 못했다. 아내의 의원은 문을 닫았다, 아내는 그 충격으로 여러 해 병환에 시달려야 했다. 몸을 추스르고 의료인으로 계속 봉사해야겠다며 보건소에서 일하겠다고 했다. 경기도의 여러 보건소에 소장자리가 장기 공백으로 비어 있을 만큼 의사들이 거기 가기를 꺼리던 때였다.

아내는 예방의학을 새로이 공부하며 경기도의 한 보건소장으로 일을 다시 시작했다. 차츰 건강이 회복되어갔다. 나는 그 후 20여년을 보건행정가로, 의료인으로 지역 보건 발전에 묵묵 전력투구하는 아내의 모습을 감동으로 지켜보았다. 어려서 어머니를 산고로 잃은 아내는 면목동 클리닉을 개원하면서 큰 병원으로 키워 사회에 기여해 보겠다는 꿈을 갖고 있었다. 한 여의사가 품었던 갸륵한 꿈은 남편 잘 못 만나 일찍 꺾였다. 그러나 절망을 딛고 일어선 여인은 지역 보건을 가꾸겠다는 자신의 새 꿈을 키워나갔다.

그리고 새 꿈을 성공적으로 이루어냈다. 적어도 나의 가슴에는 그렇게 새겨져 있다. 오래 전 은퇴하여 70대 중반에 이른 아내를 지금 이 순간까지도 경외(敬畏)의 눈으로 바라보고 있는 까닭이다. 그러나 나는 아직 아내에게 묻지 못하고 있는 말이 있다. "당신 지역 보건사업에선 꿈을 이루었어요. 당신도 그리 생각하지요!" 아내는 의사로서의 꿈이 실현되었다고 생각하고 있을까.

1971년 4월 한 달을 달군 대한민국 기자들의 언론 자유 수호 선언, 이어 5월의 '한국 기자협회 언론 자유 수호 행동 강령' 채택. 이렇듯 전국을 휩쓴 언론 자유 수호 운동은 정국이 격동하면서 다시 새로운 국면에 부딪쳤다. 그 해 7월의 사법 파동(전국 판사 450명 중 3분의 1 사표), 의료 파동 등으로 정국은 긴장이 더해 갔으며 10월에는 교련 반대 운동이 대학에서 일어나며 서울 지역에 위수령이 발동되었다. 이렇듯 나라에 격랑이 일며 언론의 몸부림 6개월도 지나지 않아 중앙정보부와 보안사의 언론인 연행, 폭행, 취재 방해 사건이 잇달았다. 안타깝게도 그 해 4~5월의 언론인들의 결의에도 불구하고 이런 사건들이 제대로 보도조차 되지 않았다. 언론 외부로부터의 보도 간섭이 수위를 높여가고 있었다.

나는 원경수 편협 회장에게 경영인과 편집 · 보도국장에게 양 단체장 공동 명의의 공한을 보낼 것을 제안했다. '사실보도에 보다 충실함으로써 언론 자유를 지킬 것을 호소' 하는 내용을 담자고 했다.(1971년 10월 28일 편협 · 기협 회장 공동 명의의 각 언론사 경영인과 편집 · 보도국장에 보낸 공한) 이 공한 발송은 실은 외부의 보도 간섭에 경고를 보낸 성동격서(聲東擊西)의 의도였다. 이어 두 단체장은 김종필 국무총리에게는 언론 보도 간여 및 언론인 불법 연행 중지를 요구하는 공한을 보냈다.(1971년 10월 30일 편협 · 기협 회장 공동 명의 공한)

나는 이와 함께 기자들의 언론 자유 수호 결의를 실천할 보다 구체화된 보도 가이드라인을 회원들에게 제시했다. 기자협회는 5개항의 「언론인 연행 · 구속 및 폭행사건에 대한 사실 보도 지침」을 제정(1971년 11월 9일)한 것이었다. 모두 한국 언론사에 특기되는 역사들이다. 그러나 권력과 언론의 균형 관계는 시대 상황과 당대 정국 동향에 좌우되어 온 것이 역사적 현실이었다. 1971년 12월 6일 국가비상사태가 선포된다. 이 조치는 이듬해 10월 유신의 전조였음이 해가 바뀌며 밝혀졌다. 나는 그 1주일 후 기자협회 회장직을 사임했다. 경향신문 기자직 사표도 동시에 냈다. 모두 타의에 의해서였다. 비상사태 선포 직후 동아일보의 천관우 이사(1925~1991)와 이동욱 주필(1917~2008)의 사임 소식도 들려왔다. 언론과 권력의 관계는 극심한 불균형으로 후퇴했다. 1973년 10월 제2의 언론 자유 수호 운동이 이어졌다. 이도 1974년 대통령 긴급조치가 발동됨으로써 언론의 균형 유지 노력은 벽에 부딪친다. 권력과 언론의 관계는 긴 어둠의 터널을 거쳐 1987년 6 · 29 선언으로 비로소 대등한 균형 상태가 이루어졌다. 이제 언론 자유는 불변의 시대정신으로 우리 사회에 정착되어 오늘에 이르고 있다. 내가 기자협회 회장직에서 강제로 쫓겨난 과정은 고인들의 명예를 존중해 가슴에 영원히 묻어두기로 했다. 그 힘들었던 일들도 한 국가의 발전 과정에 겪어야 했던 한 시대의 시련으로 마음을 가다듬은 지 오래이다. 기자로 다시 일 할 수 있도록 도와 준 당시 경향신문 동료 기자들은 나의 영원한 은인이다. 나는 사랑하는 아내 김소자에게는 지울 수 없는 죄인이다.

손주환 | 1939년 4월 20일생, 경향신문 기자 · 외신부장대우, 중앙일보 편집국장대리 · 이사, 서울신문 사장, 국회의원, 공보처 장관

일선 기자 시절 생각나는 것들

> 그때만 해도 전화기는 특권의 심벌이었다. 웬만한 권력자이거나 돈이 많은 사람이 아니면 전화를 놓을 수가 없었다.
>
> 송형목

우리나라가 세계 제일의 IT 강국이 된 것은 이제는 모두가 다 가볍게 받아들인다. 그러나 오늘 우리의 모습과는 너무나 거리가 먼 어두운 과거가 있었다. 60대가 넘는 사람들은 어느 정도 기억할 것이다. 전화기 한 대 설치하는 값이 서민주택 한 채 값과 맞먹은 시절이 있었다는 것을 잊고 있다. 전화기는 재산 목록 1호였다. 전화기는 특권의 심벌이었다.

1960년대 초만 해도 웬만한 권력자거나 돈이 많은 사람이 아니면 전화를 놓을 수가 없었다. 잠시 메모를 챙겨보고 당시의 신문 스크랩을 검색해 보았다.(1975년 10월 21일자 조선일보 3면 '기자 수첩')

전화 교환기에 얽힌 일화 한 가지

몇 년이 지난 낡은 메모다. 취재 수첩을 보니 대체로 이런 기사였다.

〈정부의 예산 편성 작업이 막 시작될 때의 일이다. 우리나라 전화기 시설에 어마어마한 흑막이 있는듯하다는 얘기. 지금 우리가 사용하고 있는 이른바 EMD식이란 전화 교환 시설이 오래전에 개발된 낡은 구식일 뿐 아니라 단가도 엄청나게 높다는 것이다. 그러면서 정확하게 단가가 얼마며, 새로 나온 외국의 다른 기계와의 가격차는 어느 정도인지, 성능은 어떤지를 정확히 밝히기를 꺼린다. "얘기를 할 수도 없거니와 해도 소용없다."는 것이다. 전화기 얘기는 오래전부터 금기사항이라는 것이 경제기획원 예산 관계관들의 말이었다. 들리는 바로는 EMD 시설 단가는 성능이 좋고 개량된 기계보다 구식, 낡은 게 3배나 높다는 것이다. 놀라운 값 차이다. 납득이 가지 않는다. 그 이유는 무엇일까? 도저히 믿어지지 않는다.

그해 예산에 반영된 증설 전화 11만 회선을 기준으로 해도 추가 부탁이 무려 1백억 원에 이른다고 한다. 엄청난 낭비요 손실이다. 참으로 믿어지지 않는다. 예산 편성 작업에서 최대의 맹점으로 지적되면서도 그저 쉬쉬하고 말을 피하는 것은 무엇일까?

'전화 예산의 부조리' 란 제목으로 나간 이 짧은 기사는 당시 전화기를 다룬 드문 기사였다.

사실상 '스트레이트' 로 쓴 것이 이런 저런 연유로 기명인 '기자 수첩' 으로 바꾼 것으로 기억된다. 이 기사로 인한 파문은 간단치 않았다. 그날 밤 지방판이 나가자마자 협박성 전화를 받았다. '몸조심하라' 는 것이었다. 신원을 밝히지 않은 많은 전화를 받았다. '전화기 회사의 짓' 이었다는 해명도 있었지만 '다른 여러 기관에서 알게 모르게 조사를 했다' 고 들었다. 기사에 나타난 내용이나 문제점보다는 보도 경위에 더 관심을 보였다. 정부가 문제점을 모르는 것이 아니라 밝힐 수 없는 무언가 있다는 것이 정확하다는 생각이 들었다. 그 시기에는 정치권의 K씨, 재계의 G씨 등 거물급 인사들의 이름이 오르내렸다. 국제 로비스트의 이름도 나왔다. 그러니 예산을 쏟고 있는 경제기획원에서는 문제점을 알고 있으면서도 해결하기에는 벅찬 '벽'이 있었던 것이다.

경제 정책을 총괄하고 있는 예산 당국이 더욱 큰 고민을 한 것은 경쟁관계에 있었던 대만보다도 십 수 년 뒤지고 있다는 것이었다. 그때 실무진들 간에 오고간 얘기 중에는 국회를 움직이고 있는 거대한 힘이 있다는 것. 그래서 기사가 나간 후 남덕우 장관을 단독으로 만났다. '학자 출신의 양심'을 가진 남 장관에게는 최소한 거짓 없는 말을 들을 수 있을 것이란 기대로 면담을 했다. "기사 잘 읽었다. 나도 같은 생각"이라며 기사의 목적이 문제 해결을 위한 것으로 믿는다면서 "곧 내가 해결할 터이니 더 이상 기사화하지 말고 조용히 기다려 달라."는 것이었다. 그러면서 궁금한 게 있으면 김재익 기획국장을 만나 보라는 것이다. 이미 작업을 하고 있었다는 것이다. '전화기' 문제는 사실상 경제기획원의 직접적인 업무는 아니었다. 주무부서는 당시의 체신부였다. 경제기획원의 통상적인 일은 아니었다. 나는 김재익 국장을 만나보라는 남덕우 장관의 말에는 여러 가지 숨은 의미가 있다는 판단을 했다.

김재익 국장은 관료 출신이 아니었다. 한국은행 출신 학자 중의 한 사람이다. 그는 어느 부서나 특정 업체나 정치인들과의 접촉이 없는 사람이었다. 보통 관료로써는 감당하기 어려운 과제란 걸 염두에 두고 일을 할 것이라는 나름대로의 판단을 했다. 거대한 정치권력과 금권이 자리하고 있었던 전화 교환기 문제를 풀기 시작한 김재익 국장은 그 후 버마 '랑군사태'로 세상을 떠났다.

잊지 못할 '8 · 3 조치'

오늘날 우리는 IT 뿐만 아니라 자동차 건설 등 상당 부분에서 세계 강국들과 맞서 경쟁을 하고 있다. 그 힘이 모두 어디서 나왔을까? 많은 사람들이 관심을 갖는다. 미국 대통령 오바마도 심심찮게 한국을 모델로 스피치를 한다.

해외여행을 하다 보면 KOREA보다 Samsung이나 Hyundai를 더 잘 알고 있는 사람들이 많다. '한국인들은 자기들이 얼마나 잘 살고 있는지를 모르고 있다'라는 사실을 뉴욕 타임스가 쓸 정도로 우리나라는 성장했다. 세계 여러 나라의 공항이나 다운타운에서 쉽게 볼 수 있는 삼성, 현대, LG 등 우리나라 대기업과 상품 광고는 정말 자랑스럽다. 이제 메이드인코리아는 어느 나라 상품보다 인기가 높다. '고급'이다.

여행을 할 때마다 가슴 뿌듯하게 하는 우리의 광고를 보면서 우리 기업인들에게 마음으로 감사를 드리곤 한다. 이와 함께 나는 가끔 우리 기업들의 지난 역사가 떠올랐다.

1972년 8월 3일 이른바 '8 · 3 조처'를 나는 잊지 못한다. 8 · 3 조처를 요즘 사람들은 잘 기억하지 못하는 것 같다. 1970년대까지만 해도 우리나라 대기업들의 대부분이 빚으로 허덕이고 있었다. 은행 부채는 한계를 넘어섰고 개인들로부터 빌린 사채(私債)로부터 꼼짝달싹 못하고 있었다. 앞날을 예측하지 못할 정도로 겨우 연명하고 있었다 해도 과언이 아니었다. 정부에서도 기업 회생을 위한 대책을 찾는 데 부심했다. 경제를 안다는 사람들이나 관리들도 '기업 자금 사정'이 화두의 중심이었다. 그러나 아무도 '답'을 찾지 못했다. 언론에서는 이 과제가 단연 '톱'이었다.

그때 '시내판에서는 톱을 바꿔야 한다는 게 우리 편집국의 하나의 룰' 처럼 되어 있었다. 그것이 조간신문의 생명이었다. 편집국 부장회의에서 1면 머리가 약하니 시내판에서는 바꾸기로 했다고 하면서 '재무부에서 책임지라'는 데스크의 지시가 떨어졌다. 나는 고민 끝에 남덕우 재무장관을 밤중에 만나기로 했다.

"곧 해결 될거야"

서교동에 있는 댁을 찾았다. 부재중이시란다. 집 앞에서 밤 11시(통행금지 시간)까지 기다려도 오지 않는다. 12시 10분쯤 되었을까, 장관이 나타났다. 밝은 얼굴이었다. 무언가 상황에 대한 해결책을 갖고 있음을 직감했다. 와인 한 잔을 권하면서 "무슨 급한 일이 있느냐?" 하기에 나는 시계를 들여다보면서 "한마디만 해 달라."고 했다.

"해결책이 무엇입니까?" 지금 내가 생각해봐도 참으로 거친 물음이었다. 마감 시간(12시 30분)이 임박했을 뿐만 아니라 당시로서는 그 이상의 큰 이슈가 없었기 때문이었다. 나는 질문을 던지면서도 꼭 만족한 '답'을 기대하지 않았다.

그러나 뜻밖이었다. "곧 해결 될거야."라고 했다. 더 물어볼 필요가 없었다. 감사하다는 인사말을 하고 급히 돌아와 기사를 만들어 넘겼다. 단연 1

면 톱이었다. 제목은 '자금 풀어' 였다. '기업 자금이 곧 해결 된다' 가 부제였다. 자금 사정이 어려운 기업에 대한 해결 방안은 '돈 푼다' 는 것 이상의 대안이 없었다.

이튿날 나는 내심 큰 '특종' 이라고 생각하고 출근했다. 출입처에 나가지 않고 회사로 바로 갔다. '톱' 에 대한 인사도 받았다. 업계에서도 문의 전화가 걸려왔다. '고위당국자' 란 소스로 되어 있었기 때문에 "믿어도 좋으냐?"란 의문 섞인 질문도 받았다.

그런데 석간 D일보에서 조간인 우리 기사를 부정하는 걸 1면 중간 톱으로 다뤘다. 드문 일이다. 장관의 이름을 박아 '자금 안 푼다' 였다. 사내에서도 "어떻게 된 거냐? 소스가 누구냐?"고 의문을 제기하는 사람도 있었다. 나는 오후 늦게 다시 장관실로 가 되물었다. "어떻게 된거냐?"고. 남덕우 장관은 태연히 웃으면서 "조선일보가 맞아."라고 말했다. 그러고 며칠이 지난 후 박정희 대통령은 1972년 8월 2일 밤 11시 긴급 국무회의를 소집했다. 헌법 73조 1항에 의한 '경제 안정과 성장에 관한 긴급명령을 발동한다.' 고 발표했다.

① 기업은 2일 현재 보유하고 있는 사채(私債)를 정부에 신고해야 한다.

② 모든 사채는 3일자로 월리(月利) 1. 35% 3년 거치 5년 분할 상환의 새로운 채권채무 관계로 조정되거나 출자로 전환되어야 한다는 골자였다. 참으로 엄청난 조처였다. 거의 혁명적 조처였다. 한마디로 말하면 '개인과 기업 간에 거래된 사채는 5년 안에는 갚지 않아도 된다' 라는 것이다 사채하면 흔히 돈 있는 사람들이 고금리의 돈놀이를 연상하지만 그 당시 상황은 그렇지만은 않았다. 다방에서 일하는 어린 여성들에게서부터 시골 농

촌의 농민들에 이르기까지 나름대로 기업에 거래를 하고 있는 실정이었음을 당시의 '메모'를 들여다봐도 알 수 있다.

기업을 위한 경제 혁명?

퇴직금을 몽땅 기업에 맡긴 교사 출신이 있는가 하면 돈을 빌려 사채를 놓은 업체 상인들도 많았다. 이들에 대한 구제(?)를 강구한다고들 했지만 '일방적인 대기업 살리기' 조처였음을 부인할 수 없었다. 박정희 대통령도 특별 담화를 통해 기업인들의 분발을 촉구하기도 했다. 어떻든 이로 인해 대기업은 회생했고 성장할 수 있게 되었다. 이 긴급조처가 나온 후 각계의 의견을 들은 당시의 스크랩을 살펴봐도 가히 기업을 위한 일방적인 것이었음을 알 수 있다.

제목만 봐도 '제3의 경제 혁명', '사채만이 제물(祭物)이 되어…' 등이 눈을 끈다. 이 조치가 나간 후 H재벌의 경우 이날 아침 이사회를 열고 전 임원이 일어선 채 만세삼창을 불렀는가 하면 어느 기업의 사장은 호화판 자축 파티를 열었다는 낙수(落穗)도 있다. 또한 일곱 식구의 가장은 생계가 막혔다고 하는 하소연도 있었다. 저작 활동을 하는 K씨는 상금으로 받은 돈을 기업에 맡겨 자녀의 학비로 보충하고 있다가 낭패를 당했다는 케이스도 있었다. 그밖에도 '본의 아닌 공금 유용', '웃다가 운 아파트 입주자' 등 이 조처로 인한 희생자는 수없이 많았다.

당시 스크랩을 통해 살펴보면 박승찬(금정사 사장)씨는 '기업에 대한 도움을 준 이번 조처를 환영한다.', '혁명적인 보호엔 혁명적인 각성이 있어야 한다.' 박성일(부국증권사장)씨는 '부실기업을 살리는 조처다.', '이번

조처 후에는 정신을 차리지 못하면 단호히 제거해야 한다.' 강중희(동아제약 사장)씨도 '오늘 아침 그동안 거래해온 사채주(私債主)들한테서 전화가 오고 법석들이었는데 생활능력이 생기면 3년 전에라도 갚아줄 생각이다.' 김용환(전경련 회장)씨도 '크게 환영한다. 이를 계기로 상위 중진권으로의 도약을 위해 기업은 분발해야 한다.' 최호진(연대 교수)씨는 '사채에 대한 기업 압박이 긴급명령을 부를 만큼 심각했느냐? 의심이 간다. 기업 측면만을 생각한 조처가 일반 서민 채권자에 대한 불이익을 어떻게 할 것인가? 오늘의 기업 자금 상황 악화가 과연 누구의 책임인가?' 박근창(중대교수)씨는 '소수를 위해 다수를 희생하는 조처다. 자본주의의 근본 원리를 어긴 것이다. 기업에 대해서는 수많은 지원을 해왔지 않은가? 또 다시 서민 대중을 고려하지 않고 기업가만을 위해 비상조치를 발동한 것은 납득할 수 없다.' 등등 찬반 간에 논란이 비등(沸騰)했다.

이제 돌이켜 보니 그때 이 기사를 다룰 때 좀 더 뉴스 소스의 말을 가감없이 그대로 정직하게 인용하는 게 옳았다는 생각이 든다. '곧 해결', '기업 회생' 등으로 보도를 했으면 좋았을 걸 하는 뒤늦은 후회를 해보기도 한다. '가장 좋은 기사는 기자의 주관을 넣지 않아야 한다.'는 어느 선배의 말이 다시금 떠오른다. 가끔 기사를 키우기 위해 과장하거나 오버하는 것이 진실을 놓칠 수 있음을 이 케이스를 통해서도 느낀 '날아간 아쉬운 특종'이었다고나 할까?

송형목 | 1936년 2월 1일생, 조선일보 사회부 기자, 경제부장, 편집부국장, 뉴욕 특파원, 이사대우 광고국장, 스포츠조선 대표이사 사장

당근과 채찍으로 난파된 자유 언론 투쟁

> 당시의 언론 환경은 기관원이 언론기관에 상주하면서 신문 제작을 감시, 통제했으며 언론 자유는 3선 개헌의 먹구름 속에 더욱 옥죄었다.
>
> 송효빈

한국일보 견습기자로 입사한 지 10 년 되던 해에 한국 기자협회 회장이 됐다. 1969년 4월 4일, 언론 자유 수호와 일선 기자의 권익 옹호를 내걸고 임기 1년의 제6대 기협 회장으로 피선된 것이다. 당시의 언론 환경은 기관원이 언론기관에 상주하면서 신문 제작을 감시, 통제했으며 언론 자유는 3선 개헌의 먹구름 속에 더욱 옥죄었다. 이런 '언론 상황'을 타개하기 위해서는 무엇보다 일선 기자의 단결과 사기 진작, 그리고 기협의 위상을 상승시켜야 한다고 믿었다.

3선 개헌의 먹구름 속에 한국 기자협회 회장 피선

기협에 새 바람을 일으키기 위해 기자협회 '마크'부터 만들기로 결정하고 현상 모집했다. 그리고 기협 마크를 넣어 '기자협회 깃발'을 제작, 신문회관 3층 옥상에 태극기와 신문협회기와 함께 휘날렸다.

기협의 당면 목표를 사이비 기자의 일소와 자질 향상으로 정하고 기협의 건전한 재정의 확립을 위해 '1천만 원 기금 모금 운동' 을 전개하는 한편 기자의 자질 향상을 위한 계간 연구지 '저널리즘' 의 발간에 들어갔다.

기협도 미국의 '내셔널 프레스클럽' 처럼 내외의 유명 인사를 초청, 토론회를 갖고 뉴스 발굴에 적극 나섰다. 하룻강아지 범 무서운 줄 모른다고 기협이 '자유 언론의 횃불' 을 높이 들고 최전선에 나선 것이다.

초청 연설회의 첫 인사로 때마침 한국을 국빈 방문키로 된 월남 대통령으로 확정하고 1969년 5월 30일 티우 대통령을 자유센터에 초청, '한 · 월 관계의 유대와 자유 수호의 의지' 에 관해 토론, 기협의 위상을 한 단계 높였다. 그 후 초청 연설회는 정례화 돼 주일 대사로 자리를 옮긴 이후락 전 청와대 비서실장을 연사로 세웠고 이어 '3김의 40대 기수론' 을 '구상유취' 라고 일축, 정국의 초점으로 등장한 '유진산 신민당 당수' 를 초대해서 기협 토론회를 벌였다. 이와 같이 획기적인 사업 추진을 밀어붙일 수 있었던 원동력은 '기협 회장단 회의' 에서 아이디어를 짜내고 기협회원 전원이 일치단결, 추진한 결과다.

매일 아침 열리는 회장단 회의는 시간이 문제 해결의 실마리를 찾게 해준다는 '지둘려의 달인' 김원기 부회장(동아)과 매사에 기본 원칙을 강조하는 '정도의 의인' 손주환 부회장(경향), 논리적이며 '물 샐 틈 없는 율사' 김상현 부회장(서울)으로 구성됐다. 회장단 회의는 만장일치제로 운영됐다.

기자촌이 대강 모양새를 갖춰 갈 무렵, 오전식 주택조합위원장을 통해 박정희 대통령의 '기자촌' 이란 휘호(성명도 낙관도 없는 한글)를 전달 받고 자연석에 이 휘호를 새겨 기념비를 세울 것을 제안했으나 회장단 회의에서 거부돼 불발됐다.

현재 은평 뉴타운의 건설로 기자촌이 흔적도 없이 사라지게 돼 아쉽다. 그 후 오전식 위원장에게 기자촌 한 모서리에 박정희 대통령이 써준 기자촌 한글 휘호를 돌에 새겨 기자촌의 이정표라도 남기는 것이 어떻겠느냐는 의견을 제기해 뒀다.

3선 개헌 선행 조건으로 이후락 김형욱 퇴진 요구

당시 정국은 3선 개헌을 위해 청와대의 이후락 비서실장과 김형욱 중앙정보부장을 정점으로 공화당의 백남억 당 정책위의장, 길재호 당 사무총장, 김성곤 당 재경위원장, 김진만 원내총무 등 4인체제가 중심이 돼서 3선 개헌을 막무가내로 밀어붙였다. 이에 따라 언론 탄압은 더욱 심해졌다.

회유와 협박에도 끝내 도장을 찍지 않은 친 김종필계는 정구영, 양순직, 예춘호 등 손으로 꼽을 정도였다. 이렇듯 공화당은 3선 개헌파와 친 김종필을 중심한 3선 반대파로 갈려, 죽기 살기의 권력 투쟁을 벌였다.

1969년 7월 29일 공화당은 드디어 개헌안의 발의 서명을 받기 위해 한밤중에 기자들을 따돌리고 신라호텔 영빈관에서 의원총회를 열었다. 시간은 한밤중을 넘어 새벽으로 달려갔으나 3선 개헌 문제는 찬 · 반 양론으로 갈려 평행선으로 달려만 갔다.

이때 이만섭 의원이 마이크를 잡았다. 이 의원은 “나는 3선 개헌을 반대합니다. 그러나 이 난제를 풀기 위해 권력형 부정부패의 책임자인 이후락과 김형욱이 즉각 물러날 것을 3선 개헌의 선행 조건으로 제기합니다." 공화당 의총은 이 의원의 돌발 제언에 충격을 받고, 쥐 죽은 듯 조용했다가 차츰 박수를 치는 의원도 생기고 결국은 이 선행 조건을 공화당 의원총회에서 만장일치로 채택했다. 장경순 국회부의장과 김성곤 재정위원장이 이 '절충안'을 들고 청와대로 갔다가 박정희 대통령으로부터 불호령만 듣고 코를 쑥 빼고 돌아왔다.

공화당의 의원총회가 선행 조건이 붙은 3선 개헌안을 재차 만장일치로 결의, 이번에는 장경순 부의장 혼자서 청와대로 박 대통령을 만난 결과 박 대통령이 "모든 것을 잘 알았다. 내게 맡겨 달라. 그리고 개헌에 서명해 달라."고 말했다는 것이다. 박 대통령의 심경의 변화를 감지하고 돌아왔다.

이렇게 개헌 논쟁은 일단락되고 1969년 8월 7일 윤치영 의원 외 121명의 제안으로 3선 개헌안을 제안, 9월 14일 새벽 2시 27분 국회 제3별관에서 야당이 불참한 가운데 날치기 통과됐다. 국민 투표가 끝나자마자 박 대통령은 이후락 청와대 비서실장을 주일대사로 임명하고 김형욱은 사퇴시킨 뒤 전국구 국회의원으로 지명했으나 그는 곧 바로 미국으로 망명, 미의회 청문회를 통해 반정부 활동을 전개했다.

박 대통령, 기금 1천만원 전달

한국 기자협회 회장으로 당선된 지 반년이 좀 지난 10월 21일 강상욱 청와대 대변인으로부터 오전식(당시 청와대 출입 기자) 기협주택조합위원장과 함께 청와대로 오라는 전갈을 받았다.

박정희 대통령은 국가재건최고회의 시절 출입했던 본 기자를 반갑게 맞이하면서, 앉기가 무섭게 담배부터 권하고, 라이터까지 켜 준다. 이것은 박 대통령의 오래된 손님맞이 자세다. 박 대통령은 "이후락 실장이 물러나면서 나에게 세 가지를 부탁했다. 하나는 한국기자협회와 한국편집인협회가 기금을 모으는데 어려움이 많다. 각각 1천만 원 씩 기탁해 줬으면 좋겠다고 했다. 이 수표는 내가 김성곤 당 재정위원장에게 말해서 만든 것이다." "두 번째는 유혁인 기자를 정무비서관으로, 김준환 기자를 민정비서관으로 써 주라는 거야…" 박 대통령은 그러나 이후락 실장의 세 번째 부탁에 대해선 언급이 없었다. 나는 직감적으로 이후락 실장 본인의 신상에 관한 문제일 것이라고 생각하고 더 캐묻지 않았다.

대통령 집무실을 나오는데 대통령 집무실의 문 꼬리를 잡고 있는 김병원 의전 비서관이 반갑게 다가서면서 "송효빈 씨 청와대 오는 거야?"라고 묻기에 "유혁인이 하고 김준환이가 온다."고 귀띔해 주었다.

박 대통령과의 면담 후 얼마간 뒤에 유, 김 두 청와대 비서관의 지상발령이 나왔다. 강상욱 대변인이 자기 방에서 차나 한 잔 마시고 얘기나 하다 내려가라고 권하기에 대변인실에 들렀다. 이런 저런 얘기 끝에 강 대변인이 "나의 청와대 대변인 역할을 어떻게 평가하느냐. 솔직하게 말해 달라."고 간곡히 부탁해서 내가 "강 대변인의 논평은 재치가 있고 유머 감각도 있어 훌륭하다. 다 좋은데 좀 경망한 것이 흠"이라고 말해줬다. 경망이라는 말에 강 대변인은 버럭 화를 냈다. "솔직히 말해달라고 채근할 때는 언제고, 화낼 때는 무슨 심사인가?"라고 응수하고 나왔다.

에르하르트에게서 배운 공업 입국 방책 강행

박정희 대통령은 1964년 뤼프케 서독 대통령의 초청으로 공업 선진국 서독을 방문했다. 가난한 나라 최빈국인 한국을 위해 막장에서 일하는 학사광부와 시체를 수습하는 간호사 앞에 선 박 대통령은 가슴이 메어졌다.

준비해 간 환영사를 몇 줄 읽지 못 하고 즉흥 연설에 들어갔다.

"여러분, 사랑하는 부모자식을 생이별하고… 이역만리 타국 땅에서 고생하시는 것을 보니… 더 말을 잇지 못하겠다." "가슴이 메어진다."면서 통곡했다. 광부와 간호사 모두 울음바다가 됐다. 그 자리에 동석했던 에르하르트 수상도 눈물을 훔쳤다. 에르하르트 수상은 박 대통령과 함께 서독의 고속도로인 아우토반을 달렸다. 에르하르트 수상은 "박 대통령과 같이 국민을 사랑하고 국가 발전에 열정을 쏟는 지도자가 있는 한 한국은 반드시 선진국이 될 것이라고 확신합니다."고 격려했다.

이 말에 대해 박 대통령은 "고맙다. 어떻게 하면 서독과 같이 공업 선진국이 될 수 있습니까"라고 물었다. 에르하르트 수상은 "이 아우토반은 아이러니하게도 독일을 패망으로 몰아넣은 히틀러가 건설한 것입니다. 그가 이런 고속도로를 만들지 않았다면 지금의 서독은 없습니다. 이 아우토반을 산업도로로 활용할 수 있었기에 오늘의 서독을 패전의 잿더미에서 하루 빨리 복구, 재건할 수 있었습니다." "박 대통령 각하, 귀국하시면, 산업의 동맥인 전 국토를 관통하는 고속도로를 만드십시오. 고속도로만 있으면 뭘 합니까. 달릴 수 있는 자동차를 생산해야 됩니다. 자동차 공업을 일으키십시오. 자동차 공업을 일으키려면 제철 공업을 세워야 합니다. 만난을 무릅쓰고 세계 제일가는 제철소를 만드십시오."

박 대통령은 논리 정연한 에르하르트 수상의 공업 입국론에 감동, 서독 수상의 손을 꼭 잡고 "한국을 도와주십시오. 한국 국민은 은혜를 은혜로 갚는 국민입니다."라고 대답했다. 박 대통령은 에르하르트 수상의 충고에 따라, 야당의 반대를 무릅쓰고 경부고속도로를 만들었고, 포항제철을 세웠으며, 자동차 공업과 조선소를 건립, 중공업의 초석을 놓았다.(박 대통령 서독 수행 시 통역을 맡았던 백영훈 서독 경제학 박사 증언)

고속도로 야당의 반대에 '박통' 재떨이 던져

드디어 1968년 2월 1일, 우리 산업의 동맥인 경부고속도로의 기공식을 가졌다. 문제는 재원이었다. 경부고속도로의 총 건설비용은 330억원. 박 대통령은 석유류세법을 개정, 휘발유 값을 100% 인상하여 그 잉여금을 고속도로 건설에 쓰자는 속셈이었다. 제63회 임시국회 회기 마지막 날인 2월 29일 오후 4시 40분에 국회본회의에 상정은 됐으나 야당의 의사방해 전술로 통과가 어렵게 됐다.

신민당의 김영삼 원내총무의 의사 진행 발언에 이어 송원영 의원이 1시간 25분 동안 필리버스터를 강행했다. 이렇게 되자 이효상 국회의장이 오후 6시 40분 정회를 선언, 여야 총무회담을 열었으나 타협점을 찾지 못한 채 야당은 단상을 점거하고 농성에 들어갔다. 여야 대치 속에 시간은 자꾸 가는데 공화당 간부들은 속만 태우고 있었다.

이런 진퇴양난의 상황에서 대통령으로부터 밤 10시 30분 국회 중진들에게 청와대로 올라오라는 지시가 내려졌다. 그래서 이효상 국회의장, 김종필 당의장, 길재호 사무총장, 김진만 원내총무와 함께 박 대통령 집무실에 들어갔다. 박 대통령은 담배를 피우고 있었다. 박 대통령 중심으로 오른쪽은 이효상 국회의장과 총무단이 앉고, 왼쪽은 김종필 공화당 의장과 당 간부들이 앉았다.

김종필 당의장이 "각하, 야당이 농성을 하고 있어 정상적인 통과는 불가능합니다. 다음 회기에 통과시키도록 하겠습니다." 박 대통령은 "무슨 소리야" 고함 소리와 함께 재떨이를 들어 김 당의장 쪽으로 집어던졌다. 다행히 아무도 맞지 않았지만 모두 혼비백산 하얗게 질렸다.

숨을 고른 박 대통령은 "내가 이 나라 경제를 살리기 위한 산업도로를 만들겠다는데 반대만 하는 야당은 그렇다 치고… 그래 집권 여당이 그것 하나 통과 못 시켜, 여당이 뭐 그래." 노기를 참지 못한 채 연신 담배만 피우고 있었다. 이런 광경을 목격하고 국회로 돌아온 공화당 간부들은 전열을 정비, 단상을 점거한 야당 의원을 다수 여당 의원이 밀어내고 밤 12시 직전 석유류세법 개정안을 통과시켰다.

유신 체제의 언론은 탄압에 맞선 처절한 몸부림

1971년 4월 27일 제7대 대통령에 다시 당선된 박정희 대통령은 12월 6일 국가 비상사태를 선포하고 1972년 8월 2일 긴급재정명령을, 동년 10월 17일엔 전국에 비상계엄과 특별선언을 선포, 드디어 유신 시대를 열었다. 정부의 언론 탄압에 맞서 언론사는 자유 언론을 쟁취하기 위한 적극적인 투쟁으로 전환됐다.

제일 먼저 언론 자유 수호 운동을 전개한 신문사는 동아일보 언론 자유 투위다. 1971년 4월 15일 동아투위의 일선 기자들은 '헌법이 보장하는 언론 자유를 정부는 어떤 구실로도 침해해서는 안 된다.', '정보 기관원의 신문사 상주 또는 출입을 일체 거부한다.', '진실 보도에 대한 어떤 간섭도 배제한다'는 3개항을 결의했다.

제2차 언론 자유 수호 운동은 1973년 10월 23일 경향신문이 정부의 언론 탄압에 반기를 든 데 이어, 동아일보 11월 20일, 한국일보 11월 22일, CBS 11월 22일, 조선일보 11월 27일, MBC 11월 28일, 중앙 매스콤 11월 30일 등 들불처럼 전국적으로 퍼져나갔다. 적극적인 자유 언론 투쟁을 전개한 것이다.

예컨대 성명만 채택하던 과거의 투쟁에서 제작 거부와 기관원의 출입 제지 등 실력행사로 나왔다. 행동으로 옮기는 과정에서 상주 기관원과의 갈등으로 이어져 연행되는 일까지 생겼다. 끝내는 동아일보 기자 33명이 1974년 3월 6일 전국출판노동조합 동아일보 지부 창립총회를 열고 지부장에 조학래를 선출하는 한편 다음날 서울시에 노동조합 설립 신고를 했다. 동아일보사는 3월 8일 노조 임원 11명과 조합원 2명 등 13명을 해임했다. 동아일보에 이어 한국일보도 1974년 12월 10일 전국출판노조 한국일보사 지부의 설립 신고를 서울시에 접수시켰다.

이처럼 자유 언론 실천 운동이 노조 운동으로 확산되자 정부는 광고 탄압 등으로 경영진을 압박했다. 12·4 자유 언론 실천 선언이 나온 뒤 2개월 후인 1974년 12월 20일부터 시작해서 1975년 7월 14일까지 12개월 동안 광고 통제는 계속됐다. 동아일보의 광고 탄압은 오히려 독자의 후원과 격려로 역효과를 불러왔다.

언론인을 정권 홍보의 전위대로 대거 기용

1971년 12월 17일 문공부의 강압에 못 이겨 언론사는 정부가 발급하는 프레스카드를 수용했다. 정치권에도 마수는 뻗쳐졌다. 제9대 국회유정회 제1기 국회의원으로 문태갑(동양), 이종식(조선), 이진희(서울), 임삼(한국), 정재호(경향), 최영철(동아), 주영관(합동) 등 각사 안배로 골고루 금배지를 달아 줬다. 이 같은 권언유착으로 등용자는 정권의 홍보자로 활용하고 남은 후배들에게는 협조자로 만드는 이중효과를 얻었다. 특히 5공 정권을 전후한 자유 언론의 통제는 극심했다.

심지어 기협 회장을 임의 동행 형식으로 남영동이나 서빙고로 연행, 고문을 자행했다. 정성진(18대) 회장은 서빙고에서, 김태홍(20대), 노향기(29대), 김주언(32대, 33대) 회장은 남영동에 끌려가서 이근안 고문기술자로부터 매를 맞았다. 이성춘(14대) 회장은 고문을 당하지는 않았지만 보도지침 때문에 님영동에 3번이나 연행, 조사를 받아야 했다.

송효빈 | 1933년 11월 20일생, 한국일보 동경특파원, 편집부국장, 논설위원, 소년한국 편집국장, 한국기자 협회장

기자(棄者)가 쓰고 버린 특종

신아무개가 방우영 조선일보 회장을 '밤의 대통령'이라고 칭송했다는 기사의 진상

신동호

누구나 사법기관에 불려가면 자술서를 써야 한다. 그러나 극히 예외적인 경우가 있지만 대개는 살다 가는 마무리 길에서 자서전을 써서 자국을 남기거나 자기 과시적인 선전 효과를 노리는 수가 흔하다. 여러 분야에서 최고 지위에 오른 이른바 출세한 정치인, 기업인, 연예인 등이 그런 부류지만 최근엔 기자 출신의 글도 많다. 나도 11년 전 관훈저널 2006년 겨울호에 30페이지 분량의 〈오늘 떠오른 어제 이야기〉라는 미니 회고록에 이름을 올렸다. 40여 년의 기자 행각의 일부를 소개했지만 오식도 많고 너절한 잡문이어서 지금 다시 읽으면 후회스럽다.

내 글보다도 나를 그린 타술서가 더 나를 바르게 묘사한 사례가 있다. 신문인 방우영 회장의 저서 〈조선일보의 45년〉과 〈나는 아침이 두려웠다〉

에서 동생뻘이며 부하였던 신동호를 너무 띄워놨다. “내 마음 나같이 아실 이”란 어느 시의 한 구절을 연상케 하는 인물평의 백미라고 감탄했다. 내가 가장 존경하는 으뜸 언론인이던 그 어른의 미수 문집 집필자 99인의 한 사람으로 참여했고, 출판 축하연(2016. 1. 22)에서 후배 사원 대표로 건배사를 멋지게 했다. 은혜를 입은 보답이라기보다 진실 보도를 한다는 기자 정신으로 방비어천가를 부른 셈이다. 이제 여생을 과거 경력인 사업 성취성을 활용해서 통일 대업에 이바지하시길 부탁 드렸는데 석 달 후 돌연 소천에 응하셨다. 조선일보와의 나의 인연이 끊어진 것 같은 충격을 받았다.

최근 대한언론인회가 원고 청탁서를 보냈다. 이미 금세기 들어선 이래 사회 활동을 접었고, 주례사나 축사 요청은 물론 기고나 특강 부탁도 없는 최고령 사회 인구 14퍼센트 안의 일원인 사회 기자(棄者)가 된 처지에, 전 현직 기자가 주 독자층인 회지에 복사품 같은 옛 글을 다시 보낼 수 없다는 신념에서 못쓰겠다고 알리려던 참에, 관훈 회보를 받았다. 회원 동정란에 내가 조선일보 3만호 기념 회식 자리에서 건배사를 했다는 두 줄짜리 뉴스였다. 평소에 그 동정란의 편집 게재 기준이 느슨해서 못마땅했었는데 조선일보 사보에 난 기사를 관례거나 또는 호의로 실었겠지만, 며칠 후 사보를 받아보곤 실소했다.

공식 식장에서의 축사와 식당에서의 술잔 들자는 건배사는 격이 다르니 비중을 달리 취급함은 당연하다. 자격지심도 있었겠으나 25년 전 사보 때문에 곤욕을 치른 옛 일이 떠올라 거듭된 나의 “건배사와 사보”와의 악연 재판에 머리가 멍해졌다. 1992년 10월 31일 오후 흑석동 방일영 회장님의 댁 정원에서 고희 기념 축하 파티가 열렸을 때 사원과 내빈을 대표해서 내가 덕담과 건배사를 했는데 그 내용이 사보에 요약되어 실렸다. 그걸 기자협회보가 거두절미해서 악의적인 곡필을 했다. 한마디로 신 아무개가 방 회장을 "밤의 대통령이라고 칭송했다"는 가십형 기사를 실었다.

그 말은 내가 처음 발설한 게 아니라 박정희 대통령이 술자리에서 방 회장에게 "밤낮으로 자유스러운 당신이 부럽다."는 뜻의 덕담이었으며, 우리 사의 간부들도 모두 알고 있는 에피소드였다. 나는 태평로 1가에 천하의 영재들인 기자들이 밤낮 가리지 않고 정보를 모아서 조간을 만들어 만민이 믿고 따르니 진짜 진담처럼 알려진다고, 덕담을 재생산해서 집안끼리 나눈 말인데 무식한 언론 종사자가 최고 권위에 도전하고 사칭했다고 몰아간 것이다. 사설로 꾸짖는 신문도 있었고 피켓 들고 데모도 하는 등 한국적 저 지능지수의 발로였다고 믿고 있다. 문장은 간결해야 하지만 본뜻이 훼손되거나 오해될 소지는 없어야 한다.

지난 일년 동안 의혹만으로 확인도 없이 보도부터 먼저 하며 나라를 어지럽혀 놓은 사이비 언론의 추태를 보아왔다. 그래서 2만호(1986. 4. 4) 기념 사설을 당시 주필로서 썼으나 3만 호 때는 입으로 사설을 읊겠다고 건배사로선 조금 길었으나 5분쯤 읊었다. 이럴 때일수록 기죽지 말고 힘내라는 뜻에서 나쁜 기억은 잊어버리고 사랑과 화합의 정신을 살리라고 격려했다. 나의 심정을 정리하는 속셈이었고 마지막 사에 대한 고언이었다. 나의 퇴사 이후 하도 내게 모함과 괄시가 많아 사건이 속출했고, 행여 실언해서 설화에 휘말리지 않도록 대비 차원과 자료 수집벽의 일환으로 녹음 준비도 했다. 역시나 사보에는 나의 진정한 의사 표시가 반영이 안 되어 있어, 핸드폰의 녹음 버튼을 눌러놓기 잘했다고 사보를 받아본 후 선견지명을 자찬했다.

그래서 울고 싶을 때에 뺨 맞고 고마워하듯이 이번에 널리 내 속마음을 활자를 통해 여러 사람에게 알려보자고 글을 쓰기로 했으나 건배사 만의 복사는 너무나 아쉬워서 미니 회고록에 못쓴 몇 가지를 덧붙이려고 내가 소장한 관계 자료를 뒤지다가 미처 생각지 못했던 나의 잘못이 드러나 깜짝 놀라고 자성 중에 있다. 처음엔 관훈 회지에 안 실린 특종 기사나 화제를 불러일으켰던 기사를 찾고자 스크랩북을 뒤지기 시작했다. 세월 가는 것엔 이길 자가 없어 진도가 엄청 느리고 자료 정리가 부실함을 깨닫기도 했다. 대학노트나 마분지로 엮어 만든 초기의 스크랩북엔 요즘엔 꺼리도 안 되는 1단 기사 투성인데 연월일 표시가 거의 없었고 "색연필" 기사가 많았다. 1공화국 말기에서 3공화국 초기까지의 외근 기자 시절 큰 천재와 화재, 조난 사고, 강력 사건 등은 여러 기자들의 합작품이기에 혼자 자랑할 것은 못 되는 협업의 소산이고, 보릿고개 탐방 등 연재물의 기획 취재는 독창성을 발휘할 수 있는데 이번에 그런 자료가 수집되지 않고 산질이 돼있었다.

나는 때(天時)만 잘 타고난 것이 아니라, 바탕인 지리(地利)가 가세했고 그보다 더 인화(人和)가 나를 북돋아준 탓이지 재주나 노력이 남보다 뛰어나서라고는 여기지 않는다. 국민학교 졸업식 노래처럼 앞에서 끌어주고 뒤에서 밀어주어서인데 일찍 데스크에 앉고 경영인이 된 것도 거듭된 혁명기에 신문사도 정부에 못지않은 변화와 인사 교체가 심하게 이뤄져 나처럼의 고속 승진 현상도 생긴 것이다. 사주와의 가문간 인연, 출신학교를 통한 교분 넓힘 등 인간관계의 덕이 입사 7년만에 사회부장, 12년만에 편집국장을 두 번에 걸쳐 70년대를 보냈고, 80년대엔 논설실장과 주필을 7년간 책임 맡았으며, 20세기 말까지 12년 동안에 2개사의 대표이사 발행인을 역임한 케이스는 특이한 사례라 할 수 있다. 그러나 민완기자도 못되고 대 논객이 되지도 못했다. 기자 출신의 시인 소설가 수필가 등이 많은 저서를 남기고 있지만, 내 이름의 책 한 권 내놓은 게 없고, 은사처럼 문호가 되겠다는 어릴 적 꿈도 이루지 못했다. 석, 박사학위도 없이 대학교 석좌교수는 해봤지만, 5년 만에 두 군데를 스스로 물러났다. 30대 초반의 박사 강사들이 가족을 등지고 생활고로 자살이 빈번한데 실력도 없는 쟁이 출신이 버티고 앉아 있을 염치가 없었다. 국가 유공자나 그 흔한 훈장도 받은 일이 없으면서 어찌 호피(虎皮)나 이름을 남길 수 있겠는가?

나의 부친과 조부께서 65세를 일기로 세상을 뜨셨기에 나도 그러려니 했고 몇 해만 더 살아도 효도의 도리는 넘는 것으로 믿고 있었는데, 그 동안 과속한 탓인지 거의 20년을 더 넘기에 이르렀다. 올벼가 되다 보니 나보다 연장자와 교분을 나누는 기회가 많았고 그래선지 요즘엔 먼저 가버린 친구가 많아졌다. 점점 위험 신호가 마음과 몸으로 스며듦을 느끼게 되고, 따라서 삶의 태도가 모으고 쌓아가는 저축형에서 잊고 버리는 소비형으로 바뀌었다. 사진 앨범은 백 권 가까웠다가 5장의 CD로 줄었고, 1천 장 되던 LP와 SP는 남 주고 한 장도 남기지 않았으며, 5천 권 가까웠던 장서는 3백 권만 남겼다. 세간살이도 상속하거나 버렸고, 공연장이나 전시장에서 받아온 입장표, 안내서, 포스터, 카탈로그, 받은 편지와 메모 쪽지, 그림엽서, 필름, 슬라이드 등 잡화들도 아까웠지만 모두 버렸다. 이 글을 쓰고 나면 내가 소중히 간직했던 스크랩북과 일기장들도 죽기 직전에 태워 없앨 작정으로 있다. 그런데 이 글을 쓰기 위해 대학 노트, 사제 마분지 묶음, 조사부용 스크랩북 그리고 상용 일기 책 등을 대충 살펴보니 서가에 꽂아 놓은 이래 처음 손길이 닿아선지 부서지기도 하고 읽을 수 없는 것 등 관리 부실과 꼭 있어야 할 기획 연재 기사가 아예 수록되지도 않았다는 것을 발견했다.

그 중에도 가장 아쉬운 것은 편집국장 때 명사들과의 인터뷰 연재물인 "차 한잔을 나누며"와, 육군 정훈감 이찬식 장군의 안내로 사진부 최영호 기자와 함께 동해안 고성에서 강화도 교동까지 155마일 휴전선의 DMZ GP를 1주일간 강행군해서 르포기사를 연재했는데 내겐 그 자국이 남아 있지 않다는 것이다. 고속도 색쇄 윤전기를 처음으로 수입해서 컬러 특집면을 최초로 만든 우리사의 담당 색(色, 컬러) 국장으로 70년 초에 출발하면서 해외로 시찰 가서 짬짬이 찍은 사진에 기사를 싣는 특권(?)을 몇 번 누렸는데 내게는 남아 있지 않았다. 남아 있었다 해도 어차피 버려질 것이기에 지금 마음은 가볍다. 다만 이 글을 채우기 위해서 나의 외근 시절의 특종 기사 취재 뒷얘기로 국내외에서 한 건씩만 찾아 보자고 낡은 스크랩북을 뒤졌다. 첫 번째 국내 것은, 1963년 9월 22일자 사회면 톱기사인

人口는 三百萬을 突破
七萬一千件
서울의 犯罪白書

〈늘어나는 서울의 판도〉로 당시 이웃 5개군 6개면 84개리를 편입해서 면적이 갑절로 늘어나고 인구는 3백만을 넘어서게 되었다는 것이다. 지금 55년이 지났지만 그때 그대로이니 엄청난 특급 뉴스였고, 체포를 피해 3일간 숨어 있다가 나오니 3백원의 특종 상금이 나왔으나 그날로 술거품이 됐다. 군사정권 때 윤태일 소장이 서울시장이고 내가 시청을 출입한 3년차 기자였던 올챙이 때다.

국외에서의 취재 기사 중엔 밀수 한국인을 송환 전까지 수용하던 오무라 수용소의 탐방 보도나 일북송환협정의 폐기 직전 217명의 조총련계 교포가 니가타 항에서 떠나던 현장을 취재했던 일은 단독 보도라도 기획 기사 성격이어서 특종이라고 보기는 어렵다. 그런데 함북 길주에서 임진왜란 때 침략 일군을 무찌른 의병들의 전공을 칭송한 비문을 새긴 북관대첩비(北關大捷碑)를 합병 후 총독부에서 일본으로 반출했다가 야스쿠니 신사 경내에 방치해 둔 것을 발견했다는 보도는 충격적이고 싱싱한 기사감이었다. 이 기사는 홍콩에서 도쿄 특파원으로 전근하여 근무하던 K특파원이 보낸 기사였는데 나는 다른 신문에서 스카우트되어 온 그를 잘 몰랐고 20년 전 내가 처음으로 특종 보도했던 사실을 알 리가 없었겠지 하고 전화통화로 제보자가 누구냐고 물었더니 같은 소스인 한국연구원장인 최서면씨라는 것이었다. 주필인 나는 편집국장과 관련 부장에게 문제를 확대하지 않고 재발 사고를 막기 위한 계몽 교육용으로만 활용하기를 당부했다. 그 후 서울에 온 최 원장을 만나 같은 신문사에 20년 간격으로 제보하다니 너무했다고 힐난조로 따졌더니 기억이 없다면서 겸연쩍은 웃음만 지을 뿐이어서 씁쓸한 뒷맛만 남았다.

나는 내가 가진 스크랩 등 자료가 부실했고 내 일기장이 연도별로도 정리가 안 되어 있어 찾기를 포기하고, 잘 아는 총무부장에게 몇 가지 옛 기사의 복사를 부탁했다. 그 중에 북관대첩비에 관한 두 사람의 동일 내용의 기사가 제공되리라 기대했다. 결과는 너무나 뜻밖이었다. 두 사람의 연도 미상의 20년 건너뛴 기사는 없고 그 대신 1978년 4월 12일자 7면 사회면의 톱기사가 허문도 특파원 발로 되어 있고 4면에 최 원장의 비문 내용을 해설한 기고문이 크게 실려 있는 2장이 보내졌다. 깜짝 놀랐다. 20년 후에도 재탕 기사를 발견했던 내가 불과 8년 후에 쓰여진 동일 기사를 더구나 편집국장으로 있으면서 묵과했다면 도저히 있을 수 없는 일이었다. 미치고 환장할 일이었다. 그래서 서가의 한 구석에 처박혀 있던 1978년도 일기책을 찾아 4월 11일자를 찾으니 빈 칸인 하루 지면의 13행 중 제5행에 –북관대첩비 오늘 내보내다– 라고 쓰여 있었다. 내가 원고를 받아서 데스킹해서 출고했다는 뜻이다. 물증이 이처럼 확실하니, 물증이 없는 세 번째의 K기자의 것은 가짜여야 하고 내가 시기와 사람을 착각했다고 해야 내 첫 특종이 산다. 그러면 나의 일기 기록은 역으로 꼴이 우습게 된다.

고민에 빠진 나는 20년 전의 선배 특종을 표절했다고 내가 야단치고 간부들에게 재발 방지를 지시케 한 당사자인 K씨에게 자초지종을 설명하고 해명을 들었다. 요지는 북관대첩비를 본 적도, 들은 적도, 기사를 쓰고 보낸 적도 없으며, 최 원장과 친하지도 않고 귀띔도 받지 못했으며, 따라서 누구에게도 이 때문에 지적 받지 않았다 했다. 다만 관훈저널에 실린 신 선배의 미니 회고록을 읽고 이름을 밝히지 않았으나 자기는 허 특파원이라고 짐작만 했을 뿐, 두 번째의 표절 특종인지는 전혀 알지 못했다고 했다. 한참 실신 상태에서 깨어난 나는 하나씩 추리를 하기 시작했다. 80년대의 K특파원의 특종 송고는 없었던 일이다. 둘째로 78년의 허 특파원의 기사는 한일관계사의 첫 특종 보도일 가능성이 매우 높다. 마지막으로 최서면 원장과의 특수 인연과 신뢰 관계로 보아 그가 자료를 제공할 기사라면 당연히 내게 먼저 했을 것이란 자만심과 환상적 착각 때문에 반세기 가까이 잘못된 기억이 존치됐을 것이다. 지금도 내가 야스쿠니 신사의 구석진 경내를 뒤져 사진을 찍고 최원장의 비문 해석을 들은 기억은 떠오르지 않는다. 회고록을 썼을 때라면 모르지만 30대 중반인 특파원 때, 이미 치매에 걸려 있지는 않았을 것이다. 일기 쓰기 70년도 부실했다고 자인하며, 매사 치밀하지 못하고 덤성덤성 건너뛰는 버릇과 쓸데없는 고집도 이제 버려야 할 유산이다.

동서양이 똑같은 진리로 여기고 있는 격언 중에 양이 있으면 음이 있고, 빛이 있으면 그림자가 생기고, 작용하면 반작용이 뒤따른다는 것이 있다. 나는 좀 안다는 사람 가운데 내겐 정(正)만 있고 반(反)이 있을 거란 생각을 안 한다. 그러나 직장이나 가정에서나 생활하다 보면 즐겁고 기쁜 일 못지 않게 화나고 속상한 일도 많다. 나는 직장에서도 나를 위해 자리를 달라거나 돈을 달란 적은 단 한번도 없다. 부당한 대접을 받았다고 항의하거나 불평을 털어놓지도 않았다. 그런데 나에 대한 모략성 낭설이 떠돌아다녀 내 귀에 까지 들어왔으나 나는 발설자 색출이나 이해 당사자에게 해명 또는 확인도 하지 않았다. 합(合)을 구하지 못했다. 가장 심한 낭설 하나만 들면 국세청에 신문사의 탈세를 제보했다는 것이다.

진실은 언제고 밝혀진다는 생각에 관련 인사의 증언을 녹취하지도 않았고 이제는 고인이 되어 변호해줄 이 아무도 없다. 금세기 들어 방일영 회장의 10주기 참석과 방우영 회장의 초상 때 참석하고 창사 90주년 축하파티, 방우영 고문의 저서 출판 기념회 등 큰 행사에는 꼭 참석했으나 한 번도 내 이름을 신문의 참석인사 명단(사보에만 실려야 옳다)에 올려주지 않았다. 조우회 망년 모임도 나의 80수 때 이래로 출석을 끊고 있다. 더위나 추위를 견디기 힘든 건강상의 이유가 더 컸다. 그러나 이젠 다 잊고 버려야 한다고 생각해서 3만호 기념식이 마지막 모사 행사의 참석이라고 여겼을 뿐, 건배사를 하겠다고 자청해서 나간 것은 아니다. 기독교인이 된 이후 달라진 나의 모습과 생활 철학을 아는 분들께 알려 드리고 싶어 지난 녹취록을 첨부하고 글을 맺는다.

건배사

감개무량합니다. 감사패 받고 이처럼 점심에 초대받기까지 환대를 받으니 전직 사우로서 모사와 방 사장께 감사 드립니다. 오히려 저희가 감사의 말씀 드려야 될 줄 믿습니다.

조선일보 1만호 때는 제가 대학생 때였습니다. 2만호 때는 1986년 4월 4일자 사설을 주필로서 제가 썼습니다. 그 후 1만호가 지나서 글로써가 아닌 말로써 사사로운 사설을 읊게 된 것이 더욱 감명스럽습니다. 1959년 3월 1일 입사 때는 1만3113호였습니다. 입사 동기인 최영정, 김용원과 이 자리에 같이 한 것도 근 60년만의 만남입니다. 저는 조선일보가 폐간되고 45년 말께 복간된 이후 71년째 애독자이고 59년 3월 1일 태평로1가 61번지로 위장 전입 아닌 정장 전입 이후 21세기가 되자 정장 전출한 오리지널 조선일보 맨입니다. 입사 이래 41년여 재직하면서 기록을 세웠지만 이규태, 안병훈, 김대중 동료들에 의해 깨어졌고, 전생애의 반 토막을 바친 이 곳에서 오늘의 정상 자리에 오름에 함께 일조했다는 긍지를 간직하고 있습니다.

저에겐 이 곳이 내 인생의 전부였고 보람이었으며 생명이었다고 생각하고 언젠가 이런 소회를 말할 기회를 오늘 잡았습니다.

조선일보의 중흥지조이신 계초 선생의 유교사상과 며느님의 기독교 정신이 복합적으로 자손에 계승되어 가풍이 이뤄졌고 사풍으로 확립되면서 일민 방우영 선생의 반세기에 걸친 장기집권의 영도력이 한국 언론계의 최고 자리를 유지하게 됐다고 믿고 있습니다. 그러나 대한민국의 앞날과 조선일보의 앞날은 일치되어야 하며 그런 방향으로 나아가야 한다고 생각합니다. 저는 3년 전 사랑과 믿음과 소망을 따르자고 입교했지만 거기에 덧붙여 관용, 배려, 존중의 신념이 민주국가의 언론의 기수로 겸손에 거듭 태어나길 선배로서 바라며 그 동안 많은 비난과 질타를 받아와 괴로웠을 줄 압니다. 그러나 최근에는 오해가 풀리며 회복세로 돌아서는 기미가 보여 같이 기뻐하여 마지않습니다.

이런 시련을 겪으며 생각나는 것은 어머니입니다. 어머니는 전 세계 공통의 사랑과 위대함의 상징입니다. 모친, 모국, 모교, 모항, 모사 등등. 우리 조선맨들은 모국이 번영하여 자손만대가 훌륭하게 자랄 수 있도록 언론인의 사명을 다하기 위해서 애독자를 우리 이념에 따르도록 계몽시켜 나아가야 합니다. 그러기 위해 세월호 사건을 교훈으로 삼읍시다. 어떻게 보도해왔는지 반성합시다. 선주, 선장, 선원마저 배를 버리고 양심도 버리고 언론은 사후 희생만 부추긴 셈이었지요. 나라를 어지럽게 하고 모국이 없으면 모사나 모지도 없습니다. 여러분의 소망이나 나의 생각이 같으리라 믿고 잔을 같이 비우고자 합니다. 배가 떠날 때는 손을 흔듭니다. 안전 기원과 무사귀환을 간절히 기원하는 뜻이 담겨있어 손을 흔들 때 외국인이 외치는 소리와 우리의 "본 따르자" "본때를 보이자"는 소리가 비슷하므로 합창하시면 됩니다. Bon Voyage!

신동호 | 1934년 11월 19일생. 조선일보 대표이사 · 발행인 · 편집인, 스포츠조선 사장 · 서울언론재단 이사장 · 세종대 석좌교수

나의 중국 취재 23년

> 다시 기자 생활을 시작한다면 좀 더 철저하게 국가 이익에 도움이 되는 기사를 쓰고 싶다.
>
> 신영수

수습기자 시절

내가 대한일보(1973년 5월 16일 폐간)에 수습기자(8기)로 처음 기자의 직업에 발을 들여놓은 것은 1967년 12월이었다. 이 글을 쓰는 시점(9월 25일)에서 3개월만 지나면 만 50년, 반세기를 바라본다.

내가 대학을 졸업할 당시 문리과대학(본인은 서울대 문리과대학 중국문학과 졸업) 출신들은 이력서 낼 데가 별로 없었다. 공무원 시험을 지원하지 않는다면, 신문과 방송 등 언론사가 거의 유일한 출구나 마찬가지였다.

내 경우 처음부터 방송사는 맞지 않는다는 생각에서 오직 신문사만 두드리기로 했다. 몇몇 신문사를 돌려가며 퇴자를 맞고 대한일보에 합격이 됐다. 감지덕지였다.

당시 수습기간은 6개월, 그 기간 매월 4,800원의 봉급이 나왔다. 당시

자장면 한 그릇 값이 100원이었다. 월급이 자장면 48그릇이었다. 참고로, 1967년 후반 '청자' 담배 한 갑이 100원, 다방의 커피 한 잔이 역시 100원이었다. '스리(3) 100' 시절이다. 그러니, 월급 4,800원 갖고는 교통비를 포함한 기본 용돈을 충당하기에도 태부족이었다.

경향신문서 외신 기자로

내 기자 생활은 1973년 합동통신 외신부(로이터 파트) 기자를 거쳐 1974년 10월 경향신문으로 옮기면서 본 궤도에 오른 셈이었다. 대한일보 수습 후 외신부에서 근무한 것을 인연으로 합동통신 외신부에 근무하다 경향신문 외신부 기자로 스카우트됐다. 기자 생활 내내 외신 분야에서 일하게 되는 운명은 이렇게 시작됐던 것이다.

당시 경향신문 외신부는 고 이강걸 부장을 비롯해서 전체적으로 리버럴한 분위기였다. 월남전이 막바지를 치닫고 반전 시위가 전 세계적으로 벌어지던 시절이었다. 미국 제국주의의 패배에 쾌재를 부르는 분위기가 상당히 팽배해 있었다. 결국 이듬해인 1975년 4월 사이공이 함락되면서 미국의 국제적 망신을 고소해 하는 외신 기자들의 '자위심리'는 상당 수준으로 고양돼 있었다. 당시 한국 외신계의 일반적인 분위기가 그러했던 것 같다.

그 후 외신 기자들의 국제 정세관 내지는 세계관에 중대한 전환을 가져오는 결정적 사건이 일어났다. 1976년 중국 전 국가주석 마오쩌둥(毛澤東)이 사망하고 마오와 함께 국정을 농단했던 '4인방'이 체포된 사건이 그것이다. 4인방의 재판을 거쳐 중국 공산당은 마오가 발동한 문화대혁명을 평가하는 역사적 문서를 통해 '지도자의 착오로 발동되고 반혁명집단에 이용돼 당과 국가 및 각 민족에게 엄중한 재난을 초래한 내란'이라고 규정했다.

중국의 이러한 자체 평가는 그동안 국내 언론인들 사이에도 중국의 문화대혁명을 진정한 민주주의 실현을 위한 '마지막 혁명'이라고 높이 떠받들던 풍조에 찬물을 끼얹은 결과를 가져왔다. 이를 계기로 양심 있는 기자와 지식인들은 중국과 마오쩌둥을 다시 보기 시작했고 지난날의 잘못된 시각을 시정하게 된다.

1980년 5 · 18 광주 사태는 기자들을 두 편으로 확연히 가르는 역사적 사건이었다. 광주 사태를 저지른 신군부에 대한 투쟁을 택했던 수많은 동료 기자들은 모진 고난을 당했다. 나는 고민하면서도 신문 제작을 계속했다. 제작 거부 사태로 잡혀가 영어 생활을 한 동료 기자(해직)는 한 잔 들어간 김에 나에게 이렇게 말했다. "나는 하늘을 우러러 한 점 부끄러움 없는 삶을 살았다." 겸손을 아예 거부하는 술회를 직접 들어야 했다.

기자 생활을 하면서 '투사'가 되지 못해 겪었던 수모(?) 또 한 가지를 지금도 잊을 수가 없다. 1975년 동아일보 사태로 해직된 한 기자가 저녁 술자리에서 옆에 앉은 나에게 아무렇지 않게 이런 말을 하는 것이었다. "신 형, 생활이 얼마나 어려운지는 모르겠지만, 이런 상황에서 신문사 근무를 계속할 생각이 드세요?" 내가 동아일보 기자가 아니면서도 이런 말을 들어야 했던 참담한 순간이었다. 동업 동료의 기본적 생존권마저 인정하지 않았던 그 장본인은 그 후 출세해서 정계의 요직에까지 올랐음을 밝혀둔다.

아시아 하이웨이 대장정

나는 경향신문에서 신문 기자 시작 10년 만에 기자의 역할을 제대로 발휘할 기회가 주어졌다. 1977년 8월 18일부터 11월 5일까지 80일간의 대장정 '아시아 하이웨이 모던 실크로드를 달린다' 해외 취재 프로젝트를 맡게 된 것이다. 싱가포르로부터 터키까지 유라시아 대륙을 횡단하는 아시아 하이웨이, 즉 모던 실크로드 국가들을 순회하면서 고대와 현대를 오가는 장기 취재 여행이었다.

경향신문 · 문화방송 통합 창사 3주년 기념으로 기획된 이 프로젝트에서 신문은 김종옥 사진부장과 내가 팀을 이루었다. 경험이 풍부한 대선배와의 조합이라 나는 김 부장으로부터 취재 여행 내내 많은 도움을 받았다.

1977년 당시만 해도 외국에 나가는 한국인은 극히 적을 때였다. 여권을 받으려면 반공연맹에서 안보교육을 받던 시절이었다. 김포 공항에서 떠나던 날 내 아내와 두 아이는 물론, 외신부 부원들이 대부분 공항으로 배웅을 나왔다.

싱가포르를 시작으로 말레이시아~태국~네팔~인도~파키스탄~이란~터키까지, 보스포루스 해협을 건너 이스탄불에 이르는 유라시아 대륙 횡단이 메인 코스였다. 거기에 우리는 중동 지역을 커버하기 위해 바레인과 쿠웨이트를 거쳐 이집트까지 취재 일정에 포함시켰다. 유라시아 대륙 횡단 2만 리에다 중동 곁가지까지 합치면 3만 리 여정이었다.

언론계 초유의 대형 프로젝트는 우리가 직접 취재하고 처음 국내에 소개하는 풍물과 습속들이 무궁무진했다. 말레이시아 동해안의 트렝가누 해변에 한 해 한 번씩 꼭 찾아오는 대형 바다거북이의 엄숙한 산란 장면 촬영과 소개는 우리 언론 초유의 사건이었다. 경향신문 1978년 신년호 컬러면을 화려하게 장식한 '에베레스트 해돋이' 사진도 걸출한 작품 가치와 함께 한국에 처음 소개되는 장엄한 순간의 포착이었다.

아시아 정복에 나선 알렉산더 대왕이 넘었다는 카이버 패스를 아프가니스탄 쪽에서 넘던 일, 네팔로부터 이란에 이르기까지 고도 약 2,000m대의 고원지대를 취재하면서 고산병으로 하혈까지 하던 일, 이란의 시라즈 폐허를 돌아보며 동서 패권 전쟁에서 실패한 페르시아의 비운을 실감하던 일 등등 일일이 열거하기 어려운 취재 내용들은 그해 10월 1일 통합 창사 기념일을 기해 경향신문에 매주 전면 컬러로 43회에 걸쳐 연재됐다. 해외 취재 사상 최장 기록일 것이었다.

홍콩 특파원 시절

내 기자 생활은 그 후 개인사의 우여곡절을 겪으면서 1987년 도서출판 다락원 주간(1년)을 거쳐 1988년 중앙일보가 창간한 중앙경제신문(부국장 겸 국제부장)까지 섭렵한다. 내가 다시 경향신문으로 돌아오게 된 것은 심상기 사장(서울문화사 회장으로 산하에 일요신문, 우먼센스 등을 거느림)의 권유에 의해서였다. 1991년 5월 경향신문으로 돌아와 홍콩 특파원 부임 준비를 하면서 8월과 9월에 걸쳐 몽골과 중국을 1개월간 현지 취재 여행을 하기도 했다.

1991년 11월 홍콩에 부임한 이후 나는 거의 매달 중국 출장을 다녔다. 외교 관계가 없던 중국 입국이었으므로 여권에 비자를 찍어 주는 것이 아니라 별도 용지에다 '입국허가증'을 내주던 시절이었다. 1992년 8월 24일 한국과 중국이 수교하면서 홍콩의 한국 특파원들은 그해 말부터 다음 해 4월까지 순차적으로 임지를 베이징(北京)으로 옮겨갔다. 나는 1993년 4월 말 베이징 특파원으로 부임했다. 홍콩 특파원 1년 5개월 만이었다.

나는 아직 홍콩에 있으면서 한·중 수교 기념 중국 특집 시리즈로 중국의 젖줄 양쯔강(揚子江)을 따라 쓰촨성(四川省)으로부터 우한(武漢)~난징(南京)~상하이(上海)에 이르는 강안(江岸) 현장을 둘러보고 당시(唐詩)를 곁들인 고금풍토기(古今風土記)를 전면 컬러로 주 1회 연재했다. 이 시리즈는 뒤에 홍콩의 중국 당국으로부터 취재를 위한 입국 허가가 나오지 않아 총 19회로 끝나고 말았다.

'중국이 달려온다'

1993년 4월, 드디어 중국의 수도 베이징에 상륙했다. 당시 중국의 언론 상황은 관제 일색이었다. 직접 취재는 허가제였다. 민감한 이슈 추적은 거의 불가능했다. 모 일간지 특파원이 은밀히 신장(新疆)지역 분리운동가들과 만난 기사를 썼다가 그 특파원은 물론이고 우리 동료 한국 특파원들까지 중국 외교부로 불려가 온갖 설교와 협박을 들어야만 했던 시절이다.

그러나 중국 사회는 당시 개혁 개방 정책의 발화로 엄청난 격변을 겪고 있었다. 경향신문은 중국 격변의 현장을 찾아가는 시리즈를 구상했다. 1994년 1월 1일자부터 1년간 전면 컬러로 게재됐다. 제목은 '중국이 달려온다'였다. 빠르게 달려오는 중국의 발전상을 우리가 알고 우리 한국이 정신을 바짝 차리자는 생각을 담은 기획이었다. 나중에 생각하니 우리의 생각이 너무 앞서 간 것 같았다. 그 당시에는 급변하는 중국의 기세를 주목하는 한국인이 그리 많지 않았다. 아직도 중국인은 비위생적이고 더럽다는 생각에 압도돼 있던 시절이었다. 지금 생각해 보면, 그 당시에 우리가 좀 더 중국의 발전상을 직시하고 대비하려는 원려지심을 가졌었더라면 하는 아쉬움을 금할 길이 없다.

1997년 말로 나의 베이징 특파원 임기는 끝났다. 부임한 지 꼭 4년 8개월 만이었다. 홍콩 특파원까지 합치면 6년 3개월의 세월이었다. 나는 논설위원으로 발령이 나 1998년 1월 초 본사에 돌아와 사령장을 받고 바로 사표를 냈다. 베이징에서 할 일이 있었기 때문이다.

베이징저널 발행 20년

나는 이미 1997년 5월 16일자로 중국 거주 한국 교민들을 위한 주간 소식지 '베이징저널' 을 발행하고 있었다. 중국에 살면서 중국 정보가 없어 갈망하는 교민들을 위한 주간지를 내자는 교민사회 유지들의 권유와 성화에 못 이겨 일단 편집을 지원하는 형태로 시작했다. 헌데 내가 본사로 돌아가면 신문을 맡을 사람이 마땅치 않았다. 고민 끝에 본직을 내던지고 베이징저널에 전념하기로 했다. 한국 교민들에게 매주 중요 중국 뉴스 및 해설을 정리해서 제공하는 베이징저널은 올해 5월로 20주년을 넘겼다.

나는 작년 5월 만 23년에 걸친 중국 생활을 접고 완전 귀국했다. 베이징저널은 원격 조정으로 여전히 발행하고 있다. 올 들어 베이징저널 일 말고 대한언론 편집위원으로 관여하고 있다.

언론인으로 살아온 지난날을 되돌아보며 “기자란 무엇인가?” 하는 원초적인 질문을 스스로 다시 하게 된다. 나는 기자가 금과옥조로 지켜야 할 가장 큰 원칙은 ‘국가 이익’이라고 굳게 믿는다. 다시 기자 생활을 시작한다면 좀 더 철저하게 국가 이익에 도움이 되는 기사를 쓰고 싶다. 그 국가 이익은 가치중립적일 수 없다는 점도 철저히 인식하고 기사를 쓰는 기자이고 싶다.

신영수 | 1943년 12월 26일생. 중앙경제 부국장 겸 국제부장, 경향신문 편집위원, 홍콩특파원, 북경특파원, 베이징저널 발행

이심전심(以心傳心)

교가 없는 학교에 교가 지어주기 운동

유한준(俞漢俊)

첫 번째 이야기-민관식 육영재단 취재기

장학 사업에 헌신한 민관식 문교장관

"국가 발전에 유익한 인재 육성을 위한 청소년 육성 사업이 시급하다." 소강(小崗) 민관식(閔寬植 ; 1918. 5.3~2006. 1. 16) 박사는 국가 백년대계를 위해 청소년 육영 사업에 헌신한 교육가였다. 제20대 문교부장관(재임 1971~1974년) 시절에 '재단법인 중산육영회'와 '소강배 테니스대회'를 취재하면서 그와 여러 번 만났다.

먼저 1971년 봄 중산육영회에서 장학금 수여식이 있을 때 동대문 밖 창신동 소재 중산육영회로 취재를 갔다. 초, 중, 고교생 50여명에게 장학금을 수여하는 민 장관 표정에서 자신감과 인자함이 넘쳐흐르는 것을 보았다.

장학금을 받은 학생들과 개별 인터뷰를 마치자 비서가 "장관께서 차 한 잔 마시자고 하신다." 하여 민 장관과 첫 인사를 나누고 차를 마시면서 짧은 담소가 자연스럽게 이어졌다. 우리나라 사람들은 처음 만나 말문을 열면 고향부터 물어보는 습성이 강하다. 민 장관은 취재 기자와의 사담 중에 느닷없이 "고향이 어딘가?"라고 묻는다. "황해도 연백"이라고 하자 "내 생각이 맞았군!" 한다. 황해도 억양이 묻어난다며 반가워하던 모습이 아직도 생생하다. 민 장관도 황해도 출신이라 대화중에 동향 사람에게서 유독 느끼는 어떤 시그널이 작동했는지 모른다.

민 장관에게 "소강(小崗)이라는 호의 강(崗)자는 강(岡)자가 본 글자 아닙니까?"라고 여쭙자, "맞다. 젊은 기자가 서당 공부를 했나 보군. '산등성이' 라는 강(岡)자가 본 글자인데 산(山)변 아래에 강(岡)자를 붙였으니 글자 그대로 더 낮은 산"이라고 풀이하던 소탈한 장관이었다.

민 장관은 1957년 4월부터 나름대로의 사재를 털어 재단법인 중산육영회를 설립하고 초, 중, 고교 학생들에게 장학금을 지급해 왔다.

민관식육영재단은 창립 이래 2010년도까지 초등학생 2만 2,000여명과 중등학생 750여명에게 장학금을 지급하는 등 괄목할만한 일을 진행하였다고 한다.

체육 현장에서 본 소강

소강(小崗) 민관식은 대한민국 교육의 수장인 문교부장관에 취임한 지 2년 뒤인 1973년에 '소강배 전국 남녀 중고교 테니스 대회'를 창설하여 지덕체(智德體)를 키워주는 데 열정을 기울였다. 그래서 필자는 장충동 테니스 코트까지 취재 반경이 넓어지면서 민 장관과는 현장에서 계속 만나는 인연이 되었다.

필자가 체육현장에서 본 소강 민관식 장관은 매우 적극적인 열성파였다는 인상이다. 그는 이런 글을 남겼다.

“희수(喜壽)나 미수(米壽)를 축하하는 글을 써 달라고 하면 문필이 서툴지만 그런대로 즐거운 마음으로 글을 쓸 수 있다. 그러나 유명(幽明)을 달리한 친구나 선배를 추모하는 글을 부탁받았을 때는 어쩐지 망설여진다. 그래서 거절하였다.”

이 말은 ‘몽향 최석채 추모문집’ 원고 청탁을 받았을 때 한 말이다. 하지만 그는 한 살 연상의 몽향 추모 글을 착잡한 심정으로 담담하게 썼다.

국익을 우선한 정치인으로 한강의 기적을 가져오게 한 교육 혁신 행정가로서 명망이 높았던 민관식 장관은 평소에 “이봐, 유 기자, 우리 테니스 학교 명예교사로 임명해야겠는 걸.” 하고 말한 적이 있다. 그때 필자는 “문교부가 발급한 중등학교 국어과 2급 정교사입니다.”라고 하여 웃음을 자아냈다.

교육입국(教育立國)을 구현하기 위해 강력한 교육정책을 펼쳐 우리나라 교육수준을 선진대열로 오르게 했던 문교부장관이었다. 그의 또 다른 면모는 청렴한 정치가, 탁월한 교육행정가라는 본연보다는 과학기술단체장과 최장수 대한약사회장을 역임하였고, 남북 평화 구축을 위한 남북조절위원장을 지냈다는 점이다.

한국 스포츠의 영재를 육성하는 태릉선수촌을 건설하여 체육 강국의 초석을 다졌으며 3선 대한체육회장, 대한올림픽위원회 위원장 등을 지낸 한국 체육의 대부였다는 사실이 더 클로즈업된다. 태릉선수촌을 만들 때 소강의 집념은 대단하였다.

"국군의 간성을 길러내는 요람 화랑대와 조선왕조의 문화재인 태릉이 바로 코앞에 있어서 부지 선정이 매우 어렵다."는 반대가 극렬하게 일어났다. 더구나 절대 녹지 보존에 몰입되어 있던 당시 박정희 대통령을 설득하는 일은 애초에 가당치 않다는 것이 지배적 여론이었다.

그러나 그는 제22대 대한체육회장으로서 체육 강국을 향해 이 난관에 정면으로 나서서 대통령을 설득하고 태릉선수촌을 만들어냈다.

그를 교육과 체육 현장에서 취재하는 동안 그의 강철 같은 뚝심과 근면 성실성, 하면 된다는 불굴의 의지를 보고 배웠고 교육과 스포츠에서는 거짓은 통할 수 없다는 것을 확인했다.

평생을 불우한 환경의 학생들 학업을 도운 교육가, 서민의 편에 서서 민주주의를 위해 진솔한 정치를 펴온 국회의원, 남북 평화 통일을 염원해온 민관식, 국민 체위 향상을 위해 헌신한 체육인, 고향 대선배인 그로부터 귀향 이야기, 삶의 정담을 훈화처럼 들었던 때도 어느 새 30년 세월이 흘렀고, 고인(故人)이 된 지도 어언 10년 세월이 훌쩍 지났다. 그런데 지금도 그의 체취를 생생하게 느낀다.

두 번째 이야기–초중고교에 교가 지어주기

35개교에 사랑의 교가

교육관청과 일선 학교가 주 취재 무대였던 필자는 1970년대 말 어느 날 우연한 편지 한 통을 받고 당황한 적이 있었다. "우리 학교에 교가(校歌)가 없어요. 전교생이 군가를 교가처럼 부른답니다." 경남 진주의 한 초등학교 어린이 회장의 깨알 같은 사연을 보고 참으로 안타깝다는 생각이 들었다.

필자는 당대의 동시인으로 필명을 떨치던 어효선, 이원수, 박화목, 이상현 등과 저명한 아동음악가인 KBS 어린이 합창단 지위자인 이수인, 음악협회 한용희 회장, 춘천교육대학 유원 교수 등을 찾아가서 '사랑의 교가 지어주기 운동'을 제안하였다. 조건은 "우리 신문사에서 교가 작사 작곡을 주관할 테니 무료 봉사를 해 달라."고 제안하였다. 모두가 좋다는 반응이었다.

신문에 '알림 기사'를 내고 교가를 희망하는 학교에서는 개교 역사, 연혁, 전통, 주변의 명물 등 교가에 담을 수 있는 기초 자료를 보내달라고 밝혔다. 의외로 호응도가 높았다.

동시인들이 희망 학교에서 보낸 기초 자료를 바탕으로 작사를 하고 이를 음악가협회 초–중등 교사들에게 한 편씩 작곡을 해줄 것을 정중하게 부탁하였다. 이렇게 만든 것을 신문사에서 오선지에 정서한 다음 KBS 어린이 합창단이 녹음테이프를 제작해서 소포로 보내주었다.

교가 지어주기 운동에 동참한 학교는 인천 강화 해명, 경남 진주 촉성,

강원 영월 주원 두리분교 등 초등학교와 광주 금남중, 충주 예성여중, 목포 문태고교 등 35학교에 이르렀다.

이렇게 교가를 지어준 뒤 품의를 올려 교가 노랫말을 지어준 동시인들과, 작곡가 및 해당학교 대표들을 초청하여 조선일보에서 만든 교가패(校歌牌)를 수여하는 조촐한 행사를 펼쳤다. 특히 영월의 산골마을의 주원 두리분교에는 서울 중구 라이노네스 클럽 어머니들에게 도움을 청하여 피아노를 선물로 기증받아 신문사의 신문 발송용 트럭에 싣고 달려가 전달하였다.

필자는 두리분교에 초임 발령을 받고 부임했다는 여교사 강월명 선생으로부터 "두리분교는 내 나이와 동갑인 23년이 된 학교입니다. 분교생이 모두 12명, 버스 노선도 없는 두메산골, 주천읍 본교에는 십오 리 길 험한 고개 두 개를 넘어 가을 운동회에 한번 가고, 졸업장 받으러 한번 가는 것이 전부랍니다."라는 낯선 편지 한 통을 받았다.

강 교사의 애절한 편지를 받고 교가와 함께 피아노를 특별 선물로 안겨주었다. 필자는 두리분교에 피아노를 전달하고 분교생과 학부모들이 좋아하는 모습을 동화로 발표하여 한국아동문학상을 받고 동화작가로 등단했다.

유한준 | 1940년 10월 1일생, 한국일보 기자, 소년조선 취재부 차장, 독서신문 편집국장, 종교뉴스 주간, 아동문학가, 시인

사회부 기자의 숙명

33년 기자생활, 특종을 찾는 몸부림

육정수

신문사에 입사하면 우선 사회부에 배속돼 사건 사고를 다루는 선배 기자들을 따라다니며 현장 취재를 배우는 게 일반적이다. 내가 기자 생활을 시작한 40년 전(1978년 10월)이나 지금이나 이런 수습기자 교육방법은 별다른 차이가 없다. 중세(中世) 시대 서양의 수공업에서 그 직업에 필요한 지식과 기술을 스승에게 절대 복종하며 배우던 일종의 도제(徒弟)제도와 비슷한 시스템이다.

수습기자 생활을 통해 기자의 기초를 익히지 않으면 사회부는 물론 정치, 경제, 문화, 국제, 체육 등 어느 분야에서도 제대로 된 기자가 될 수 없다는 인식의 반영이다. 따라서 수습기자 생활은 혹독할 수밖에 없다. 나는 그런 수습기자 생활을 두 차례나 거친 특수한 경우였다.

대학 재학 중에 군복무를 하고난 뒤 복학, 1978년 4학년 2학기가 끝나갈 무렵 현재 연합통신사의 전신인 동양통신사(당시 쌍용그룹 소유)에 입사했다. 통신사라는 것이 뭐하는 곳인지도 잘 모른 채 '기자 모집' 이라는 것만 알고 응시했다가 덜컥(?) 합격됐다. 그런데 수습 6개월이 끝날 때쯤 동아일보사 기자 모집 공고가 나는 바람에 응시했더니 또 합격했다. 사실은 동양통신 응시 이전인 그해 여름방학 때 조선일보에 응시했다가 전날 마신 술이 안 깨어 면접에서 해롱해롱하는 바람에 낙방한 적도 있다. 어쨌든 동아일보에서 다시 수습 6개월을 거쳐야 했다.

이 때문에 당시 영등포 라인 2진들이 모이던 노량진 경찰서 기자실에 잠시 누워 있다가 동양통신 시절 함께 수습 신분이던 '타사 놈들' 에게 눈치를 당한 적도 있다. 자기들은 수습을 끝낸 정식 기자이고 나는 수습이라는 신분의 차이 때문이었다. 기가 막혔다. 요즘 병사들의 말투처럼 '정말 웃기는 장면이지 말입니다.'

이렇게 출발한 동아일보 수습기자 생활은 처음부터 순탄하지 않았다. 당시에는 동아일보가 석간이어서 새벽 4시 통행금지 해제가 무섭게 성북구 종암동 하숙집을 나서야 했다. 시내버스를 타면 남대문시장에서 노점상을 하는 아줌마 몇 명을 제외하고 일반 승객은 나뿐이었다. 버스 안에서 새벽 4시 반에 첫 뉴스를 내보내는 CBS를 듣는 게 일과의 시작이었다. 고달픈 하루의 시작이지만 '몸뻬' 차림에 큰 '다라이' 를 든 아줌마들을 보면 생기가 솟았다.

하루 종일 사건 사고를 찾아 경찰서와 병원, 대학 등을 돌아다니다 저녁때 파김치가 되어 회사에 들어가도 앉을 자리조차 없었다. 의자는커녕 서랍 한 칸도 없는 뜨내기에 불과했다. 선배에게 '이 새끼, 저 새끼' 소리를 들으며 야단맞거나 그날의 고통을 입사 동기들과 나누는 게 고작이었다. 인생의 희망이 전혀 없는 듯 느껴지는 때가 허다했다. 이런 막노동을 하려고 내가 명문대학을 다녔나 하는 후회가 엄습하기도 했다. 법대를 나왔으니 고시(高試)를 하라고 떠밀던 아버지와 친척 분들의 말씀이 귀에 윙윙거렸다.

야근을 할 때는 책상 위에 놓인 전화통 등을 한 쪽으로 밀고 냄새 나는 이불을 깔고 2~3시간 눈을 붙였다. 때로는 담배와 우유, 빵 등을 사오라는 선배의 인권 탄압(?)을 참아내기도 힘들었다. 지금 같으면 '갑질' 이다 '적폐' 다 '근로기준법 위반' 이다 해서 당장 문제됐을 것이다.

힘겹게 수습을 끝내고 나니 사회부로 정식 발령이 났다. 1지망도 사회부, 2지망도 사회부로 써낸 내 희망이 받아들여진 셈이다. 문제는 출입처였다. 서울대 법대 출신인 당시 L 사회부장은 나를 법조 기자로 배치했다. 법조보다는 사건기자를 더 하고 싶다고 하소연해 봤지만 "법대를 나왔으니 그리 가라."는 것이었다. 사건은 맛만 보고 내쫓긴 셈이다. 당시 명(名) 사회부장으로 통했던 L 부장은 법대를 나오고도 법조 기자를 하지 않은 분이다.

이제 와서 생각해보면 L 부장은 나를 상당히 아낀 선배였다. 후임 C 사회부장은 법조계 3년과 서울시교위(현재의 서울시 교육청), 김포공항을 거친 나를 사건팀장(시경 캡)에 앉혔다. 시경 캡은 사건 사고 취재를 지휘하면서 수습기자 교육을 담당했다. 사건기자와 수습기자를 합쳐 15~20명을 휘하에 거느린 이 자리를 거의 2년 역임했다. 웬만한 부장보다도 많은 인원을 책임지는 자리였다.

그 후 법조팀장 1년, 국방부 출입 2년을 거쳤다. 그 사이에 정치부 기자도 꼭 1년 했지만 사회부로 되돌아가기를 원했다. 내 눈으로 보기에 정치인들은 거짓말쟁이거나 사기꾼에 지나지 않았다. 또한 정치부 기자도 정치인들과 비슷해야 그 분야에서 살아남을 수 있다는 생각이 들었던 것이다. 정치부에는 내 의사와 관계없이 앞서 언급한 L 사회부장이 일방적으로 끌어간 것이었다.

그 후 국제부를 거쳐 사회부 차장과 사회부장, 사회담당 편집 부국장 등을 역임하며 사회부 기자의 면모를 갖춰갔다. 사이사이에 논설위원실을 세 차례 들락거리며 법조 및 국방 담당 논설위원으로 9년간 재직하고 국장급으로 정년퇴직했다. 총 33년여의 대부분을 사회부 기자로 걸어왔다. 퇴직 후 헌법재판소 대변인 2년과 배재대 초빙교수 3년 경력 역시 사회부 기자의 연장선이었다.

평생 사회부 기자의 길은 숙명이었다는 생각이 든다. 특히 사건기자와 법조기자는 한마디로 막노동꾼 같은 존재였다. 편집국 각부에서 다루기 꺼려하는 구석구석을 모두 커버(cover)해야 했다. 그러다 보니 양복과 넥타이와는 거리가 멀었다. 점퍼, T셔츠 등이 제복이나 마찬가지였다. 출입처에 나가면 휴지통, 책상서랍, 캐비닛 등을 뒤져 검찰, 경찰 등의 수사 자료 등을 훔쳐내는 경우가 적지 않았다. 당시에는 브리핑이라는 것이 정착되지 않아 비정상적인 취재 방법을 쓸 수밖에 없었다.

자료를 몰래 훔쳐내 특종을 한 사례는 여러 번 있었지만 그중에서도 가장 재미를 본 사건은 1981년 6월 5일 발생한 서울지법 남부지원 소매치기 탈주사건. 사건의 주인공은 당시 영등포 지역을 주름잡던 '대호파' 두목 이상훈(당시 32세)과 그 일당 2명이었다. 구형 공판이 끝나는 순간 난동을 부려 법정이 혼란한 틈에 교도관들을 미리 준비한 칼로 위협, 2m 높이 법원 담장을 뛰어넘은 사건이다.

이 사건은 5일 만에 자수로 끝났지만 도하 각 신문은 1면과 사회면 톱은 물론, 여러 지면을 계속 도배했다. 검찰과 경찰이 탈주범들을 추격하는 동안 언론은 연일 '충남 홍성에서 목격됐다' 든가 '이미 해외로 도주했을 것' 이라는 등 허위 제보와 추측 기사가 난무했다.

탈주 첫날 수사본부가 설치된 남부지청 D 지청장 사무실은 법조 및 사건기자 수십 명에게 점령됐다. 지청장은 완전히 혼이 나간 상태였다. 이 통에 교도관들이 이상훈 등의 그동안 면회일지를 잔뜩 들고 왔다. 기자들은 우르르 달려들어 면회일지에서 뭔가 탈주 준비나 흔적을 찾아내려고 마구 뒤져댔다. 나 역시 닥치는 대로 면회일지를 넘겼다. 수사본부는 난장판이 됐다. 그 와중에 무슨 뜻인지 알 수 없는 대화 일지 한 대목이 내 눈에 들어왔다. 느닷없이 '라켓' 이라는 단어가 두어군데 섞여 있는 짧은 대화였다. 무조건 취재 수첩 중간에 끼어 넣고 자리를 떴다. 공문서를 함부로 챙기는 기자의 이런 행동은 사실 범죄 행위였다. 그러나 앞뒤 가릴 계제가 아니었다.

본사로 들어와 교도소 은어들을 알만한 취재원에게 전화를 걸어 '라켓' 의 뜻을 물었다. '탈주' 를 뜻한다는 대답이었다. 면회 날짜로 미루어 2, 3개월 전부터 탈주를 준비해왔다는 증거가 된 셈이다. 탈주가 우발적으로 이뤄진 사건이 아님이 확실해진 것이다. 이튿날 동아일보 석간에는 '2~3개월 전부터 탈주 준비' 라는 내용의 기사와 면회일지 내용이 특종 보도됐다.

하지만 이 사건은 매일 매일 기자들의 속을 타들어가게 만들었다. 언제 어느 경쟁지에서 특종이 나올지 알 수 없었기 때문이다. 더욱이 석간신문은 오전 11시가 최종 마감 시간이어서 취재 시간이 조간신문에 비해 아주 짧다. 끼니(?) 걱정에 잠을 설치기 일쑤였다.

둘째 날. 마감 시간은 다가오는데 데스크에 보고할 기사거리가 없었다. 어슬렁어슬렁 층마다 방마다 먹이를 찾아다니는데 1층의 수사과장실 문이 열린 채 비어 있었다. 책상 서랍이 반쯤 열린 채 '수사보고서'가 눈에 들어왔다. 얼른 수첩 속에 감추고 유유히 나와 외부에서 복사를 한 뒤 원본을 그 사무실 서랍에 넣고 나왔다. 지난 밤 수사 결과 '홍성에서 발견됐다'는 어느 신문 사회면 톱기사와 '해외로 이미 도주한 듯' 이란 추측 기사는 허위로 드러났다는 내용 등이 들어 있었다. 그 내용으로 기사를 때울 수 있었음은 물론이다.

셋째 날. 이날 역시 준비된 기사는 없었다. 무작정 이 방 저 방을 기웃거렸다. 남부지청 P 차장검사의 부속실로 들어서는데 여직원이 빠른 속도로 타이핑을 하던 중 당황하며 원본을 뒤집었다. 순간적으로 눈에 띈 부분이 '문', '답' 이라는 글자였다. '전화 도청' 내용으로 직감했다. 가슴이 뛰기 시작했지만 태연한 척 하며 일단 나왔다.

도청 내용을 입수하면 오늘도 한 건 하는데… 몇 분 동안 이 궁리 저 궁리를 하며 얼마나 후회했는지 모른다. 확 빼앗아 버릴 걸… 다시 차장 부속실로 들어갔다. 여직원은 없고 책상 위는 이미 깨끗이 치워져 있었다. 차장검사실은 문이 열린 채 P 차장검사는 부재중이었다. 힘이 쭉 빠졌다.

낙담을 한 채 머뭇거리고 있는데 책상 밑 휴지통에 구겨진 종이가 들어 있는 게 아닌가. 아까 그 원본 종이였다. 얼른 집어서 주머니에 넣고 화장실로 향했다. 화장실에 구부려 앉아 내용을 살펴보니 주범 이상훈과 가족으로 보이는 누군가와의 대화 내용이었다. 이상훈은 서울을 빠져 나가지 못한 것이 분명했다. 모든 신문이 서울을 빠져나갔을 것으로 추측 보도를 하고 있던 때이니 중요 뉴스였다.

결국 이상훈 등 3명의 법원 탈주 사건은 자수를 함으로써 '5일 천하' 로 끝났다. 이 사건이 끝난 뒤 차장검사실 여직원은 해직됐다는 소식이 들렸다. 그 여직원에게는 너무나 미안하고 가슴 아픈 일이었다.

후일담이지만 이북 출신 최고의 주먹으로 이름났던 시라소니(이성순)가 이상훈의 아버지와 의형제를 맺은 사이였다고 한다. 그래서 이상훈은 시라소니를 '큰아버지' 로 부르며 많은 영향을 받았다고 전해진다. 후일 주먹세계를 떠나 전도생활에 전념했던 시라소니처럼 이상훈도 출소 후 기독교 장로가 되어 인권운동가로 활약했다.

2007년에는 존 F 케네디 전 미국 대통령을 기념해 만든 '세계평화상' 을 수상하기도 했다. 이 상은 로널드 레이건 미국 대통령과 훈센 캄보디아 총리, 인도의 인디라 간디 총리 등이 수상했고, 이승만 대통령에게도 추서됐다고 한다. 그러나 이미 오래 전에 이상훈의 파란만장한 생애는 사람들의 기억에서 사라졌다.

육정수 | 1953년 5월 16일생. 동아일보 사건팀장 · 법조팀장 · 사회부장, 디지털 뉴스팀장 · 편집부국장, 논설위원(국장급), 헌법재판소 대변인, 배재대 초빙교수

나의 기자 생활 그리고 백남준

나의 기자 일생에서 기록해야 할 일들이 어찌 한두 가지겠느냐 마는 백남준과의 만남 이야기는 꼭 써야 한다는 의무감마저 느낀다.

이병대

인생은 우연으로 결정된다는 말이 있듯이 나의 기자 생활은 정말 우연으로 시작되었다. 서울대 정치학과 졸업을 앞둔 겨울방학 중이던 1월 시골 친구 집에 놀러 갔다가 동아일보 수습기자 모집 사고(社告)를 보고 시간에 맞추느라 그날 밤 야간열차를 타고 와서 응시한 것이 내 천직이 된 것이다.

내가 기자 생활을 한 1965년에는 시험을 쳐서 취업할 곳이 없었고 그나마 시험으로 뽑는 곳이 우리나라를 통틀어 신문사, 은행이 고작이었다. 나는 그때 특별히 관심을 갖고 있던 직업이 없었고 미래에 어떤 일을 해보겠다는 생각도 없었다는 게 솔직한 고백이다.

우연한 계기에서 시작된 기자 생활은 나의 삶을 물심양면에서 살찌우기도 했지만 설명하기 어려운 간난의 질곡도 있었다. 그동안 동아일보와 KBS 보도부문의 여러 직책을 거치면서 나름대로 열심히 살았다.

나의 기자 일생에서 기록해야 할 일들이 어찌 한두 가지겠느냐 마는 백남준과의 만남 이야기는 꼭 써야 한다는 의무감마저 느낀다. 왜냐하면 백남준과의 만남 기록은 백남준 연구가들에게 다소나마 도움을 줄 수 있는 자료가 될 수 있다는 생각 때문에서다. 내가 백남준을 만났을 때 백남준 연구로 박사 학위를 받은 사람이 열 서넛 된다고 했는데 지금쯤 그 숫자가 얼마나 되는지 알 수 없지만 상당하리라 짐작된다.

백남준과의 인연

1985년 5월 초순으로 기억된다. 아침에 사장실에서 호출이 왔다. 나는 당시 KBS에서 보도 관련 특집 프로그램을 담당하는 보도제작국장으로 있었다. 당시 박현태 사장은 "백남준인가 하는 사람이 비디오 쇼를 한다고 하는 데 뒷날 그가 오면 상의해 보라."는 지시와 함께 "그 사람 전화를 하면서 처음부터 반말을 하는데 좀 이상한 사람 아니야?"라는 토를 달았다.

나는 전부터 백남준이 비디오 아티스트라는 사실을 듣고는 있었지만 구체적으로 아는 바가 전혀 없었다. 나는 여러 자료들을 챙겼으나 그때까지만 하더라도 백남준에 대한 참고 자료들이 별로 없던 시기였다. 한 달이 조금 지난 어느 날 백남준이 내방으로 찾아왔다. "이병대씨, 나 백남준이야. 좀 도와줘. 프로그램 상의하러 일본 갔다 오는 길이야."로 시작된 초면의 인사가 마치 십년지기(知己)를 만난 것처럼 스스럼없이 아예 반말로 종횡무진 계속되는 것이었다. 나는 시종 듣는 입장이었으나 계속될수록 이야기가 거부감보다는 재미있게 들렸다. 백남준은 방송과 신문에서 보아 온 눈에 익은 모습 그대로였다. 몸보다 훨씬 큰 와이셔츠에 헐렁한 바지 그리고 멜빵 오른쪽 위에 미군용 손목시계를 핀으로 찔러 고정하고 신발은 소재가 두꺼운 양털 펠트천이어서 무척 덥게 느껴졌다. 한마디로 '찰리 채플린' 을 보는 느낌이었다.

백남준의 이야기는 물 흐르듯 계속 됐다. 원래는 음악을 전공했다고 한다. 경기고등학교를 졸업한 뒤 6 · 25가 나던 해 동경대학 미학과를 거쳐 1956년 독일 뮌헨 대학에서 음악을 전공했다. 백남준은 나와 만날 때인 1985년 서울 시장으로 있던 염보현씨와 불란서에서 물방울 그림으로 유명하던 김창렬씨 등이 고등학교 동기생이라고 했다. 백남준은 나에게 몇 번인가 이야기했다. "나의 스승은 '존 케이지(John Cage)' 이다. 존 케이지는 '남의 것을 흉내 내는 예술을 해서는 절대 안 된다. 남이 한 번도 해 보지 않은 새로운 형태의 미술이나 음악을 해야지 남의 것 따라 하면 그 아류나 될 뿐 위대한 예술가가 될 수 없다' 고 강조했다." 한다. 백남준은 자기가 지금까지 만난 사람 중 '존 케이지' 가 제일 머리가 좋고 진정으로 존경한다고 했다. "예술이 별거야? 전부 사기야, 대중을 속이는 거야. 예술은 그런 거야!" 어떻게 보면 막가는 말들을 발음도 불분명하게 쏟아냈다.

백남준은 1958년 독일 '다름슈타트' 하기 강좌에서 '존 케이지' 를 만난다. '존 케이지' 를 통해 신음악의 가능성을 알게 되고 전자 음악을 배우기 위해 '쾰른' 의 전자 음악 연구소에 들어간다. 1년 뒤 '뒤셀도르프' 에서 '케이지에 보내는 찬사-테이프 레코드와 피아노를 위한 음악' 이란 그의 선구적 음악을 선보인다. 그 이듬해 '피아노 포르테를 위한 습작(Etude for Piano Forte)' 을 발표하는데 백남준의 쾰른시대 걸작의 하나로 평가

된다.

쇼팽 작품을 피아노로 연주하던 백남준이 갑자기 관중석으로 내려가 관람하던 '케이지'의 넥타이를 자르고 옆에 있던 사람에게 샴푸 세례를 한 후 사라졌다가 근처 술집에서 전화로 공연이 끝났음을 알리는 것이 해프닝의 내용이다.

백남준은 그때까지 음악 분야에서 해프닝으로 사람들을 놀라게 했지만 1963년 '부퍼탈'의 '파라나스' 화랑에서 열린 '음악의 전시회-전자 텔레비전(TV Exposition of Music-Electronie Television)'이 비디오 아티스트로서 첫 출발을 선언하는 의미 깊은 개인전이었다. 이 작품은 TV 13대와 피아노 3대 그리고 소음기를 배치하고 요셉 보이스가 도끼로 중간에 피아노 1대를 부수는 퍼포먼스이다. 이어 백남준은 한 걸음 더 나아가 위성을 통한 공연 작품을 구상한다. 그 첫 번째 작품이 1984년 '오웰 씨, 안녕하십니까(Good morning, Mr. Orwell)'이다.

'오웰 씨, 안녕하십니까' 8개 도시 동시 위성 중계

이때 KBS가 큰 역할을 했다. 이 프로그램은 한 시간 동안 생방송으로 미주, 유럽, 아시아 등 3개 대륙의 8개 도시를 연결하는 동시 중계로 지구의 전 위성들을 동원한 쇼였다.

'오웰 씨'는 뉴욕(WNET-TV)과 파리(FR3)에서 동시에 진행하면서 쾰른(WDR Ⅲ)에서 송출하는 비디오테이프 자료와 뒤섞이면서 베를린, 함부르크, 로스앤젤레스, 샌프란시스코와 서울(KBS-1TV) 등 국제 대도시들로 중계되는 하나의 지구적 사건이었다. 백남준은 퐁피두 관제탑에 앉아 위성을 통해 뉴욕과 파리에서 진행되는 공연과 쾰른에서 보내어지는 비디오테이프를 독창적으로 구성하여 전 세계에 중계 방송했다. '오웰씨, 안녕하십니까' 를 통하여 백남준씨는 비디오 아티스트로서의 명성을 세계인에게 확실하게 각인시켰다. 백남준은 이어 서울에서 열리는 1986 아시안게임에서 자신의 또 다른 위성 쇼를 구상하고 있었다. 그래서 1986 아시안 게임에서의 위성 쇼 구상을 KBS와 상의하기 위해 나를 찾은 것이다. 그런데 위성 쇼를 하겠다는 백남준이 아무런 구체적인 자료도 갖고 오지 않았다.

TV에서 위성 방송을 하려면 삽입해야 할 내용들을 순서대로 정리한 큐시트(Cue Sheet)를 먼저 만들어야 하는데 그런 준비가 전혀 없었다. 미국의 누구 작품을 교섭하고 있고 일본에서 누가 출연 운운하면서 '히어링'이 어려울 정도의 불분명한 말로 백남준이 던지는 이야기를 나는 30% 정도 밖에 이해할 수가 있었다. 그리고 며칠간의 서울 체재 중에 매일 같이 나의 사무실을 찾아왔다. 며칠간의 대화에서 나는 백남준 씨에게서 몇 가지 비범한 사실을 발견하였다. 무엇보다 비상한 기억력이다. 과거의 기억들이 얼마나 분명한지 5년 전 아니 15년 전 있었던 날짜와 시간들을 컴퓨터에서 빼내듯 정확하게 얘기했고 누구와 한 번 이야기 한 것은 기억에서 절대 지워지지 않는 기억장치를 갖고 있었다.

이야기하는 것을 보면 일견 '모자라는 사람' 처럼 보이나 계속 대화를 하다 보면 우리들이 미처 생각지 못한 의외의 방향에서 독특한 생각의 줄기들이 발견되어 깜짝 놀라게 한 것이 한두 번이 아니었다. 첫 만남은 그렇게 끝났다. 그리고 나는 백남준을 잊어 버렸다.

그 후 두 달이 지났을까 말까 할 무렵 느닷없이 지난번 왔을 때와 꼭 같은 옷차림으로 찾아왔다. 그때는 무척 더울 때였는데 헐렁한 와이셔츠와 바지, 구두 등을 그대로 입고 와서 땀이 줄줄 흘러내리는 얼굴을 연신 손수건으로 닦으면서 즐겁게 더듬거리는 말솜씨로 이야기를 이어갔다. 이번에도 아무런 준비물을 갖고 오질 않았다. 오후 늦게 왔기 때문에 "저녁이나 같이 하자."고 했더니 "나는 당뇨가 심해서 아무 것이나 먹을 수 없어, 내가 묵는 호텔에 가서 먹어야 해. 이병대씨, 내가 있는 호텔로 가." 하면서 끌어 당겼다. 백남준은 대화가 계속될수록 정말 재미있는 분이었다. 그리고 배울게 너무나 많았다.

백남준은 평창동 소재 당시 '올림피아호텔' 에 투숙하고 있었다. 백남준은 "이 곳은 공기가 좋고 사람들이 찾아오지 않아 제일 좋아."라고 하면서 서울에 오면 올림피아호텔에 든다고 했다. 백남준과 나는 올림피아호텔 화식집에서 저녁을 했다.

백남준씨는 야채와 생선만 먹고 나는 정종을 곁들였다. 그 자리에서 백남준은 자기 건강에 대해 이렇게 얘기했다. "아버지도 당뇨로 돌아가셨는데 정말 골치 아프다. 미국 의학정보에 따르면 이제 췌장도 이식 수술을 할 수 있다고 하고 인공췌장도 곧 나온다니 그때까지만 살면 나도 수술하여 당뇨에서 해방되어 오래 살 수 있어. 이병대씨 오래 살자구." 그날도 그런 얘기를 나누고 헤어졌다.

비상한 기억력 놀라워

다음해인 1986년 4월 다시 백남준씨가 찾아왔다. "이병대씨! 영국의 시인 키플링(Kipling)은 '동양은 동양이고 서양은 서양이다' 라고 했지만 거짓말인 게 드러났잖아. 동서양은 평행선이 아니라 이제 서로 만나 융합하면서 발전하는 거야. 그래서 이번 쇼의 제목은 '바이 바이 키플링(Bye Bye Kipling)' 이야. 이제 세계는 하나야." 하면서 큐시트를 보여주었다. 1986 아시안 게임 마지막 날 마라톤 경기 시간과 맞춘 기획서였다.

이 쇼는 TV 화면을 두 개로 나눈 좌우에서 동양인과 서양인이 손을 내밀고 악수하는 모습에서 시작된다. 즉 뉴욕의 딕 카베트(Dick Cavette)와 동경의 스타 음악가 사카모토(Ryuichi Sakamoto)의 위성 악수에서 출발한다.

또한 뉴욕과 동경에 헤어져 있던 미국 쌍둥이 자매를 화면을 통해 다시 결합시킴으로써 양분된 스크린을 통하여 동서간 만남의 효과를 배가한다. 동서의 만남은 동양 문화와 서양 문화의 만남이다. 동경에서 연주하는 한국 사물놀이 팀의 전통 타악기 연주와 미국 타악기 그룹의 연주가 화면을 통해 경연을 벌인다. 가장 극적인 만남은 서울 한강변을 달리는 마라톤 경기의 긴장감이 뉴욕으로부터 연주되는 필립 글래스 음악 리듬에 맞추어 고조됨으로써 음악과 운동이 혼연일체가 된다. 백남준은 동과 서의 만남에 음악과 운동의 만남을 교차시켰다. 백남준은 동서양의 이념적, 지역적 차이는 예술과 운동 같은 비 정치적 교류로써 해소될 수 있다고 믿었다.

백남준의 두 번째 위성 방송 쇼는 정말로 성공적이었다. 이 위성 방송으로 그는 그야말로 비디오 아트의 선구자로서 또한 영향력 있는 인물로 세계에 각인됐다. 세계는 그를 환호했고 세계 곳곳에서 전시회가 잇달아 열리면서 백남준의 인기는 상한이 없는듯 상승하고 있었다.

그 후 백남준은 독일 포커스(Focus)지가 선정한 세계 100대 예술가에 꼽혔고 독일의 캐피털(Capital)지에서는 세계 100대 작가 중 8위에 오르기도 했다. 또한 그동안 부부가 맨해튼에 세 들어 살던 아파트를 뒤로 하고 당시 150만 달러짜리 아파트를 맨해튼에 마련할 수 있었다. 이후 백남준은 88 올림픽과 관련하여 다시 '손에 손잡고(Wrap around the world)' 를 올림픽 기념 공연으로 기획한다. 역시 서울 KBS와 미국 PBS가 주관하고 이스라엘, 브라질, 서독, 중국, 소련, 이탈리아, 일본 등 10여 개국이 참가하는 대규모 프로그램이었다.

이에 앞서 '바이 바이 키플링' 이 끝난 뒤 백남준으로부터 그해 연말 전화가 왔다. 뉴욕의 자기 작업장도 구경하고 며칠 놀고 가라는 것이었다. 회사에 휴가계를 내고 다음해 1월 초 뉴욕 행 대한항공기에 몸을 실었다. 1987년 1월 초 뉴욕은 너무 추웠다. 나는 처음 가는 뉴욕을 안이하게 생각하고 오버를 입지 않고 떠났었다. 뉴욕 '존 F 케네디' 공항에 내렸으나 아는 사람이 있을 턱이 없었다.

찬바람이 몰아치는 공항에서 택시를 타고 약속된 '셰러턴호텔' 로 갔다. 약속 시간 30분이 넘었건만 백남준은 나타나지 않아 뉴욕에서 미아가 되는 게 아닌가 걱정하던 중 약속 시간 1시간쯤 뒤 나타났다. 자기는 길 건너 '셰러턴' 에 있었다는 것이다. 뒤늦게 알고 보니 뉴욕의 셰러턴호텔은 길을 두고 양 옆에 각기 다른 셰러턴이 있질 않은가! 우리는 함께 백남준이 미국에서 처음 이름을 알리게 한 '휘트니 미술관' 을 찾았다.

그리고 다음날 미국 CBS 방송국에 갔다. 백남준은 CBS의 '60분(60 minutes)' 에 두 번 소개됐다고 한다. 그래서 '60분' 팀을 먼저 찾았다. 그날 세 사람의 미국 CBS PD가 백남준을 반갑게 맞아주었다. 백남준과 이들은 십년지기를 만난 것처럼 즐겁게 대화를 나눴다. 눈길을 끈 것은 백남준이 낙서같이 그려 사인한 그림이 벽에 붙어 있는 것이었다. 이들은 그림을 보면서 엄지손가락을 치켜세우기도 하고 자기 나름의 해석을 붙이며 높게 평가하는 것이 인상적이었다. 그리고 CBS 보도국을 들러보고 오후에는 미국의 공영방송 PBS를 방문했다. PBS는 백남준이 위성 쇼를 할 때마다 '키 스테이션(Key Station)' 이 된 방송국이다.

뉴욕서 만난 백남준 지금도 눈에 선해

그 다음 날 '백남준 작업실' 에 함께 갔다. 맨해튼의 뒷거리(주소를 잊어버렸다.) 지하실에 자리 잡은 작업실은 60평이 조금 넘을 듯한 널찍한 공간이었다. 그 중 10평 정도 작업하는 곳을 제외하면 모든 공간에 특히 구형 텔레비전과 라디오가 산더미처럼 쌓여 있었다. 백남준 작품들은 거의 대부분 이런 고물 TV들을 창의적으로 쌓고 엮은 것들이다. 백남준은 이날 그 자리에서 커다란 캔버스에 출사한 인물 사진의 턱에 물감을 덕지덕지 칠하면서 "이 친구가 자기 사진으로 작품을 만들어 달라 해서 수염을 그리고 있지, 재미있잖아?" 하면서 어린애처럼 웃었다. 나는 도무지 그 그림을 이해할 수가 없었다. 나는 물었다. "수염만 칠하면 작품이 완성되는가?" 고. 그랬더니 "그럼 그 이상 그릴게 뭐가 있어, 얼마나 멋있어." 하면서 싱

긋 웃었다.

그리고 다시 시간은 흘렀다. 1992년 봄 미국에서 전화가 왔다. 백남준이었다. 베니스 비엔날레에 출품하려고 하는데 몽골인들의 생활공간인 천막집 '겔'을 구해 달라는 것이었다. 내가 몽골에 갔다 온 것을 기억하고 나에게 부탁하는 것이었다. 1989년 11월 나는 몽골 국영 방송국 초청으로 몽골을 방문했었다.

천막집 '겔'은 몽골에서 문화재로 취급해 국외 반출을 엄격하게 금한다. 나는 그때 만난 PD에게 전화를 걸어 '겔' 구입을 부탁했으나 난색을 지었다. 5월 서울에 온 백남준은 3천 달러를 주면서 구입을 부탁하였다. 3천 달러는 몽골에서 북경을 거쳐 서울에 공수하는 비행기 수송비에도 턱없이 모자랄 것 같은 돈이었다. 할 수 없이 나는 내 경비로 북경에 가서 PD를 만나 2천 달러를 보태 5천 달러를 주면서 '겔' 구입을 간청하였다.

그 PD는 그 무거운 '겔'을 야간열차에 싣고 북경에 도착하여 내가 요구한대로 아시아나 북경지점에 넘겼다. 나는 앞서 아시아나 홍보팀에 교섭하여 아시아나의 협조를 받기로 약속해 둔 바 있었다. 1993년 1월, '겔'이 서울에 도착했다. '겔'은 경복궁 옆 현대화랑 뒷마당에 설치됐다. '겔'은 베니스로 옮겨질 때까지 이곳에 있었다. 백남준은 우리가 몽골계통 민족임을 입버릇처럼 얘기하곤 했다. "단군도 몽골 출신 샤먼(Shaman) 아닌가? 울란바토르에서 서울을 거쳐 이제 베니스로 가야 돼, 이병대 당신도 몽골반점이 있잖아? 칭기즈칸은 무력으로 유럽을 정복했지만 나는 문화로 유럽을 정복할 거야. 하, 하, 하…"

백남준은 무당 얘기를 자주 했고 관심도 많았다. 백남준이 1993년 베니스 비엔날레에서 황금사자상을 수상한 작품 '일렉트릭 하이웨이, 울란바토르에서 베니스까지' 는 직접 보지 못했지만 여러 번 들어 대충 알고 있다. '겔' 속에 TV로 형상화한 자전거 타는 모습의 칭기즈칸과 단군을 형상한 TV 제품 등이 진열되어 있었을 것이다. 백남준은 독일을 우리나라 다음으로 사랑했다. 그래서 이 작품을 독일관에 전시했고 독일관이 그해 베니스 비엔날레 최고상인 '황금사자상' 을 수상한 것이다.

나의 기자 인생 33년은 백구과극(白駒過隙)처럼 짧게만 느껴진다. 그동안 나의 여정은 폭포수처럼 물보라를 날리며 세차게 흐를 때도 있었고 실개천과도 같이 흐를 때도 있었다. 그러나 장애물이 있을 때마다 틈을 찾아 흐르는 물처럼 평생의 천직인 언론계에서 정년으로 마칠 수 있었다.

어디서 읽은 글이 생각난다. 추억은 아름답고 인생은 살만한 가치가 있다. 그리고 직업은 신성하다.

이병대 | 1941년 11월 10일생, 동아일보 기자, KBS 보도제작국장, 제주총국장, 스포츠국장 · 사회교육국장, 해설위원, 대한언론인회 회장(현)

빛 못 본 특종 사진

신문에 나지도 않을 사진은 왜 찍냐?

이병훈

1979년 12 · 12사태를 일으켜 군 권력을 장악한 전두환의 신군부 세력은 1980년 5월 17일 비상계엄 조치를 전국으로 확대하면서 김대중을 학생 소요 배후 조종 혐의로 체포하고 김영삼을 가택 연금한다.

이후 1981년 김대중은 국가 보안법 및 계엄법 등의 위반죄로 대법원에서 사형을 언도받았고 특별 사면으로 무기로 감형되어 복역 중이었다.

1982년 12월 16일 아침 정부 대변인 이진희 문화공보부 장관은 "복역 중인 김대중을 서울대 병원으로 이송, 지병을 치료토록 조치했다. 앞으로 미국에서 신병 치료를 하는 것을 포함하여 가능한 한 관대한 조치를 취할 방침이다. 이 같은 정부 방침은 구시대의 잔재를 청산하고 국민 대화합을 이룩하려는 인도주의적 배려에 의해 결정된 것이다."라고 발표했다.

이 날자 전국의 일간지는 1면 톱기사로 다음 주에 김대중씨의 도미치료가 이뤄진다며 이 같은 조치가 정치적 자신감에서 비롯된 인도적 조치의 영단이며 전 대통령의 각별한 배려라는 해설 기사를 덧붙여 보도했다.

이진희 정부대변인은 "이번 이송은 과거부터 앓아오던 병이 갑자기 악화됐기 때문이 아니라, 정부가 인도주의적 입장에서 최대한의 관용을 베풀자는 것"이라고 배경을 설명하고 "김과 그의 가족들이 미국에서 신병치료 받기를 희망하고 있기 때문에 정부는 그 희망을 들어주려는 것"이라고 설명했다.

3면에도 해설 기사를 실었지만 그의 사진은 1단짜리 인물 사진조차 실리지 않았다. 5 · 17 이후 김대중 · 김영삼씨의 사진과 시위 현장 사진은 일체 게재하면 안 된다는 보도 지침에 따라 편집되었기 때문이다.

서울대 병원으로 비밀리에 이송된 후 언론의 관심은 1981년 5월 17일 밤 자택에서 연행된 뒤 지면에서 사라져버린 그가 처음으로 나타나는 순간의 사진을 취재할 수 있을까에 있었다. 따라서 정치부와 사회부, 사진부 기자들은 김대중씨의 근황을 알기 위해 그리고 병원을 나서는 장면을 취재하기 위해 병원 주변에 머물게 된다. 그래서 병원의 주요 출입문 주변에는 연일 몰려드는 사진 기자와 취재진들의 열기로 가득했다. 그리고 출국일자로 알려진 12월 23일에는 이른 새벽부터 각 언론사에서 3~4명씩 사진 기자가 나와 1백 여 명이 넘는 내외신 보도진이 몰려들었다.

서울대 병원의 특실 주변은 일반인들의 출입이 차단되어 있어 그가 어느 통로를 통해 그리고 어느 문을 통해 나타날지는 전혀 예상할 수가 없는 상황이었다. 특실이 있는 건물에 설치된 엘리베이터는 3대가 있었고 차를 타려면 1층과 2층 어디서 내려도 가능하다.

무엇보다 그 많은 병원 출입문 중 어떤 문을 지키고 있어야 할지 전혀 알 수 없는 막막한 실정이어서 각사에서 여러 명씩 나와 있었다. 조금만 이상한 낌새가 보이면 그 출입구 주위에 기자들이 몰렸지만 또 다른 곳에 기관원처럼 보이는 사람들이 나타나면 다시 그 부근에 모이기를 반복하며 시간만 흘렀다.

현장에서 들리는 얘기로는 저녁 출발 대한항공 탑승자 명단에 김씨 가족이 예약한 것이 확인되었으며 몇몇 언론사가 동승하기 위한 티켓을 확보해 놓았다고 했다. 만약 병원 현장에서 취재가 불가능하더라도 항공기에 동승해 기내에서 취재할 계획이 준비되어 있었다.

어둠이 짙어지고 예상되는 항공편의 출발 시간이 가까워질수록 다들 긴장된 모습으로 바삐 움직였다. 때마침 정문 쪽에 대기하고 있던 승용차와 지프가 시동을 걸자 각사의 보도진이 재빠르게 그곳을 에워쌌다. 순간 내 생각으로는 사람들이 가장 많이 몰리는 장소에서 탑승이 이뤄진다는 게 이해가 되지 않아 보도진을 따돌리려는 위장 작전이라는 생각이 들었다.

그래서 다시 주변의 다른 차량의 움직임을 주의 깊게 살펴보던 정문 앞 외딴 구석에 서있던 두 대의 앰뷸런스가 동시에 어디론가 서서히 움직이는 게 눈에 들어왔다. 점심시간 이후에 나타나서 계속 그 장소에서 대기하며 차량을 손보고 있어 의심을 갖고 지켜보고 있던 차량이었다. 재빨리 회사 차량에 올라타고 그 차를 뒤쫓아 가자고 했다.

가로등이 모두 꺼져있는 컴컴한 병원 건물 뒤편을 지나 인적이 없는 곳에 차가 멈춰 섰다. 주변에는 두세 명의 건장한 사람들이 서성이고 있었고 이어서 가방과 짐 보따리를 든 10여 명이 동시에 나타나더니 차에 올라타

정문 방향으로 급히 빠져 나왔다. 순식간에 일어난 일이었고 곧바로 앰뷸런스가 경고음을 올리며 뒤따라왔다. 나는 겁이나 차량의 문을 꼭 잠그고 필름을 갈아 끼우고 있었는데 앰뷸런스는 우리 차량을 앞질러서 정문을 빠져나가 버렸다.

어느새 모든 언론사의 차량들이 정문 출구 쪽으로 몰렸는데 이미 경찰은 차량으로 막아서 뒤쫓지 못하게 통행을 차단시켜 버렸다. 이 방어선을 뚫고 빠져 나온 몇몇 언론사가 김포공항까지 차량 레이스를 벌였으나 도중에 차단 당해 그냥 되돌아왔다고 했다.

그리고 김대중씨 일행은 김포공항에서도 탑승이 예정되었던 국적기를 타지 않았다. 대신 7시 30분발 NWA 기의 출발을 지연시키며 대기하고 있다가 이 항공기에 탑승하도록 바꿔 언론을 완전히 따돌리는 극비 수송 작전을 벌였던 것이다. 따라서 국적기에 미리 타고 있었던 기자들은 모두 미국까지 갔다가 빈손으로 되돌아오는 수밖에 없었다.

이와 같이 완벽한 극비 작전을 뚫고 특종 취재한 카메라를 들고 편집국에 뛰어 들어서자 모두의 시선이 나에게 쏠렸다. 편집국장을 비롯한 직원 십여 명이 암실 앞에 모여 현장의 순간을 담은 필름이 현상되어 나오기를 기다리고 있었다.

어둠 속에서 순식간에 벌어진 상황인데다가 여러 명이 무리지어 움직이는 곳을 향해 렌즈를 겨누고 플래시를 터뜨린 것이어서 무엇이 어떻게 찍혔는지 도무지 알 수 없었다. 김대중씨의 모습을 눈으로라도 확인하기는 커녕 무리 속에 포함되어 있는지 여부도 모르는 상태에서 목측으로 거리를 조정하고 셔터를 눌렀기 때문에 그의 모습이 프레임에 들어 있을지 그리고 초점은 맞았는지 모두가 전혀 자신이 없었다.

확대기에 필름을 걸자 김씨의 얼굴이 보였고 이를 확인하는 순간 모두가 환호했다. 당시 미국 정부와 일본의 나카소네 수상도 김씨의 석방을 환영한다고 언급을 할 정도로 세계가 김씨의 도미와 석방에 관심을 보였던 만큼 세계적인 특종 사진으로 부각될 수도 있었다. 그러나 아쉽게도 특종 사진은 사장되고 말았다. 그 날자 내려온 '보도 지침' 은 '사진 게제 불가' 였고 기사는 3단으로 처리하라고 하달되어 있었기 때문이다.

1982년 12월 24일자 조선일보 1면의 중앙부분에 3단 제목으로 '金大中씨 出國, 어제 저녁 美로', '형집행정지 석방, 부인 · 두 아들 함께' 라는 제목으로 기사만 실렸다. 기사 내용은 다음과 같다.

김대중 전 대통령 일행이 가로등이 꺼진 서울대병원 뒷문 방향에서 환자 후송용 앰뷸런스의 뒤쪽 좌석에 짐을 옮겨 싣고 있다. 오른쪽에서 두 번째가 DJ.

'김씨는 부인 이희호 여사 및 차남 홍업, 홍걸 등 가족 3명과 함께 이날 오후 7시 30분 NWA020 호 편으로 출국했다. —김씨는 지병에도 불구하고 건강에는 별다른 이상이 없으며 보행에도 큰 불편은 없다고 한 병원 당국자가 밝혔다.— 김씨가 치료받을 미국 내의 병원 등에 대해서는 아직 알려지지 않고 있으며, 김씨는 미국에 머물면서 병 치료에 전념하겠다는 의사를 밝힌 것으로 알려졌다.'

오랜 세월이 지나고 나중에 알려진 사실이지만 사형수로 복역중이던 김대중 씨는 전두환 대통령에게 두 번의 탄원서를 보냈다.

"…본인은 그간의 행동으로 국내외에 물의를 일으켰고 이로 인하여 국가 안보에 누를 끼친 데 대하여 책임을 통감하며 진심으로 국민 앞에 미안

朝鮮日報

"金利 내년에 더 引下"

全대통령, 서울市 시찰 物價 올보다 낮게

市廳 이전 말도록

豫算 많이 들어…現廳舍활용 바람직"

鍾室~敎大 地下鐵 개통

全대통령 試乘

清掃員·鑛夫등에 겨울옷

全대통령, 9만여벌 선물

金大中씨 出國

어제저녁 美로

刑執行정지 석방… 夫人·두아들 함께

蘇, 日에 전

아베外相밝혀 漁夫석

對蘇 수입

1982년 12월 24일자 조선일보 1면에 실린 김대중 전 대통령 도미 기사. 국내의 모든 신문이 보도 지침에 따라 똑같이 3단 기사로 다뤘다.

하게 생각해 마지않습니다. 본인은 앞으로 자중자숙하면서 정치에는 일절 관여하지 아니할 것이며…"라는 내용으로 1981년 1월 18일 자로 자필 작성되었다.

그 후 다시 1982년 12월 13일자로 두 번째로 보낸 서한에는 "…각하께서도 아시다시피 본인은 교도소 생활이 2년 반에 이르렀사온데, 본래의 지병인 고관절 변형증, 이명 등으로 고초를 겪고 있으며, 전문의에 의한 충분한 치료를 받고자 갈망하고 있습니다. 본인은 각하께서 출국 허락만 해주신다면 미국에서 2~3년간 체류하면서 완전한 치료를 받고자 희망하온데 허가해 주시면 감사천만이겠습니다. 아울러 말씀드릴 것은 본인은 앞으로 국내외를 막론하고 일체 정치활동을 하지 않겠으며 일방 국가의 안보와 정치의 안정을 해하는 행위를 하지 않겠음을 약속드리면서 각하의 선처를 앙망하옵니다."라고 썼다.

당시 대학가는 경쟁하듯 연일 시위를 벌였고 경찰은 아예 교정에 진주해 있었다. 시위 현장은 머리 위를 나는 돌과 최루가스가 뒤범벅이 된 상태였고 그 한 가운데에 헬멧과 방독면을 쓴 사진 기자들이 외롭게 서서 역사를 기록했었다. 그러나 당시에는 한 컷도 빛을 보지 못했다. 그래서 신문에 나지도 않을 사진은 왜 찍냐는 시위대의 항의가 최루가스나 돌보다 더 아팠던 암흑 같던 시절에 겪은 일화 중 한토막이다.

이병훈 | 1946년 7월 19일생. 조선일보 편집국 부국장 겸 사진부장, 한국사진기자협회 편집위원장, 고려대미디어학부 겸임교수,한국영상자료원장

내가 본 박정희 대통령

> 국가 안위와 직결돼 있는 안보 외교 국방 문제 등과 관련해서 박정희 대통령은 누구에게든 한 치의 양보도 없었다.
>
> 이석희

나는 처음 박정희 대통령을 만나는 자리에서 느꼈던 강렬했던 그의 첫 인상을 40년이나 지난 지금도 생생하게 기억한다. 내가 박정희 대통령을 직접 만나게 된 것은 지난 1972년 5월 16일이었다.

나는 그해 4월 18일부터 청와대 출입 기자로 청와대에 나갔지만 대통령께 정식으로 인사를 드리고 오찬에 참석한 날은 5 · 16혁명 11주년이 되는 날이었다.

박 대통령은 그날 시민회관(지금의 세종문화회관)에서 있었던 5 · 16 기념행사가 끝난 뒤 청와대 본관에서 기자들에게 오찬을 베풀었다. 나는 새로 출입하게 된 초년기자로서 대통령께 신고하는 입장이기 때문에 선(?)도 뵐 겸 박정희 대통령과 육영수 여사를 마주보는 자리에 앉게 되었다. 그날의 화제는 자연스럽게 5 · 16 혁명에 관한 것이 중심이 될 수밖에 없었다.

박 대통령은 혁명에 얽혀 있는 비사(秘史)들을 생생하게 들려주었고 육영수 여사는 아이들의 어머니로서 그리고 남편의 내조자로서 겪었던 아슬아슬하고 불안했던 당시의 심경을 감추지 않고 들려주었다.

박정희 대통령으로부터 들은 비화 가운데 아직도 또렷하게 기억되는 것은 이미 혁명의 대세는 기울었는데도 명확한 태도 표명을 하지 않고 엉거주춤하고 있던 당시 장도영 육군 참모총장을 설득하던 때의 얘기였다.

혁명을 주도하고 있던 박정희 육군소장은 백태하 대령과 함께 장도영 육군 참모총장을 찾아가 당시 상황과 혁명의 불가피성을 설명하고 있었다. 그런데도 장 총장이 이것도 아니고 저것도 아닌 어정쩡한 태도로 나오자 평안도 출신의 백 대령이 권총을 장전해 장 총장의 배를 찌르면서 "총장, 이 새끼야, 하간 안 하간!" 하고 벽력같이 소리를 질렀다는 대목이다. 대통령을 마주보고 앉아서 생사를 걸었던 당시의 비사들을 들으면서 나는 그의 두 눈에서 철철 흘러넘치는 담력을 뼈 속까지 느꼈다.

그 자그마한 체구에서, 조그맣고 새카만 얼굴에서, 아니 전신에서 뿜어져 나오는 그 엄청난 담력을 누가 거스를 수 있겠는가? '혁명은 아무나 할 수 있는 것이 아니구나, 모든 사람을 제압하는 박정희의 카리스마가 저기에 있구나.' 하는 강한 느낌을 받았다.

박정희 대통령이 1974년 광복절 경축식장에서 영부인 육영수 여사가 저격당한 현장에서 2분 만에 다시 연단에 서서 연설을 마칠 수 있었던 것도 생사를 초월하는 남다른 담력이 있기 때문에 가능했던 일이라고 생각한다.

저격범 문세광이 붙잡히고 장내가 불안과 공포에 휩싸여 있을 때 연단 뒤쪽에 엎드려 있던 대통령은 다시 연단 마이크 앞에 나와 섰다. 그리고 더욱 또랑또랑 하고 힘찬 음성으로 말했다. “여러분, 하던 얘기를 계속하겠습니다.” 그는 5분 넘게 연설문을 끝까지 읽고는 “감사합니다.”라며 고개 숙여 인사했다. 그 순간 그 상황에서 만약 대통령도 혼비백산(魂飛魄散)해서 경호원들의 부축을 받고 얼빠진 모습으로 퇴장했더라면 국가 전체에 미치는 분위기는 수습하기 어려울 정도로 엉망이 되었을 것이다. 결정적인 순간에 국정 최고 책임자의 즉각적인 판단과 일동일정(一動一靜)이 얼마나 중요한 것인가를 일깨워준 일로 기억된다.

독도는 미 · 일에 한 치도 양보 안 해

국가 안위와 직결돼 있는 안보, 외교, 국방 문제 등과 관련해서 박정희 대통령은 누구에게든 한 치의 양보도 없었고 신중에 신중을 기했다. 목숨이라도 바칠 각오로 임했다. 예를 들어서 일본 측이 집요하게 물고 늘어지고 있는 독도 문제에 대한 박정희 대통령의 단호한 태도는 1965년 6월 15일 미 국무부 문건 제364호에서도 확인된다.

시효가 지나 2006년 기밀문서에서 해제된 미 국무부 문건 제364호에 따르면 일본은 미국에 로비를 하여 1965년 5월 17일, 존슨 대통령이 방미 중인 박정희를 만났을 때 “독도를 일본과 공유하라, 공동 등대를 설치하라.”는 등의 압력을 넣었지만 박정희는 이에 대해 “있을 수 없는 일”이라고 한 마디로 거절했다.

미국이 힘으로 밀어붙이려 하자 박 대통령은 장관급 회담을 거절하겠다며 맞섰고, 미국대사는 "박 대통령은 그 무엇으로도 독도를 바꾸려 하지 않는다."며 밀어붙이기가 불가능하다는 사실을 본국에 보고하여 결국 이를 포기하게 된다는 사실이 기록돼 있다.

미국과 일본의 막강한 압력에도 굴하지 않고 꿋꿋하게 우리의 영토권을 지켜낸 결과 1965년 6월 22일 체결된 한 · 일어업협정은 독도는 우리 땅이라는 전제하에 체결됐던 것이다.

그런데 1998년 1월 28일 김대중 대통령이 서명한 소위 새 한 · 일어업협정은 어떠한가? 그때 새로 그은 '배타적 경제수역(EEZ)'에서는 독도가 한 · 일공동관리수역에 들어가 우리 땅이라는 근거가 사라지게 되었다. 이로 인해 3천여 척의 쌍끌이 어선들이 일자리를 잃었고, 선박 및 어구류 제조업체들이 날벼락을 맞았다. 하루아침에 일자리를 잃은 어민들의 원망을 외면하고 김대중 대통령은 기다렸다는 듯이 그 어선들을 북한에 주자고 했다.

심지어 '독도는 우리 땅'이라는 노래를 '방송금지곡'으로 지정해 못 부르게 하는가 하면, 1999년 12월 KBS, SBS, MBC 등 방송 3사가 합동으로 우리나라 땅에서 제일 먼저 떠오르는 새 천년의 해를 촬영하려고 독도로 향했으나 해군 군함까지 출동시켜 이를 막아 방송사들은 할 수 없이 울릉도에서 촬영한 사실이 있지 않았던가?

북한이 저지른 판문점 도끼 만행 사건 때 있었던 일이다. 1976년 8월 18일 오전 10시, 판문점 공동경비구역(JSA) 안에서 전방 시야를 가리는 미루나무의 가지치기를 하던 미군 보니패스 대위와 발레트 중위 등 2명이 북한 인민군이 휘두른 도끼와 방망이로 무참히 살해된 사건이 터졌다. 대한민국은 이내 아수라장이 돼버리면서 박정희 대통령의 입만을 주시했다. 박 대통령 입에서 튀어나온 "미친 개는 몽둥이가 약이다." 이 한마디가 국민의 공분에 불을 댕겼다. 박 대통령은 미국에 말했다. "미루나무 가지치기 작업은 미군이 아니라 우리 한국군이 끝내겠다." 미국도 깜짝 놀랐다. 박정희의 응징 의지가 저렇게 강할 줄이야! 한국군이 JSA에 들어가 미루나무 가지치기를 시작했다. 바로 그때 집무실에서 대통령에게 보고를 마치고 나온 당시 민정수석 박승규씨는 "박 대통령 집무실에 철모와 군화가 놓여 있었다. 북한에 대한 응징을 대한민국 국군 통수권자인 바로 자신이 진두지휘하겠다는 듯한 결의에 차 있었다."고 전했다.

북한군이 가지치기를 막거나 도발해오면 '황해도 사리원'까지 치고 올라가는 계획을 한 · 미 간에 완벽히 세워놓고 실천에 들어갔다. 미국은 F-4, F-111 전폭기 2개 대대 증파, B-52 폭격기 출격, 항공모함 미드웨이호는 한반도 해역으로 항진 중이었다.

일촉즉발의 급박한 상황이 되자 김일성이 '인민군 최고사령관'의 이름으로 유엔군 사령관에게 사과문을 보냈다. "판문점 공동경비구역 내에서 사건이 발생한 데 대해 유감스럽게 생각한다." 김일성의 완전한 굴복으로 이틀 만에 끝이 났다. 제2의 한국전쟁이 일어날 뻔한 위기는 그렇게 막이 내렸다. 제 나라 안보는 제 나라 국민이 지켜야 하고 국가 원수인 대통령이 철모 쓰고 군화 신고 전장에 나가 죽을 각오를 하는 결의가 당시 안보 국방의 가장 튼튼한 버팀목이었던 것이다.

'평화 통일 외교 선언' 으로 새 지평 열고

지난 1973년 6월 23일에 발표한 우리의 평화 통일 외교 정책 선언은 한국 외교의 새로운 지평을 여는 획기적인 것이었다. 왜냐하면 그 이전까지는 '할슈타인 원칙' 에 따라 우리는 '북한을 승인하는 나라하고는 외교 관계를 맺지 않는다' 는 방침이었으나 6 · 23 선언으로 폐쇄적인 외교 정책에서 벗어나 적극적인 외교 정책으로 전환했기 때문이다. 6 · 23 평화 통일 외교 정책을 확정하기 전 박정희 대통령은 그 해 1월부터 6개월 가까이 매주 수요일 오후 2시 청와대에서 국가안보회의 소위원회를 주재했다. 회의는 중앙정보부가 제3세계 국가 등 관련 동향을 분석 보고하고 안보회의 멤버들의 거리낌 없는 토의가 이루어지는 식으로 진행되었다.

그런데 이해할 수 없으리만큼 이상한 것은 대통령이 빠지지 않고 참석해 메모까지 해가며 경청을 하면서도 거의 대부분 말 한 마디 없이 회의를 끝낸다는 점이었다. 대통령은 회의가 진지하게 진행되도록 자리 잡고 있을 뿐, 실제로는 한 마디 말도 없이 토의 내용을 진지하게 경청하는 모범 수강생 같아 보였다. 그런 식으로 6개월 동안이나 회의가 진행된 어느 날 대통령이 긴 회의를 마무리하면서 딱 한 마디로 결론을 내렸다. "문을 여시오!"

박 대통령의 묵언경청(默言傾聽)과 결단

박 대통령의 이 결정으로 우리 정부는 '6 · 23 평화 통일 외교 정책 선언' 을 채택하고 남북 간의 외교 경쟁에서 주도권을 잡게 된 것이다. 6개월

동안의 자료 수집과 끊임없는 토론 분위기 조성, 6개월 동안에 걸친 대통령의 묵언경청(默言傾聽)과 결단… 흔히 볼 수 없는 국정 운영 스타일의 백미(白眉)였다.

미국 더글러스 사의 중역인 데이비드 심프슨 씨의 회고담이다. 그는 우리 군이 미국으로부터 M16 소총을 이전받게 됨에 따라 대통령에게 리베이트를 주기 위해 더운 여름철에 청와대를 방문하게 됐다. 대통령 집무실로 안내된 심프슨 씨는 무더운 집무실에서 노타이셔츠 차림으로 책상 앞에 앉아 무언가 열심히 메모하며 왼손으로는 부채질을 하는 박정희 대통령을 보게 됐다. 대통령은 손님을 보자 예의를 갖추기 위해 양복저고리를 입으며 에어컨을 켜라고 비서관에게 지시를 하면서 “나 혼자 있는 넓은 방에서 ‘에어컨’을 트는 것이 낭비인 것 같아서요…”라고 말했다. 심프슨 씨는 그제야 한나라의 대통령 집무실에 그 흔한 에어컨 바람 하나 불지 않는다는 것을 알았다고 한다.

심프슨 씨는 한국방문 목적을 설명하기 시작했다. “각하. 이번에 한국이 저희 M-16소총의 수입을 결정해 주신 데 대해 감사드립니다. 이것이 한국 방위에 크게 도움이 되었으면 합니다.” 그리고 준비해 온 수표가 든 봉투를 그의 앞에 내밀며 “이것은 저희들의 작은 성의 표시입니다.” 하고 말했다. “이게 무엇이오?” 박 대통령은 봉투를 들어 그 내용을 살펴보았다. “흠, 100만 달러라. 내 봉급으로는 3대를 일해도 만져보기 힘든 큰돈이구려.” “각하! 이 돈은 저희 회사에서 보이는 성의입니다. 그러니 부디…” 대통령은 웃음을 지으며 말했다. “이보시오! 하나만 물읍시다.” “이 돈 정말 날 주는 것이오?” “맞습니다. 각하!” “알았소. 대신 조건이 있소.” 박 대통령은 수표가 든 봉투를 들고 말했다. "자, 이 돈 100만 달러는 이제 내 돈이오. 내 돈을 가지고 당신 회사와 거래를 하고 싶소. 당장 이 돈의 가치만큼 총을 더 가져오시오." "난 돈보다는 총으로 받았으면 하는데, 당신이 그렇게 해 주리라 믿소." 그는 다시 말했다. "당신이 나에게 준 이 100만 달러는 내 돈도, 당신 돈도 아니오. 이 돈은 지금 월남에서 피를 흘리며 싸우고 있는 내 형제, 내 아들들의 피땀과 바꾼 것이오. 이 돈은 다시 가져가시오. 대신 이 돈만큼의 총을 우리에게 가져오시오." 심프슨은 용기를 얻었다. 그리고 일어나서 박 대통령에게 말했다. "알겠습니다. 각하, 반드시 100만 달러어치의 소총을 더 보내드리도록 하겠습니다."

심프슨은 그때를 이렇게 회고했다. "그때 나는 그의 웃음을 보았다. 한 나라의 대통령이 아닌 한 아버지의 웃음을… 그에게는 한국 국민들이 자신의 형제들이요 자식들임을 느꼈다. 그리고 지금까지 내가 만나봤던 여러 후진국의 대통령들과는 분명히 다른 사람임을 알 수 있었다."

이석희 | 1941년 10월 19일생, 국방내학원 졸업, KBS 정치부장, 해설위원, 기획조정실장, 비서실장, 보도국장, 한국 방송개발원 방송정책 연구실장

제왕적 대통령 문화의 탈피
-언론의 질문과 호칭과 경어에서부터-

마구잡이식 질문이 난무하고 지나치게 높이는 경칭이나 경어를 사용하는가 하면 무례하게 낮추거나 욕설과 같은 호칭과 비속어가 난무하고 있다.

이청수(李淸洙)

언론의 자유 시대를 넘어 1인 매체시대, 소셜 미디어(SNS, Twitter, Facebook) 시대 또 나아가 표현의 자유 시대를 맞아 그 형식과 내용에 많은 문제를 낳고 있다. 특히 질문 방식과 경칭과 경어의 사용에서 그렇다. 마구잡이식 질문이 난무하고 지나치게 높이는 경칭이나 경어를 사용하는가 하면 무례하게 낮추거나 욕설과 같은 호칭과 비속어가 난무하고 있다. 그 말의 내용에서는 더 말할 나위가 없다. 이렇게 나가면 제왕적 대통령 문화를 탈피하는 것은 물론 천박한 자유 민주 언론도 피할 길이 없다. 그 가운데 대통령이나 그 후보에 대한 것들을 대표적으로 살펴보고자 한다.

먼저 선진 민주 언론 시대를 구가하는 미국을 보자. 나는 거의 한 세대 전인 1988년 10월 13일 조지 부시(George H W Bush) 부통령(공화당, 아버지 부시)과 마이클 두카키스(Michael Dukakis) 매사추세츠 주지사(민주) 사이의 미 대통령 후보 토론회를 KBS 워싱턴 특파원으로서 직접 취재하면서 보았을 때다. CNN의 흑인 뉴스 앵커로 유명한 버나드 쇼

(Bernard Shaw)가 사회를 맡았다. 이 토론회에서 각 후보에 대한 경칭은 누구나 '미스터'(Mr. :Mister) 부통령 또는 주지사로 일반에 대해서와 같이 평준화해서 불렀다. 미스터마저 생략하고 그냥 바이스 프레지던트 부시, 주지사 두카키스라고 부르는 경우가 많았다. 이미 알던 대로다. 경어(존댓말)도 특별히 없었다. 영어는 존댓말이 거의 없다는 것쯤은 배우기 시작할 때부터 알던 것 아닌가. 모두 놀랄 게 없다. 그러나 그 질문 방식과 내용에서 깜짝 놀랐다. 나뿐만 아니라 미국 사람들도 놀랐다. 허용될 수 있는 가장 신랄한 극한 수준까지 내려갔기 때문이다. 미국 언론은 부적절한 경칭이나 비속칭으로 사람을 차별하지 않고 그 방식과 내용으로 평가한다는 것을 절감했다. 우리나라에도 불완전하게나마 이미 알려진 것이지만 언론인 입장에서 다시 한 번 정확하게 볼 필요가 있다.

먼저 두카키스 후보에게 첫 질문이 떨어졌다.

버나드 토마스(Bernard Shaw, 사회자, CNN뉴스 앵커, 흑인): "거버너(Governor), 만일 (당신의 부인) 키티 두카키스(Kitty Dukakis)가 강간 살인을 당했다면 (그 때는) 그 살인범에 대한 사형을 찬성하시겠습니까?" ("Governor, if Kitty Dukakis were raped and killed, do you favor of irrevocable death penalty for the killer?")

이 무슨 극치의 불길한 질문인가. 모두 숨을 죽이고 답변을 기다렸다.

마이클 두카키스 주지사: "나는 (사형을) 찬성하지 않을 것입니다("No, I

don't.”). 사형제 폐지는 내 평생 동안의 소신입니다. 사형제가 있다고 해서 흉악 범죄가 억제되고 있다는 증거는 발견하지 못하고 있습니다. 나는 흉악범을 다스릴 수 있는 다른 효과적인 방법을 사용할 것입니다”(다른 부연 설명 생략)

이 또 무슨 무덤덤한 답변인가. 사랑하는 부인의 불행을 가정한 답변인데 아무리 사형제 폐지가 소신이라 하더라도 그렇게는 말할 수 없는 것이다. 감동적으로 답변했어야 했다.

다음 부시 후보에 대해서는 어떤 질문이 나올 것인가. 또 모두 침을 삼키며 주시했다.

버나드 쇼: “바이스 프레지던트(Vice President), 당신이 대통령에 당선된 후 취임도 하기 전에 사망한다면 (당신의 부통령 러닝메이트) 댄 퀘일(Dan Qwale) 상원의원이 대통령직을 바로 승계하게 돼있는데 그런 가능성에 대해 어떻게 생각하십니까?(그가 그 직을 잘 수행해 나가리라고 보십니까 라는 뜻의 질문)

이 또 무슨 극치의 불경스러운 질문인가. 선거 운동 내내 댄 퀘일의 자질과 경험 부족이 계속 문제가 됐었다. 그는 어느 초등학교 방문에서 한 학생이 감자의 복수형으로 potatoes라고 칠판에 잘 써 둔 것을 potatos라고 고쳐 써 주는 모습이 그대로 뉴스 화면에 나타나 웃음거리가 되기는 했다. 그래도 이건 너무 심하지 않은가. 모두 어떤 답변이 나오나 잔뜩 긴장하며 기다렸다.

> 조지 부시 부통령: "오, 버니."(Berni: Bernard의 약칭) (손을 저어 보이면서 미소까지 띄우고) "나는 그를 믿습니다. 나는 훌륭한 선택(부통령 후보)을 했습니다(I'd have confidence in him. I made good selection.)." "나는 대통령 선거에서 (상대) 대통령 후보가 나의 부통령 후보와 경쟁하는 것과 같은 대통령 선거 운동을 본 적이 없습니다(I've never seen a presidential campaign where the presidential nominee runs against my vice presidential nominee never seen one before.)." (박수), (불필요 부분 생략)

부시의 결정타가 됐다. 두카키스는 머리만 있고 가슴이 없는 사람이 아닌가. 부시는 머리와 가슴을 동시에 가진 사람이 아닌가. 두카키스의 판정패였다. 이것이 멍에가 돼서 결국 선거에서도 졌다.

당시 미국 사람들은 대체로 질문이 신랄함의 극치였으나 기본 예의를 갖췄고 무엇보다 양쪽에 같은 강도로 공정해서 좋았다고 평가했다. 전혀 예상치 못한 어려운 질문에 후보자들이 어떻게 잘 답변하느냐에 그 본래의 자질과 능력이 드러나는 것을 보고 후보를 골랐다.

나는 30년이 거의 다 된 지금까지도 대통령 회견이나 대통령 후보 토론 등에서 이렇게 신랄한 수준의 질문을 들어보지 못했다. 나라 안팎을 막론하고서다.

그렇다면 우리 언론의 경우는 어떤가. 그 내용은 그동안 많이 지적됐으나 앞의 미국 사례를 참고하기 바란다. 여기서는 경칭과 존댓말에서 어떻게 비민주적으로 되고 있는가. 과거보다 오히려 후퇴하고 있는 면이 있다는 것을 보고자 한다.

우리의 대통령에 대한 경칭은 1970년대 유신 시대까지만 해도 '대통령 각하' 였다. 1979년 10 · 26 사건으로 유신 체제가 무너지고 최규하 대통령의 과도시대에 와서 각하라는 말이 한때 사라졌다. 적어도 공식 회견이나 대담 등에서 그랬다. 갑자기 '대통령님' 으로 불러지지 않아 '대통령께서는' 식으로 돌려 호칭했다. 이어 5공 때는 '대통령 각하' 라는 호칭이 공식적이든 비공식적이든 가끔 튀어 나왔다.

그 다음 김영삼 대통령의 문민정부 시대에 와서는 공식이든 비공식이든 대통령 각하라는 말을 못 쓰게 했다. 그러나 '대통령님' 으로 호칭하기가 여전히 어색해서인지 '대통령께서는' 이라는 식으로 많이 썼다. 대통령님으로 굳어진 것은 국민 정부 시대인 김대중 대통령 때였다. 그것이 오늘날까지의 대통령 호칭으로 돼 왔다.

그러나 대통령 각하라고 불렀든 대통령께서는 하고 간접으로 불렀든 또 대통령님으로 불렀든 뉴스 보도를 내 보낼 때는 하나로 통일됐다. 그냥 '대통령은' 이었다. 신문에서는 '000 대통령은 …라고 말했다' 로 평칭과 평어체로 썼다. 방송에서는 '000 대통령은 …라고 말했습니다' 라고 했다. 말로 하는 방송이기 때문에 '말했습니다' 라고 하는 것은 대통령에 대한 존댓말이 아니라 시청자 나아가 국민에 대한 것일 뿐이다. 민주 국가에서 모든 사람은 법 앞에 평등하다는 정신과 원칙을 우리 언론이 잘 지키고 있기 때문이다. 무슨 당연한 소리를 새삼 하느냐고 할지 모르겠다.

근대 신문의 사실상 효시로서 1896년 4월 7일에 창간된 격일제의 독립신문을 보자. 1897년 10월 12일 대한제국이 선포되기 1년 반 전이다. 독립신문은 대한제국에서 왕을 정식으로 '황제 폐하' 라고 부르기 훨씬 전의 창간호에서 이미 '폐하 만세' 라는 말을 썼다. 왕을 황제에 대한 호칭인 '폐하' 보다 한 급 낮은 '전하' 라 부를 때였는데도 그랬다. 그것은 근대 신문 보도에서의 호칭 후퇴라기보다는 조선이 중국 등과 대등한 정정당당한 독립국임을 선언하기 위함이었다. 이에 따라 창간 제 2호인 4월 9일 자 1면 논설에서는 외국인을 우리와 같이 잘 대우하도록 하라는 고종 임금의 조칙을 소개하면서 "임금이 이렇게 간절히 '말씀하시는데' …"라고 했다. 아무리 독립신문이라고 해도 왕조 시대의 임금에 대해서만은 예외적으로 최고의 호칭을 쓰면서 최소한이나마 존댓말을 쓰지 않을 수 없었던 것 같다. 그러면서도 대신들은 '000대신은 …' 이라고만 하고 지게꾼은 '000씨는 …' 라고 하는 식으로 평칭했다. 그들의 말이나 동정은 높낮이를 가리지 않고 '…했다더라', '갔다더라' 하고 평어체를 썼다.

1948년 대한민국 정부 수립 이후에는 '대통령은 …라고 말했다' (신문), '대통령은 …라고 말했습니다' (방송) 하고 경칭 없이 직함만 쓰고 누구에 대해서나 평어체를 씀으로써 명실상부한 민주 언론의 보도체제를 확립했다. 물론 대통령이 직접 나오는 방송 대담이나 좌담에서는 좀 다르다. "대통령 각하께서는 …에 대해 어떻게 생각하십니까?" 하고 경칭과 존댓말을 과거에 썼다. 그러나 문민 시대부터 각하라는 경칭은 사라지고 '대통령께서는 …' 으로 굳어졌다. '대통령님' 이라는 호칭이 국민의 정부 시대부터 정형화된 것은 앞에서 설명한 대로다. 단 존댓말은 지금까지 그대로 쓰고 있다. 그것은 우리 어법상의 예의에 맞다. "대통령께서는 어떻게 생각합니까?"라고 말하는 것은 대화 예법상 적절하지 않다. 단 택시 운전사에 대해서까지도 같은 존댓말을 써야 한다.

본래 폐하라는 경칭은 제왕 시대로부터 있어 오던 것이다. 미국이 1787

년 오늘날과 같은 미합중국 헌법을 제정할 때 대통령(President)을 어떻게 호칭 하느냐로 격론을 벌였다. 당연히 대통령 폐하{Your(His, Her) Majesty}라고 하자고 하는 소리가 높았다. 그럼 민주공화국이 군주국과 다를 게 뭐가 있느냐는 반론에 부딪쳤다. 전하{Your(His, Her) Highness} 나 각하{Your(His, Her) Excellency} 정도면 어떻겠느냐는 대안이 나왔다. 국격이 떨어져 보인다는 반론이 또 나왔다. 그렇다면 아예 MR. President라고 하자는 새 대안이 나와 그대로 채택됐다. 얼마나 민주적이고 평등한가. 그래서 미스터 스피커(국회의장), 미스터 세크러터리(장관), 미스터 세너터(상원의원) 등 하고 직책 앞에 미스터만 붙이면 다 되게 했다. 평범한 시민도 성 또는 성명 앞에 미스터를 붙여 부르는 것과 같이 된 것이다. 우리도 결국 호칭에서 거기에 따르는 셈이 됐다.

그러나 최근 방송에서 스트레이트 뉴스 보도가 아니고 대담이나 방송에서 사회자나 패널들이 대통령이나 고위 공직자들을 3인칭으로 부르거나 인용해서 말할 때 경칭이나 존댓말을 경쟁하듯 남발하고 있다.

"문재인 대통령 '께서' 내년 6월 지방 선거 때 개헌이 되도록 '하시겠다' 고 '말씀하셨습니다만….'"이라고 말하고 있는 것과 같다. 패널들은 거의 모두가 이중 삼중의 존댓말을 쓰고 있다. 언론직의 사회자까지도 가끔 따라 하고 있다. 박근혜 대통령 때 그런 현상이 자주 나타나는 것 같더니 지난 5월 대통령 선거 때부터 더욱 심해졌다. 심지어 박근혜 대통령이 2017년 3월 10일 탄핵 결정으로 물러난 뒤 3월 31일 구속이 집행됐을 때다. 방송 패널들은 대부분 '박근혜 전 대통령께서 구속 수감 되셨습니다' 라고 했다. 제왕적 대통령 시대보다 오히려 후퇴한 어법이 아닐 수 없다. 120여 년 전 독립신문 시대(방송이 없을 시대)보다도 뒤떨어진 존댓말이다. 모두

"문재인 '대통령은' 내년 6월 지방선거 때 개헌이 되도록 '하겠다' 고 '말했습니다만….'"라고 고쳐 말해야 한다. 방송에서 뉴스 보도 때가 아니더라도 이런 어법이 계속 자주 계속되면 제왕적 대통령 문화가 다시 되살아나게 하는 분위기를 조성하게 된다. 새 대통령 시대의 정신에도 맞지 않을뿐더러 방송 언론의 민주적 발전에도 역행하는 행태가 아닐 수 없다.

북한 방송에서는 "김정은 지도자 '동지께서는' 핵과 경제 병진 정책을 택하기를 잘 했다고 '말씀하시고' 앞으로 더욱 가열차게 해 나가야 한다고 힘주어 '말씀하셨습니다.'"라는 식의 뉴스 보도를 하고 있다. 직접 대담이나 좌담에서 뿐만 아니라 뉴스 보도에서까지 이런 이중 삼중의 경칭과 존댓말을 쓰는 북한의 방송 어법에 우리 방송 대담이나 좌담이라도 그 존댓말이 일부나마 닮아 가는 것 같은 인상을 줘서야 되겠는가.

우리 언론은 이제 대통령 회견이나 후보 토론 등에서 예의를 갖추면서도 예리하게 파고드는 질문을 할 줄 알고 할 수 있어야 한다. 그래야만 국민이 더 나은 대통령을 고르게 하고 대통령과 모든 공직자들이 더욱 올바르게 나아가게 하는 선진 민주 언론이 될 수 있다. 특히 방송계는 제왕적 대통령 문화를 쇄신할 수 있는 방송 어법의 원칙 합의와 이에 따른 매뉴얼을 하루라도 빨리 만들어 당장 실천해야 할 것이다.

우선 메이저 방송들부터 나서야 한다. 그렇게 해서 다른 방송들도 따라오게 하고 게이트 키핑이 상당히 소홀하기 쉬운 소셜 미디어나 1인 매체들을 이끌어 나가도록 해야 할 것이다.

이청수(李淸洙) | 1940년 3월 21일생, KBS 정치부장, 뉴스센터 주간, 보도본부 부본부장, 해설위원장, 워싱턴 총국장, 고려대 언론대학원 초빙교수, 이종환 교육재단 상임고문

암흑기를 회고하다

지난 세월을 회고하면 편집국장 재임 시 지면에 세 차례의 큰 바람이 불었다. KBS와의 대결 회오리, 필리핀의 민주 혁명 · 황색 바람, 2 · 12 총선과 신민당의 돌풍 기사가 그것이다.

이채주

우리나라 현대사에서 유신에 이어 제2의 암흑기라고 불리는 시기가 있었다. 신군부가 광주의 유혈을 거쳐 집권한 1980년부터 6 · 29 선언으로 민주화의 이행기로 옮겨가기 시작한 1987년까지를 이르는 것이다. 그때는 민주주의와 정치적 자유, 인권은 물론 없었다. 언론의 자유도 없었다. 허위가 진실로 바뀌고 밤과 낮이 얽혀 지나가던 때였다. 벌거벗은 권력이 공권력이란 이름 아래 폭력을 휘두르던 때였다. 그러한 시대였던 1983년 5월 동아일보 편집국장에 임명되어 암흑기의 절반이 넘는 3년 8개월 동안 재직하였다. 편집국장의 일과는 아침에 이른바 '보도 지침'을 전달받는 데서 시작되었다. 언론이 통제되던 시대였다.

세 차례의 바람

그럼에도 지난 세월을 회고하면 편집국장 재임 시 지면에 세 차례의 큰 바람이 불었다. KBS와의 대결 회오리, 필리핀의 민주 혁명 · 황색 바람, 2 · 12 총선과 신민당의 돌풍 기사가 그것이다.

첫째 KBS와의 대결. 권위주의 체제 아래서 국영 방송은 정권과 권위주의 체제의 어용 기관으로 전락할 수밖에 없는 운명을 지닌다. 그때의 KBS도 예외가 될 수 없었음은 물론이다. 1986년 4월 2일 동아일보 지면 7면 생활면에 'TV 시청료 거부 확산', 'KBS는 안봅니다 스티커도 배포', '기독교 교회협서 주관' 이란 기사가 2단으로 실렸다. 기독교계의 KBS 시청료 납부 거부 운동의 기사를 받아 4월 3일자 신문에 "KBS 시청료 거부 운동–공정 보도 원리 살려 공영방송 신뢰 회복"이라는 사설이 실렸다. 공교롭게도 그날 신문 4면에 지난 2일에 있었던 국회 내무위의 질의 답변이 '국회속기석' 으로 실렸다. 국회속기석의 제목 'KBS 예산낭비 35억원 적발' 이라는 제목은 황영시 감사원장의 국회 답변에서 뽑은 것이었다.

KBS는 4월 3일 저녁 9시 뉴스에서 국회 속기록 기사와 사설을 일방적으로 비방하였다. 국민의 시청료로 운영되는 국영 방송이 당연한 비판에는 마음을 열지 않고 신문의 사설을 왜곡하여 반박하고 감사원장의 국회 답변 내용을 신문의 악의적 보도로 치부하여 국민으로부터 위임받은 전파 뉴스를 멋대로 악용하는 KBS의 못된 버릇은 고쳐야 한다고 생각했다.

4월 4일자 신문은 KBS에 대해 일격을 가했다. 국회 문공위에서의 야당 의원들의 KBS 왜곡 편파 보도 지적, KBS 시청료 거부 운동 확산 기사를 실었다. KBS는 이날 저녁 9시 뉴스에서 또 동아일보를 비난하였다.

KBS와의 대결이 본격화되었다. 두 달에 걸친 동아일보와의 대결에서

KBS는 엄청난 상처를 받았다. 뉴스 방송에 대한 신뢰성을 완전히 상실했던 것이다. 5공 때 KBS의 저녁 9시 뉴스는 '땡전뉴스' 라고 비하되었다.

둘째 필리핀의 민주 혁명. 아시아에서의 민주화 물결은 필리핀에서 시작되었다. 1986년 필리핀에서 국민의 힘이 마르코스의 장기 독재를 몰아낸 후 1년 만에 한국에서도 장기간에 걸친 군부 독재와 시민간의 밀고 당기기 전쟁 끝에 6 · 29 선언이라는 민주화 대타협이 이루어졌다. 필리핀의 황색 바람은 한국 민주화의 '리트머스' 시험지와 같은 것이었다. 페르디난드 마르코스는 1966년부터 1986년까지 대통령으로서 필리핀을 통치했으나 부패와 야당에 대한 탄압으로 국민들의 원성을 샀다.

1986년 2월에 있었던 필리핀의 대통령 선거에서 20년간의 독재 정치를 끝장낸 민주 혁명이 일어났다. 그는 부정 선거로 대통령에 당선되었으나 군부의 반란과 미국의 압력으로 대통령직을 사임, 하와이로 망명하였고 끝내 그곳에서 운명하였다. 이 무렵 지식인들은 마치 필리핀의 운명이 한국 민주화의 전조인 것처럼 생각하면서 필리핀의 선거를 바라보고 있었고 당국의 '보도 지침' 도 매우 강력하였다. 문공부 당국자들은 마르코스가 다시 대통령에 당선되고 마르코스 정권이 계속된다면 필리핀 선거 과정에서 야당의 코라손 아키노 후보의 선거 운동을 적극적으로 보도하는 신문은 앞으로의 외교 관계에서 책임을 져야 한다고 억지를 썼다.

자연히 필리핀 대통령 선거 기사는 외신면에 실리게 되었다. 집중 보도는 계속되었다. 2월 6일에 있었던 대통령 선거부터 필리핀 선거 기사는 1면에 크게 등장한다. 여당 의원들은 마르코스의 승리를, 야당 의원들은 코라손의 승리를 선언하였다. 필리핀에 두 사람의 대통령이 탄생하였다. 군부가 마르코스의 하야를 요구하며 반란을 일으켰고 미국도 공식적으로 마르코스의 하야를 요구하였다. 마르코스는 25일 밤 마침내 사임, 하와이로 망명하였고 코라손 아키노 대통령이 정권을 인수했다.

필리핀의 독재 정권이 붕괴되고 마르코스가 망명했다는 사실은 25일 밤 호외를 발행하여 알렸다. 2월 26일 1면 톱 전단 컷은 '마르코스 망명' 이었고 신문 가판은 10만부가 넘게 팔렸다. 시민들은 모두 박수를 쳤다. 1987년 외신부 김정서 특파원은 86년 민권 혁명 때 현장에 와서 목숨을 걸고 취재한 공로로 한국 기자로는 유일하게 필리핀 정부로부터 '피플 파워' 메달을 받았다.

민주화의 분수령

셋째 2 · 12 총선과 신민당의 돌풍.

1985년 2월 12일 국회의원 총선거는 민주화의 분수령이었다. 1983년 5월에 있었던 김영삼씨의 단식 투쟁과 1984년 12월의 민추협의 발족이 민주화 운동을 확산시킨 결정적 계기가 되었다. 뒤이어 정치 규제에서 풀린 야당 인사들이 신한민주당을 창당하고 2 · 12 총선에 참여하여 5공 정권을 위협했으며, 사실상 이때부터 5공 정권의 기반이 무너지기 시작했던 것이다.

그 해 겨울은 무척 추웠다. 동토 위에 민주화 바람이 불고 있었다. 1985년 신년호부터 총선기사를 크게 싣기 시작했다. 2 · 12 총선은 1)5공 주도 세력임을 자임해온 집권 민정당에 대한 민심의 평가 2)기본 골격을 이루어온 3당 체제에 대한 국민의 선호도 3)신당으로 부상한 신한민주당에 대한 국민적 심판이 나타나게 된다는 점을 주목했다.

2 · 12 총선의 하이라이트는 각 후보들의 합동연설회였다. 2월 1일 서울에서 오후 1시부터 첫 합동연설회가 열렸다. 1984년에 입사한 수습기자들을 현장에 투입했다. 유세가 시작되자 유세장은 정권에 의해 금기시되어왔던 언어가 분출하는 거대한 공간으로 바뀌었다. 정치는 원래 언어를 매개로 하는 약속이기에 그동안 억눌렸던 언어의 무한 경쟁이 선거마당을 통해, 동아일보 수습기자들의 취재를 통해 전개되었다.

"지금의 시대가 유신 시대와 달라진 것은 대통령 선출 장소를 장충체육관에서 잠실운동장으로 옮긴 것뿐이다. 탄압 정치 물리치자 숨 막혀서 못 살겠다. 더 이상 참을 수 없다. 지금의 야당은 제1중대 제2중대 모두 사쿠라다. 가난해서 육사에 들어갔다는 사람이 갑자기 어디서 돈이 생겨 그렇게 뿌리고 다니느냐. 군인은 군으로 돌아가라."는 정치 언어가 합동연설중계를 통해 여과 없이 보도되었다. 동아일보가 2월 1일 저녁부터 대담하게 합동연설회 기사를 크게 보도하지 않았더라면 2 · 12 총선의 열기는 그처럼 타오르지 않았을 것이다. 다른 신문들이 늦게나마 유세 보도 경쟁에 뛰어들어준 것은 참으로 다행한 일이었다.

선거 결과는 신한민주당이 도시에서 압승하여 제1야당으로 부상하여 대통령 직선제 개헌의 구심점이 되었다. 신민당의 돌풍이 불고 있었던 것이다. 유세장에서의 열기, 젊은 유권자들의 '군인 통치'에 대한 거역, 집권자의 광주 시민 학살, 5공 정권 출범 때부터 터져 나온 친인척의 부정과 비리, 그리고 민주화에 대한 열망은 5공 초기의 공포감을 해방시켰다. 선거공간은 개별 국회의원을 뽑는 것이 아니라 민주화에 대한 국민 투표의 성격으로 바뀌었던 것이다.

주황색 전등 아래서

2 · 12 총선 결과 신한민주당이 제1야당으로 부상하고 국회의원 의석수를 개헌 저지선까지 확보했을 무렵이다. 시국대책회의에 참석하고 있는 절친한 대학 동창으로부터 안기부가 동아일보 편집국장을 벼르고 있으니 각별히 조심하라는 귀띔을 받았다. 북한 관계 기사와 안보 관련 기사는 신중히 다루었다.

신민당 돌풍의 역풍은 뜻하지 않은 곳에서 불어왔다. 1985년 8월 29일 2판 1면에 보도된 '중공 조종사 대만 보내기로' 기사가 빌미였다. 문제의 중공기가 이리에 불시착한 것은 24일 오후 6시경. 폭격기의 조종사가 비행기의 방향타가 고장 났다고 속이고 한국으로 망명해온 것이다. 조종사는 중상을 입었고 통신사는 무사했으며 항법사는 사망하였다.

정치부는 중공기의 승무원 송환에 대한 발표가 이날 오후 3시 외무부에서 있을 것이라고 했다. 오후 3시 발표가 틀림없다면 2판 신문에 보도해도 무방하리라 싶었다. 그러나 외무부의 발표가 있을 것이라는 오후 3시에 공식 발표는 없었다. 오후 7시까지 소식이 없었다. 부산 · 광주지방에 발송되는 3판 신문에는 이 기사를 빼내었다.

오후 7시 40분쯤 되었을까. 막 저녁을 먹으려는데 회사에서 전화가 걸려왔다. 안기부 직원들이 살기 가득 찬 얼굴을 하고 편집국에 와서 정치부 데스크와 편집국장을 찾는다고 했다. 곧 회사에 나갈 테니 자동차를 보내 달라고 했다. 광화문 네거리에서 신호를 기다리고 있는데 자동차의 카폰이 울렸다. 편집국 야간데스크 김봉호 부장의 전화로 안기부 직원들의 기세가 너무 살벌하니 국장은 시간이 좀 지나서 편집국에 나타나는 것이 좋겠다는 것이었다. 자동차를 타고 한남동 김성열 사장 댁에 가서 자초지종을 보고하였다. 사장은 안기부에 가면 어차피 당할 텐데 늦게 출두하는 것이 좋겠다고 했다. 이현락 경제부장과 광화문 근처에 있는 찻집에 갔다. 이상하 정치부장이 아파트 앞에서 연행되었다고 했다. 집에서 가져온 정장으로 갈아입고 자정쯤 회사 현관에서 안기부차를 타고 남산으로 향했다.

남산 안기부에 도착, 지하실로 내려갔다. 아마도 지하 2층쯤인 것 같았다. 군청색 군복으로 갈아입은 다음 오랜 시간동안 인간 이하의 대우를 받았다. 주황빛 전구가 괴물의 눈처럼 침침하게 비추는 지하실에서 각목으로 하반신을 심하게 구타당했고 참기 어려운 폭행을 당했다. 한참 뒤 심문이 시작되었다. 수사관이 국가 안보를 그르치게 한 책임을 지고 편집국장 사표를 쓰라고 강요했다. 모든 도덕적 · 법률적 책임을 지겠으나 안기부 지하실에서 사표는 쓸 수 없다고 거부하였다. 이 문답으로 중공기 송환 기사에 대한 심문은 간단히 끝났다. 수사관들이 파란색 보자기에 든 서류보따리를 가져왔다. 그때부터 2 · 12 총선 때 보도 지침을 어긴 보도에 대해 오랫동안 심문 당하였다. 사설, 횡설수설을 빼놓고 모두 편집국장의 지시와 책임 아래 보도된 것이라고 답변하였다. 새벽에 나타난 안기부 국장급 간부는 협박과 폭언을 퍼붓기 시작했다. 그의 말은 이러했다.

"동아일보 편집국장의 인신 처리는 우리 마음대로 할 수 있다. 각하도

양해한 사실이다. 당신을 비행기에 태워 제주도로 가다가 바다에 떨어뜨려 버릴 수도 있고 자동차로 대관령 깊은 골짜기에 데려다 아무도 모르게 묻어버릴 수도 있다."

옆방에선 이상하 부장과 김충식 기자가 고문당하고 있었다. 31일 토요일이 되어 안기부의 방침이 풀어주기로 한 탓인지 퍼렇게 멍이 든 하반신을 소고기에 안티프라민을 발라 감아주었다. 얼마 되지 않아 퍼런 물이 흘러나오기 시작했다. 기나긴 심문 과정에서 한 젊은 수사관이 한 말이 아직도 기억에 남는다. "이 지하실에 끌려와서 군복으로 갈아입을 때부터 동아일보 편집국장 뿐 아니라 그 누구도 인격은 없어지는 것이요."

그러나 연행 · 가혹 행위 사실은 사건 직후 외신에는 보도되었으나 동아일보에는 일절 언급되지 않았다.

이채주 | 1934년 12월 17일생. 서울신문 기자, 동아일보 정경부 기자 · 논설위원 경제부장 · 외신부장 · 동경지사장 · 출판국장 · 편집국장 · 조사연구실장 · 논설주간 주필, 화정평화재단 이사장

기자 시절 가장 길고 바쁜 날

나는 1969년 신문사 입사 시험 3일 전까지 기자가 되려는 꿈은 갖지 않았다. 초등학교 교사가 되라고 어려서부터 아버지의 강요를 받았으나, 고급 공무원이 되고 싶어 했다. 우연히 신문에서 기자 채용 공고를 보고 즉흥적으로 시험을 친 게 한국일보 수습 24기로 합격, 3년만 하자고 출근한 게 평생 천직이 됐다.

이향숙

당직하던 어린이날에 중국 민항기 불시착

1983년 5월 5일. 어린이날은 당시 기자들에게는 더없는 천금 같은 휴일이었다. 달력에 빨간 글씨로 된 국경일에도 근무하고, 설날 추석에도 남들은 3일 연휴지만 기자들은 2일간만 허용되는 시절이었으니 공식 휴일인 어린이날은 귀중하고도 귀중한 공휴일이었다. 그러나 그날은 역사적인 엄청난 사건이 벌어졌고 내 기자 생활 중 가장 황당하고 바쁜 날이기도 했다. 그날 새벽녘에 꿈을 꾸었는데 하늘에서 시커멓고 엄청나게 큰 먹구름이 땅으로 떨어져서 사람들이 도망치고 우왕좌왕하는 그런 꿈이다. 꿈을 깨고 나서 기이한 느낌이 들었다.

그날은 편집국에 한국일보 문화부 차장이던 나 혼자 당직을 하는 날이었다. 다음날 자 신문을 제작하지 않으니 그저 형식상 비상용으로 집에 어린이가 없는 내가 당직자로 선정된 것이다. 나 혼자 심심하게 종일 혼자 있어야하는 게 먹구름(근심거리)인가? 그런 생각을 하며 10시까지 정상 출근하여 이것저것 뒤적이다가 12시가 좀 못됐을 때 갑자기 사이렌 소리가 요란하게 울렸다. 민방위 훈련하는 날도 아닌데 웬 사이렌? 누구한테 물어볼 곳도 없고 무슨 사연인지 해명도 없이 계속 요란한 소리는 울려댔다. 10여분이 지났을 때 이번엔 여기저기서 전화벨이 울리기 시작했다.

"사이렌이 왜 울립니까? 또 무장공비가 왔습니까?"

"전쟁이 났습니까?"

편집국 끝에서 끝까지 울리는 전화를 받느라고 이리 뛰고 저리 뛰었지만 시원한 답을 할 수 없으니 마음은 답답하고 다리만 아팠다. 어디다 알아봐야 할지도 막막했지만 전화를 받아야 하므로 알아볼 시간 여유도 없어 마음은 급한데 답답할 뿐이었다. 나는 우선 경찰청에 전화해서 물었다. 역시 답이 애매모호했다. 그렇게 1시가 가까울 무렵 외신부 팩스가 찍찍 울기 시작했다. 뛰어가 받아보니 AP 통신에서 온 것이다.

"중국 민항기가 미군 비행장에 불시착했다."

이어서 팩스는 계속 들어오고 문장이 조금씩 길어졌다. AP, AFP 통신 기사가 자세한 내용을 조금씩 추가해왔다. 국내 통신은 한참 후 들어왔다. 정신없이 전화 받고 대답하고, 팩스 읽고, 배고픈 것도 잊었다. 그렇게 2시가 지나자 가족들과 야외로 나갔던 동료들이 내가 연락한 일도 없는데 나타나기 시작했다. 3시쯤에는 40여명이 모였다.

"호외를 만들어야지."

누군가의 말에 따라 일사불란하게 통신을 정리하고 기사를 쓰고 번갯불에 콩 튀겨먹듯이 빠르게 손을 움직여 호외가 만들어졌고 길에 뿌려졌다.

그날은 내 재직 중 가장 길고 바쁜 날이라 잊을 수 없고 동시에 그 사건의 의미가 역사적으로 너무나 큰 영향을 주었기 때문에 국가적으로도 영원히 기억될 날이다. 또 기자란 직업에 대해 많은 것을 깨닫게 한 사건이기도 하다.

가족들과 함께 야외에 갔다가 국가 비상사태임을 직감하고 스스로 회사로 달려와서 호외를 자발적으로 제작한 선후배 동료들, 그들의 투철한 사명감과 직업의식에 큰 감동을 받았다. 요즘엔 노조다 뭐다 해서 사명감보다는 처우 개선에 치중하는 일부 후배 기자들과는 천양지차로, 당시 기자들은 자신의 일보다 취재를 최우선으로 여겼다. 사명감이 무엇보다 최우선이었다.

이 사건은 그날 오전 11시(한국 시각) 중국 민항기가 승객 106명과 승무원 9명을 태우고 선양을 떠나 상하이로 가던 중 6명의 납치범들이 기내를 무력으로 장악하고 기수를 대한민국으로 돌릴 것을 요구하여 시작됐다. 승무원이 거부 의사를 밝히자, 무장 납치범들은 총격을 가하였다. 이로 인해 승무원 2명이 부상당한 채 춘천 '캠프 페이지' 주한 미 육군 항공 기지에 오후 2시경에 불시착했다.

사건 당일 오후 9시, 승객과 승무원들은 비행기에서 내려 춘천에서 1박 후 서울로 이동했다. 납치범들은 별도로 수용됐다. 우리 정부는 승객과 승무원들을 워커힐호텔에 투숙시킨 뒤, 여의도와 자연농원 관광을 시켜주었고, 출국 시 컬러 TV를 선물하는 등 최선의 대우를 했다. 납치범 6명은 1년간의 구속 수감 후, 추방 형식으로 중화민국으로의 정치적 망명을 허용하였다.

이 사건의 해결을 위해 중국 정부는 6 · 25 휴전 40년 만에 한국과 직접적인 교섭으로 전환하지 않을 수 없었다. 사건 5일 후 한 · 중은 각각 정식 국호가 명기된 합의 문서를 주고받았고 정치적 교류가 처음으로 시도됐다. 이때부터 중국은 처음으로 대한민국이라는 국호를 사용하였고, 8월에는 중국 민항기가 한국의 비행정보구역 통과, 1984년 3월에는 양국 국민들의 방문이 허용되었다. 이후 체육, 문화, 관광 교류가 이뤄지고 1992년 정식으로 수교까지 이어졌다.

한편 이 사건이 여러 날 지난 후 한국일보 연재물인 '기자칼럼' 난에 쓰는 기회가 와서 그 사건을 썼다. 사이렌이 왜 울렸는지 최대한 빨리 당국에서 민방위 훈련 때 방송하듯이 알려줬더라면 국민들은 크게 불안하지 않았을 텐데 아쉽다는 내용을 덧붙였다. 그 글이 나간 날 오전에 안기부의 전화가 왔다.

"국가의 중대한 사건에 대해 알리지 못한 상황을 이해 못해? 기자는 대학을 나와야 하는 걸로 아는데 당신은 고졸이 분명하군…" 나는 그 말을 듣고 이렇게 크게 대답했다. "그래? 나는 고졸이지만 당신은 국졸이네."

남북체육회담 리셉션서 만난 북한기자

1991년 남북체육회담에서 각종 국제대회에 남북한 단일팀을 구성, 참가하자는 역사적인 합의가 이루어졌었다. 1월부터 네 차례의 대표자 회담이 열리고 마지막 합의를 이룬 날 저녁 올림픽호텔에서 북측 참가자들과 한국 측 관계자 및 언론사 체육부 데스크들이 참가한 만찬 리셉션이 열렸다.

테이블에는 북한과 남한 사람들이 한 명씩 교대로 앉았다. 내 왼쪽에는 키가 180cm 정도에 체격이 아주 큰 중년의 북측 남자가 카메라를 갖고 앉았다. 그는 자신을 북한 중앙TV 사진 책임자라고 소개하고 내 신분을 물었다. 자기는 김일성 수령 전담 사진 기자이며, 김일성이 없는 자리라도 중대한 일이 있을 땐 사진을 전담한다고 밝혔다. 생애 처음 보는 북한 사람이라 갑자기 긴장이 되고 몸짓이 경직되기 시작했다.

잠시 후 공식적인 일이 시작되자 그는 일어나서 앞으로 나가더니 열심히 사진을 찍기 시작했다. 그리고 곧 자기 자리로 돌아와 앉았다. "사는 곳이 어디요?" 이 의례적인 그의 질문에 나는 반포 모 아파트에 산다고 답했다. 그러자 그는 "아, 거기요?" 하더니 거기는 여기서 어디 어디를 거쳐 가는 곳이 아니냐고 나보다 더 상세히 코스를 지적했다. 사실 나는 차만 타고 다니면서 길을 자세히 알아둔 일이 없는 길치라서 나도 모르는 약도를 너무 상세히 그리는 데 놀랐다. 소름이 끼쳤다.

"가족은 뉘기뉘기요?" 가족 수를 말해주자 이번엔 각각의 직업을 물었다. 이때부터 뭔가 거부감이 생겨서 대답을 멈칫했다. 그는 다시 나가서 사진을 찍고 와 앉더니 또 가족들의 직업을 물었다. "아버지는 장사하시고 나머지는 그냥 작은 회사의 평범한 말단사원들입니다." 나의 이 대답에 그는 어느 회사 무슨 직책이냐? 아버지는 어디서 무슨 장사를 하시느냐고 물었다. 나는 대답을 피하고 말을 돌렸다.

"사진 책임자께서는 어느 때 가장 행복하세요?" 그는 대답했다. "일과가 끝난 후 집에 갈 때 생맥주 한 병 사가지고 가서 아내와 마실 때가 가장 행복하다요." "거기도 생맥주가 있군요." "기럼요, 병을 가져가서 사갖고 담아 오디요, 아내는 김일성 도서관 사서로 일하디요, 기건 그렇고 가족 직장이 어데요?"

이런 식으로 대화 틈틈이, 또 사진 찍으러 나갔다 들어오기를 반복하면서도 내 가족 신분을 묻는 그의 질문은 집요했다. 아마 열 번 정도는 된 것 같은데 나는 솔직히 대답하지 않았다. 뭔가 불순한 숨은 의도가 있는 듯 느껴졌기 때문이다. 결국 그도 포기했는지 다른 말을 꺼냈다.

"이렇게 만난 것도 인연인디 95년에 북남 통일이 되면 꼭 만납세다." "95년에 통일이 된다구요? 그걸 어떻게 알아요?" "우리 수령님의 계획이 그때 꼭 북남통일을 한다는 방침이디요." "통일은 누구나 바라는 바이지만 겨우 4년 남았는데 그렇게 빨리 이뤄질까요?" "확실합네다. 통일되면 우리 둘이 손잡고 한강변을 산책합세다." "글쎄요. 어쨌든 평화적으로 통일만 될 수 있다면 좋겠군요." 결국 그의 통일설은 주지하다시피 불발이고, 김일성은 얼마 안가 세상을 떠났다.

"기죽지 말라" 고 용돈 주시던 장기영 사주

나는 1969년 신문사 입사 시험 3일 전까지 기자가 되려는 꿈은 갖지 않았다. 초등학교 교사가 되라고 어려서부터 아버지의 강요를 받았으나, 고급 공무원이 되고 싶어 했다. 우연히 신문에서 기자 채용 공고를 보고 즉흥적으로 시험을 친 게 한국일보 수습 24기로 합격, 3년만 하자고 출근한 게 평생 천직이 됐다. 그러나 돌아보면 내겐 기자의 싹이 어려서부터 있었음을 아주 오랜 세월 후 깨달았다.

6 · 25 피란에서 돌아온 53년부터 우리 집은 동아일보 애독자였다. 피란 전부터 뭐든지 읽는 걸 즐기던 나는 이듬해 초등학교에 입학 때부터 연재 소설을 재미있게 읽었고 차츰 매일 정치 사회 기사와 사설을 읽었다. 훗날 천승준 동아일보 기자와 결혼한 이규희씨가 동아일보 신춘문예에 당선한 소설 '속솔이뜸의 댕이' 연재도 읽었다. 따끔하게 정치, 사회를 풍자한 김성환 화백의 머리카락이 한 올뿐인 '고바우 영감' 도 흥미 있게 애독했다. 기사와 사설을 읽자 아버지는 국민학교 5학년부터 나와 함께 정치, 사회 얘기를 나누셨다. 토론도 했다. 아버지는 평소 엄하고 과묵하지만 정치인도 아니면서 우국지사 스타일이었다. 그런 아버지에게 내가 유일한 시사 문제 대화 상대였던 것이다.

내가 우연히 기자 시험을 쳤지만 내 밑바닥 깊은 의식 속엔 사회와 국가에 대한 큰 관심과, 신문에 대한 깊은 애착이 깔렸던 게 공고를 본 순간 폭발한 게 아닌가 싶다. 어쨌든 나는 89년 헤럴드 경제로 옮겼다가 퇴직하기까지 기자로 산 걸 천직이라고 자랑스럽게 생각한다. 공휴일도 때로는 반납하며 행사 현장을 누비면서도 보람을 느꼈고, 온 국민을 상대로 새 소식을 쓰는 게 행복했었다.

입사한지 얼마 안 돼서 울산 현대조선소에서 최초로 '퀸 엘리자베스' 호를 제작, 진수식을 하던 날 각 언론사에서 출입 기자 1명만 참여했는데 "한국일보는 언론사 중 여기자가 가장 많으니 여기자가 대표로 가라."고 했던 일, 故 장기영 사주가 "가서 기죽지 말고 쓰라."며 용돈까지 주고 지명해 진수식에 갔던 일, DJ, YS 등 유명 인사를 만났던 일, 모 여당의 부녀부장 스카우트 제의를 받았지만 중상모략이 난무하는 정치인은 되기 싫어 거절한 일 등이 기억에 남는다.

나의 새로운 인생을 열어준 한국일보가 2017년 올해로 63돌을 맞았다. 인생은 60부터라니까 한국일보도 60살 넘었으니 새 출발하기를 간절히 바란다.

이향숙 | 1945년 4월 5일생. 한국일보 문화부차장. 일간스포츠 문화부차장. 헤럴드경제(구 내외경제) 문화체육부장, 대한언론인협회 상임이사 겸 사무총장, 한국문인협회 회원(수필)

'조선일보 맨'의 행운

좌익이 뒤집어 가르친 '왜곡 현대사'만 외우는 후손들을 늦었지만 우리가 조금이라도 바로잡아 줘야하지 않겠는가.

인보길

처음부터 행운이었다. 돌아보면 70평생 굽이굽이 행운의 연속이다. 우리 세대는 남다른 이력서를 지니고 산다. 자기 땅에서 식민지 백성으로 태어나 5살에 해방, 8살에 독립, 10살에 전쟁까지 겪었다.

6 · 25 남침 전쟁 3년, 그때 이미 소년들은 공산당이 뭔지 알고도 남았다. 게다가 역사책에서 고구려, 백제, 신라, 고려, 조선의 건국시조를 외우던 그 건국시조(建國始祖) 이승만과 함께 성장한 대한민국 국민, 천만다행! 북한이 아니고 남한에 태어난 행운은 축복의 운명이다.

4 · 19 데모는 또 어떤가. 20살 대학생이 혁명의 영웅인양 날뛰던 청춘 만세! 5 · 16 박정희 군사 혁명에 군대 갔다 오고 25살에 조선일보 기자가 되었다. 그리고 산업화, 민주화, 정보화… 나라 세우기, 나라 만들기, G20 부자 나라까지 세계적 성공 드라마의 당사자 주력부대, 그 역사의 행운에 감사한다.

‘조선일보 맨’ 되다

1965년 1월 추운 겨울 날 어느 토요일 오후 조선일보 대표이사의 방. “조선일보와 동아일보를 비교해서 말해 봐!” 수험생이 의자에 앉자마자 벼락같이 날아든 질문, 먹이를 노리는 호랑이 눈빛이다. 방우영 회장(당시 상무)과의 첫 만남이다. 그날까지 나는 조선일보를 읽어 본 적이 없다. 아침엔 한국일보를 봤고 저녁엔 동아일보를 봤다. 목표는 동아일보, 이튿날 일요일엔 동아일보 면접시험에 갈 참이다.

“됐어, 당신은 조선일보 기자야. 내일 출근하라구.” 우물거리는 나에게 37세의 방 대표는 열기 넘치는 얼굴로 덧붙여 협박했다. 양쪽 신문에 합격한 사람이 6명인데 3명씩 나눠 갖기로 신사협정을 맺었다고, 이를 위반한 사람은 두 신문사에서 불합격처분 된다고. 그 길로 선배를 찾아갔다. 서울대 문리대에서 ‘새 세대 신문’을 함께 만들던 그는 말했다. “조선일보 가라. 동아일보는 층층시하 늙은 선배들 파벌싸움에 눌려서 젊은 기자는 쪽도 못 쓴다. 조선일보는 방우영이 부패기자들 다 내쫓고 세대교체 중이지. 언론계가 잔뜩 긴장하고 있어. 혁명아 방우영이 나타났거든.”

다음 날 아침 조선일보에 나갔다. 신문이 쉬는 일요일, 편집국에는 당직 박범진 기자 혼자 난로에 장작 토막을 넣고 있었다. 함께 출근(?)한 동기생 김학준(전 동아일보 회장), 송진혁(전 중앙일보 편집국장)과 다방에서 노닥거리다가 퇴근했다. 내 행운의 안내자 그 선배는 1970년대 미국으로 이민 떠난 뒤 이 세상을 등지고 말았다.

그해 조선일보사는 수습기자를 30여명이나 뽑았다. 교열 기자와 사진 기자도 언론사 처음으로 공채했으며 광고, 판매, 총무직까지 대학 졸업생들을 대거 선발했다. 편집국 기자가 70명도 안 되던 시절, 편집국 절반이 올챙이 기자들로 채워지고 업무 파트까지 대폭 물갈이했다. 신문사 하나가 새로 창간된 규모. '혁명아' 방우영이 젊은 혁명부대를 구성하여 새 출발한 것이었다. 가장 오래된 신문(조선일보 창간 1920. 3.5)이 가장 젊은 신문사로 변신했다. 때맞춰 그해 3월에 '신아일보'가 창간되고 9월엔 삼성 이병철 회장이 '중앙일보'를 창간했다. 신문 전쟁의 막이 올랐다. 우리 수습기자들은 수습할 틈도 없이 일선 전투 부대에 투입되어 밤낮 없이 뛰었다. '일하면서 싸우자'는 새마을 운동 구호보다 먼저 그때 올챙이들은 '싸우면서 배우자'며 땀을 흘렸다.

1975년 창간 55주년, 비밀리에 실시한 시장 조사 결과는 마침내 동아일보와 '공동 선두!' 신문 전쟁 10년 만에 방우영 혁명군은 1차 목표를 달성한 것이다. 내가 입사하던 1965년 조선일보는 4등 신문, 부동의 1위 동아일보에 이어 한국일보, 경향신문 다음이었다. 4등 신문의 총사령관 방우영의 기쁨은 얼마나 클 것인가. "하지만 비밀이다. 아직 멀었어. 조금만 더 뛰자." 한 달에 두 번씩 나눠주던 월급도 일시불로 변하고, 유신 체제의 경제 성장과 더불어 조선일보는 '중산층 신문'으로 자리매김했다.

우후죽순처럼 솟아나는 아파트 계단마다 조선일보 일색으로 변해갔다. 방우영은 그런 신문을 만들었던 것이다. '참신한 기획 · 화려한 편집 · 괄목할 특종' 편집국 곳곳에 이런 표어를 붙이고 "신문은 편집이다." 소리치며 밥값 술값을 찔러주는 지휘관의 열정은 신나는 전염병이었다.

드디어 '단독 선두' 대기록! 10 · 26 박정희 암살 다음해 1980년 창간 60주년 회갑을 맞은 조선일보는 일제 강점기부터 라이벌 민족지 동아일보를 멀리 따돌리고 질주하기 시작한다. "동아일보와 조선일보를 비교 설명해 봐!" 나의 면접 때 방우영 대표가 왜 그런 질문을 던졌는지, 고지에 올라서야 절실히 실감했다. 요즘도 가끔 이런 질문을 받는다. "조선일보가 1등 된 이유는 무엇이냐?" "명장(名將) 방우영 사장의 리더십 덕분이다." 주저 없이 나는 되풀이 대답한다. 우리 조선일보 맨들은 방우영을 '타고난 편집자, 기획자, 용병의 달인' 이라고 말한다.

내셔널 어젠다(National Agenda, Social Agenda) 세팅은 '국가 경영' 이다. 서울대 신문대학원 다닐 때 읽었던 신문학 이론을 인용할 필요도 없다. 후진국 대한민국 국가 경영에 얼마나 많은 과제가 쌓여있는가. 더구나 '정통 언론 민족지' 를 고집한 조선일보는 일제 때부터 식민지 동족을 일깨워 왔던 계몽 사업이 특기 아닌가. 방우영이 대표가 되자마자 벌인 캠페인 제1호는 '납북인사 송환 백만인 서명 운동' 이다. 6 · 25 이후 최초로 진행된 이 캠페인은 유엔에 진정서까지 제출하는 대성공을 거둔다. 잇달아 펼친 '부정부패 추방 캠페인' 도 홈런을 기록, 독자들의 마음을 단방에 사로잡았다. 특히 1970년대 유신 시대 긴급조치에 정치적 자유가 묶인 이후 기자들의 '언론 자유 선언' 정도로 신문의 체면을 유지하던 시절, 조선일보는 국민의 마음속에 뛰어 들었다.

1974년 1월 1일자 신년호를 집어든 한국 언론계는 또 한 번 놀란다. '겨레와 함께 풀어가야 할 조선일보 신년 주제 – 갈등은 해소돼야 한다' 신년 특집 3개면에 선우휘 주필의 주제 논문과 대담, 관련 기사들이 가득 찼다. 눈보라 속에 기도하는 젊은이의 컬러 사진과 함께였다.(1970년 초 한국 언론사 최초로 도입한 오프셋 컬러 인쇄는 5공이 도입한 컬러TV에 10년 앞선다.) 1973년 8월 김대중 납치 사건 이후 긴박해지는 시국에 대학생 데모가 빈발하고 신문 편집자들은 데모 기사를 사회면에 1단으로 넣었느냐 아니냐로 경쟁(?)하던 때였다.

"어이 편집국장, 인보길이 데리고 올라 와." 방우영 사장의 호출에 모인 사람들은 새로운 테마 기획을 놓고 갑론을박했다. 방 사장의 아이디어 '신년 주제' 였다.

신년 특집 편집 담당인 나에게 "멋진 제목 하나 뽑아 보라우." 방 사장은 흥분하면 평안도 사투리가 터진다. '자유, 배불리 먹지 않아도 배부른 자유' 나름대로 내놓은 제목은 퇴짜다. '자유' 두 글자가 긴급조치에 걸리는 것이다. 방 사장이 직접 제목을 붙였다. '갈등은 해소돼야 한다' 고. '신년 주제' 는 일 년 내내 특집 기획으로 나갔고 독자들의 반응은 뜨거웠다. 그 때부터 연말이 다가오면 편집국은 물론 전 회사가 '신년 주제' 아이디어 짜내기에 골몰했다. '단절은 이어져야 한다', '마음의 문을 열어라', '자기를 재정립해야 한다', '한국인은 누구냐', '분수는 지켜져야 한다. 노블리스 오블리제', '순리(順理) 승자 패자가 아니라 나라가 흥하느냐 망하느냐', '기회주의 추방: 참여와 반대의 공존', '정도(正道) 한국인, 역사의 눈을 떠라' …88올림픽까지 15년 넘게 해마다 계속된 신년 주제는 국민의 주제가 되었다. '아침 논단', '젊은이 발언', '기자의 눈', '데스크 칼럼' 등은 모든 신문들이 따라왔고, 오피니언 리더의 격을 높이며 지금도 계속되고 있다.

방우영 용병술의 상징 "이규태 좀 빌려 줘." 매주 화요일 열리는 편집회의에서 방우영 사장이 불쑥 나타나 던진 말이다.

"그날그날 화제를 골라 동서고금의 사례를 곁들여 가볍고 재미있는 칼럼을 만들자. 필자는 이규태가 적임이야." 그 날로 논설위원 이규태는 날마다 '이규태 코너'를 쓴다. 공대 화공과를 나온 이규태는 인사동 헌책방에 파묻혀 살다시피 하며 새 칼럼을 쓰면서 자기 안에 숨어 있던 재능을 마음껏 발휘한다. 당분간 해보자던 칼럼은 24년간 매일 써서 무려 6,702회를 기록, 세계 언론에 유례가 없는 일일연재로 수많은 화제를 일으키고 두툼한 책으로 나왔다. 이제나 저제나 편집국장 차례를 기다리던 이규태, 인재를 알아보고 적재적소에 기용하여 빅히트를 세운 방우영. "조선일보에서 무엇을 가장 재미있게 봅니까?" 설문에 '이규태 코너'를 꼽는 독자들, 언론인 이규태의 성공이자 조선일보의 성공이다.

편집국장 두 차례

1989년 여름 일본 가가(賀加)온천 호텔 9층, 문 옆엔 '히로히토 천황 폐하가 묵은 방'이라는 금딱지가 붙어 있다. 창밖으로는 노도(能登) 반도 절경이 펼쳐지는 푸른 동해바다가 한 눈에 들어온다. 일행은 방우영 사장과 나, 총무부장 정규만과 셋이다.

"피곤할 땐 온천이 최고지. 다 잊어버리고 푹 쉬자구." 세 명이 벌거벗고 탕 속에 몸을 담갔다. 88 서울 올림픽 폐막 이튿날 예고 없이 발령 난 편집국장, 이른바 민주화 시대다. 취임 한 달도 안 돼 노조가 생기고, 국회에선 '5공 청산' 청문회가 열렸다. 평민당은 주간조선 기사를 트집 잡아 명예훼손을 걸어왔다. 그때 이미 좌파들의 공격 목표가 조선일보였음은 한참 지난 뒤에서야 알았다. 게다가 1970년대 해고 기자들을 복직시키라는 기자 노조와 장기간 씨름하다보니 회사 전체가 지칠 대로 지쳤다.

방 사장은 국장을 바꾼 뒤 직접 나를 데리고 위로 여행을 떠나 온 것이었다. "일본 말 아직도 안 돼?" 방 사장이 비서가 되었다. 기차표나 호텔방 예약은 방 사장이 직접 맡았다. 일본 알프스 산맥의 시나노(信濃) 온천, 구로베(黑部) 협곡 등 이름난 풍광을 찾으면서 목 잘린 편집국장을 격려하고 보살피는 방 사장은 형님이나 아버지였다.

두 달 후, CTS(Computerized Typesetting System) 본부장으로 지명되어 이번엔 장기 출장으로 일본에 갔다. 신문 제작 컴퓨터 시스템을 도입하기 위해서였다. 일본은 이미 1970년대 말부터 니케이(日經)와 아사히(朝日)를 선두로 거의 모든 신문사가 전산화되어 있었다. 한국형 편집 조판 프로그램 개발, 방 사장은 편집부장 출신인 나에게 또 하나의 '신문 혁명'을 맡겼던 것. 2년간의 투자로 CTS가 완성된 날, 공로패와 함께 두 번째 편집국장 발령이 떨어졌다. 컴퓨터 신문 제작은 시스템을 만든 네가 해보라는 명령인 셈이었다. 요즘도 "남들은 한 번도 못하는 편집국장을 두 번 하신 분…"이라는 소개말이 참 거북하다. 시대의 변화를 읽고 새 시대를 만들어 가는 방우영 사장의 용병술인데….

'산업화는 늦었지만 정보화는 앞서가자'

1990년대 김영삼 정부 시절부터 이 말이 전국에 유행되었다. 컴퓨터 시대가 열리면서 세미나는 물론, 지도층 인터뷰나 정치인 선거 유세에서까지 애용했던 말이다. "로열티도 안내고 막 쓰는군." 이 슬로건을 창안한 이진광(조선일보 뉴미디어연구소장, 현 뉴데일리 편집국장)은 "많이 쓰면 좋죠."라며 껄껄 웃었다.

두 번째 편집국장 때 국가적 테마(내셔널 어젠다)를 많이 다루었다. 방 사장의 노선은 이미 조선일보 편집 방침의 전통인 것이다. 나라 가꾸기, 국격 만들기의 국민 교육 기능이다. "나라가 온통 쓰레기, 낚시터가 쓰레기통이야." 주말 낚시를 다녀온 방 사장의 한마디는 곧 환경보호 캠페인의 슬로건으로 떠올랐다. '쓰레기를 줄입시다' 1면 캠페인이 시작되자마자 정부 차원의 환경사업으로 확산되었다. '샛강을 살립시다', '자전거를 탑시다' 이어지는 캠페인의 총지휘는 추진력 좋은 마당발 안병훈 당시 전무가 앞장섰다. 이 환경 캠페인으로 방 사장은 유엔 훈장을 받았으며, 제휴 신문인 마이니치를 찾아가서 '한 · 일 환경상'을 출범시킨 것도 이때였다. 잇따라 신년 특집으로 전개한 '산업화는 늦었지만 정보화는 앞서가자' 캠페인 역시 인터넷 세상을 앞서 달려간 작품이다.

"캠페인만 할 게 아니라 직접 회사를 만들어 해 봅시다." 당시 방상훈 사장과 의기투합, 언론사 최초의 인터넷 자회사 '디지틀 조선일보'를 설립하고, 인터넷 조선일보 사이트를 오픈했다. 1995년 10월 사이버 언론 시대 개막 테이프. 첫 이메일 hanmail이 나오기 3년 전 일이다.

이승만 다시 보기

2011. 3, '이승만 연구소'를 차렸다. 조선일보 41년간 '배운 도둑질'인지라 인터넷 신문 '뉴데일리'를 맡아 하면서 이승만 대통령을 다시 찾았다. 포털을 비롯한 사이버 세상은 완전히 좌익들이 점령한 상태. 좌파 정권 10년간 이승만과 대한민국 역사는 왜곡되다 못해 그야말로 '전복' 시켜버렸기 때문이다. 이승만에게 번번이 패퇴한 공산 세력의 무서운 복수극. 건국의 아버지 이승만 정신과 리더십을 살려야 대한민국이 튼튼하게 살아갈 수 있는 동력이 회복된다.

"미 제국주의 꼭두각시 독재자 이승만은 태평양 깊은 물에 장사 지냅시다." 연단 탁자를 주먹으로 쾅쾅 치며 열변을 토하는 10살짜리 국민학교 4년생이 나였다. 1950년 6월 여름 날, 내가 좋아하는 담임선생님은 칠판에 '김일성 장군 만세'를 크게 쓰더니 만세 3창을 부르게 했다. 숨어있던 남로당원은 그날로 교장이 되었고 반장인 나를 붉은 소년단장으로 임명했다. 내 고향 당진 읍내에 인민군이 들어오고 선생님은 '해방 축하 예술제'를 꾸몄다. 개막 웅변을 맡은 나는 신나게 이승만 저주 연설을 외치며 석달 동안 순회 공연했다. 담임선생이 시키는 대로 '이승만 총살' 포스터를 수 없이 그려내고 소년단 신문도 만들어야 했다. 지금 전국 학교 곳곳에서 벌어지는 현상도 61년 전 그때와 별반 다를 바 없으리라. 종북 세력이 만들어낸 교과서, 수많은 서적, 신문 방송 잡지, 인터넷 미디어들이 '반란 세력'을 키워내고 있다.

소련 국제 공산주의 식민주의를 끝까지 막아낸 이승만이 아니었다면,

김구와 함께 이승만이 김일성과 좌우 합작 정부 수립에 응했다면, 대한민국도 나도 없다. 건국(建國)의 영웅 이승만, 부국(富國)의 혁명가 박정희, 우리 70 노인 세대는 지도자 복이 많아 보람찬 역사를 살아왔다.

걱정이다. 좌익이 뒤집어 가르친 '왜곡 현대사'만 외우는 후손들의 나라를 어떻게 지킬 것인가. 우리들의 잘못, 늦었지만 우리가 조금이라도 바로잡아 줘야 하지 않겠는가. 6·25보다 더 무서운 국가 위기, 메이저 언론들이 하루바삐 호국의 용기를 내 줬으면 좋겠다. 생전에 통일되는 행운까지 바란다면 욕심일까.

인보길 | 1940년 11월 18일생. 조선일보 견습 7기, 편집부장, 편집국장, 상무이사, 디지털 조선일보 사장, 뉴데일리 사장

낙종(落種) 이야기 … 술이 원수였다

> 밤새 명동거리를 취재하느라 늦잠을 잔 게 아니고, 기자실에서 밤새 술을 마셨기에, 늦잠을 잤기에 까딱했으면 낙종할 뻔 했던 사실을 이제야 밝힌다.
>
> 장석영(張錫英)

기자 생활 30년 동안 나는 낙종이라는 쓰라린 경험을 딱 한 번 해봤다. 그리고 낙종할 뻔 했던 일도 한 번 있었다. 낙종 경험은 '전태일 씨의 분신 사망 사건' 에서 있었고, 낙종할 뻔 했던 일은 '대연각호텔 화재 사건' 에서다. 미리 말해 두지만 두 번 다 원인은 그 놈의 술 때문이었다. 기자 생활 중 지울 수 없는 오점이 아닐 수 없다.

처음 대한언론인회 이병대 회장으로부터 '그때 그 시절 못다 한 이야기' 를 써달라는 원고 부탁을 받았을 때 나는 몇 가지 사건을 더듬어 보면서 주제 선택에 어려움을 겪은 것이 사실이다. 데스크로 있던 10여년을 빼고 20여년을 일선 기자로 뛰었으니 비화가 얼마나 많겠는가. 그 가운데는 특종도 많고 낙종한 이야기도 있다.

하지만 어느 것을 고르느냐 하는 문제에서 고민을 하지 않을 수 없었다. 대개 사람들은 자신의 과거사 가운데 성공담만 밝히려 하지 실패담은 피하는 경향이 있다. 나라고 예외가 아니다. 하지만 그때 그 시절엔 말할 수 없었지만 '세월이 약'이라니 이제 와서는 말할 수 있는 것이 아닌가. 그래서 씁쓸한 이야기이지만 낙종과 관련된 취재 비사를 적어보기로 한 것이다.

'전태일 분신 사망 사건 낙종 전말'

내가 서울신문 사회부 기자로 서울 중부경찰서에 드나들고 있던 시절의 이야기이다. 그러니까 70년도 11월이었던 것 같다. 그날도 나는 새벽같이 아침도 거른 채 평소처럼 신문사 지프를 타고 곧바로 서울 중구 명동성당 뒤쪽에 위치한 중부경찰서로 출근(당시엔 경찰 출입 기자는 회사로 출근하지 않고 바로 경찰서로 나갔다)했다. 나는 늘 그랬듯이 형사과 유치장으로 가서 유치된 사람들의 명단을 훑어보며 어떤 사람들이 무슨 죄목으로 갇혀 있는가를 살펴봤다. 유치인 대장을 보면 전날 밤에 잡혀온 사람들의 인적사항과 혐의 내용들을 속속들이 알아볼 수 있기 때문이다. 그런데 이 유치인 대장은 간혹 백 퍼센트 믿을 것이 못된다. 사회적으로 이름이 나 있는 사람의 경우 명부에 가명으로 기재할 경우가 종종 있으며, 혐의 사실도 뉴스가 될 만한 것이면 가벼운 사기나 절도 등 잡범에 해당하는 죄명을 써 놓기도 하기 때문이다.

나는 그날도 집에서 차를 타고 오면서 이미 두 가지 조간신문의 기사들을 거의 다 훑어봤고, 라디오의 정시 뉴스도 들으면서 왔다. 그 결과 내가 취재하는 관할 구역인 중부경찰서와 성동경찰서 관내에서 밤사이 일어난 큰 사건 사고는 없었다. 그날 아침도 늦가을이라 그런지 거리마다 온통 가로수에서 떨어진 낙엽들이 여기저기 뒹굴고 있었고, 공기는 비교적 차가운 편이었다. 그래서 행인들은 외투 깃을 올렸고 하나같이 손을 주머니에 넣고 하얀 입김을 내보내며 종종 걸음을 하고 있었다.

내가 형사과에 들어서자 구석에 놓여있는 책상에 다리를 올려놓고 의자에 깊숙이 머리를 파묻고 있던 당직 형사가 실눈을 뜨면서 "어제는 조용했어!" 하고는 귀찮은 듯 고개를 돌린다. 나는 이미 유치인 대장을 훑어본 뒤라 "수고한다."는 말을 남기고 곧바로 건물 뒤편 마당을 가로질러 부속건물 1층에 자리한 기자실로 갔다. 기자실 문을 열자 쾨쾌한 총각 냄새가 확 달려들고 다른 신문사 기자 두 명이 철야근무를 했는지 방 한 쪽에 만들어 놓은 온돌바닥에서 곤히 자고 있었다. 기자실 가운데 놓여 있는 원탁 탁자에는 밤새 친 고스톱용 화투와 포커가 군청색 담요 위에 흩어져 있었다. 탁자 아래를 보니 빈 소주병과 맥주병이 흩어져 있고 여기 저기 흘린 술 냄새가 코를 찌른다.

나 역시 밤새 회사 동료들과 술 마시다 집에는 새벽에 들어갔다가 곧바로 나왔으니 아직도 작취미성인 상태는 마찬가지였다. 그때 병마개를 따지 않은 맥주 몇 병이 눈에 들어왔다. 잘 됐다 싶었다. 친구들이 아침에 올 동료 기자들을 위해 해장술로 남겨 놓은 것 같았다. 목이 타던 참이었다. 병을 따서 한 병씩 병째 들이키기 시작했다. 그렇게 세 병을 마셨다. 나는 서울시 경찰국 기자실로 캡(서울시 경찰국 출입 기자를 일선 경찰서 기자들이 그렇게 불렀다)에게 경비전화로 내가 담당하고 있는 취재 라인에는 "이상 없다."고 보고했다. 당시는 지금처럼 일반 전화도 없고 그렇다고 요즘 같은 휴대폰은 상상도 못했던 시절이었다. 그래서 서울시 경찰국 기자실과 일선 경찰서 기자실에는 경찰들이 쓰는 것과 같은 경비전화가 설치되어 있었다.

나에게도 서서히 졸음이 오기 시작했다. 염치불구하고 친구들이 잠든 온돌 방 위로 올라가 드러누웠다. 담요를 끌어 덮으려 했더니 친구 한 명이 일어나면서 "지금 나왔어?" 하고는 화장실에 가기 위해 밖으로 나갔다. 나는 잠자리를 비켜준 그 친구에게 "고맙다."는 말을 하고 금방 꿈나라로 들어갔다.

낙종 사고는 여기서 시작됐다. 내가 꿈나라를 헤매고 있는 동안 '전태일 분신 사망 사건' 이 발생한 것이다. 1965년부터 서울 동대문 평화시장에서 재단사 등으로 일하던 전태일 씨(22)가 '열악한 노동 조건과 인권 침해' 에 항거하여 1970년 11월13일 아침 11시쯤 분신자살한 것이다. 그는 1968년 평화시장 재단사 모임인 '바보회' 를 조직하고 업주의 근로기준법 위반에 대한 진정서를 만든다. 그리고 그것을 노동청에 제출한다. 하지만 노동자들의 호소는 받아들여지지 않았다.

그는 1969년 9월부터 분신자살한 해인 1970년 4월까지는 건축노동자로 일했다. 그러다가 같은 해 9월 쯤 다시 평화시장으로 돌아와 '삼동회' 라는 친목회를 만들었다. 그와 그의 동료들은 여전히 열악하기만 한 평화시장의 노동조건에 대한 실태조사를 실시했다. 이 조사 결과는 정부 당국과 언론 등에 보내졌다. 그러나 몇 달이 지나도록 아무런 반응이 없었다. 그러자 그해 11월 13일 오전 전 씨를 비롯한 삼동회 회원들이 평화시장 입구에서 피켓시위를 벌였다.

현장에 달려간 경찰은 시위대를 강제 해산시켰다. 그때 시위대 맨 앞에 있던 전 씨가 미리 준비한 휘발유를 몸에 뿌리고 불을 붙여 분신 항거했다. 그는 '근로기준법을 준수하라', '우리는 기계가 아니다', '일요일은 쉬게 하라' 등의 구호를 외치며 쓰러졌다. 한 회원이 불길 속에 근로기준법 책을 집어던져 예정했던 '근로기준법 화형식'을 완수했다. 그리고 전 씨는 병원 응급실로 급히 옮겨졌다. 그의 분신 항거는 즉흥적인 것이 아니었다. 이미 오래전부터 가족과 동료 노동자들 모르게 준비한 것이었다. 이 사건은 석간신문부터 보도됐다. 사건이 석간 마감 시간 가까이에서 일어나서 기사들은 대개 2~3단 정도로 실렸다. 하지만 우리 신문만 낙종했다. 내가 기사를 놓쳤기 때문이다. 그 시간에 나는 기자실 온돌방에서 세상모르고 곯아 떨어져 있었다. 1970년대 민주 노동 운동의 발전에 큰 영향을 준 대 사건이 일어났는데도 전혀 몰랐다. 내가 잠든 사이 타사 기자들은 사건 현장에 있었다. 그들도 처음엔 대수롭지 않게 생각해 기자실로 들어오려다가 분실 사실이 경찰 무전기를 통해 흘러나오는 것을 듣고 다시 현장으로 돌아가서 낙종을 면했던 것이다. 나중에 그들에게 "귀띔도 안 해준 것에 대해 서운하다."고 말했더니 누구에게 알리고 할 계제가 아니었다고 말했다.

그때 나는 오전 11시쯤 잠에서 깬 것 같다. 타사 기자들이 한 명도 안 보였다. '내가 워낙 곤하게 자고 있으니 녀석들이 나만 빼놓고 성동경찰서로 갔구나.' 하고 생각했다. 나도 서둘러 성동경찰서로 갔다. 그런데 친구들은 거기에서도 안 보였다. 그러면 다음 취재 코스인 명동 성모병원에 간 게로구나 하고 뒤를 따라 성모병원으로 갔다. 그러나 거기서도 동료 기자들은 없었다. 예감이 이상했다. 서둘러 중부경찰서로 돌아왔다. 기자실로 가다가 형사 한 분을 만났다 "아니 왜 여기 계세요? 다들 메디컬센터 갔는데!", "왜 거기로 갔어요?", "모르시는구먼, 노동잔가 하는 녀석이 분신자살했대." 귀가 번쩍 띄었다. 기자실에선 시경 기자실에서 걸려온 경비전화기 벨 소리가 요란하다. 얼른 뛰어가서 수화기를 들었다. 우리 시경 캡이다. 그는 다짜고짜 소리부터 지른다. "야! 어떻게 된 거야! 왜 분실자살 기사 안 부른 거야!" 속사포다. 귀가 쩡쩡 울려 수화기를 멀리 해야 했다. "네, 지금 현장으로 갑니다." "뭐야? 지금 다 신문에 났단 말이야!" 그리고 전화를 끊는다. 나는 술을 먹고 잠이 들어 놓쳤다고는 차마 말을 할 수 없었다. 거짓말로 둘러댔다. 성동경찰서와 성모병원 취재를 하다가 그만 그 기사를 놓쳤다고 했다. 말이 안 되는 변명이었다. 그래도 어쩔 수 없었다. 시경 캡은 "1판은 놓쳤으니 2판부터 상세히 송고하라."고 했다.

그때부터 경찰서 형사과로, 평화시장으로, 국립의료원 영안실로 정신없이 뛰었다. 그리고 2판엔 타 신문보다 더 상세한 내용을 보냈다. 스트레이트 기사는 물론 평화시장의 열악한 노동환경 문제와 전태일 씨의 성장과정과 가족 관계, 그의 노동운동 약사까지 빼놓지 않고 송고했다. 1판은 비록 낙종을 했으나 2판부터는 속보 경쟁에서 타 신문을 압도해 나갔다. 그 후 이 사건은 각 신문마다 노동문제를 특집기사로 다루게 했고, 종교계와 대학생을 비롯한 시민사회의 추모 집회와 철야농성으로 이어졌다. 특히 전태일의 분신자살을 계기로 평화시장에 전국연합노조 청계피복 지부가 결성됐고, 그의 어머니 등 가족들은 그의 유언에 따라 노동운동과 민주화 운동에 헌신하게 되었다. 1984년엔 전태일기념사업회가 조직되고, 1985년엔 전태일기념관이 개관되기도 했다.

그날 나는 속보 경쟁을 위해 뛰어다니느라 기진맥진해서 저녁에 회사로 돌아왔다. 불호령이 떨어질 줄 알았다. 그런데 시말서만 내란다. 물론 거짓으로 썼다. 편집국장이 "1판은 낙종했어도 속보에서 이겼으니 벌은 안 주겠다."고 했다. 저절로 안도의 한숨이 나왔다. 나의 거짓 진술에 모두가 속은 것이다. 그러나 하늘이 알고 땅이 아는 진실, 이제라도 털어놓으니 속이 시원하다. 그동안 속아주신 사회부장과 편집국장께 늦게나마 정중히 사과드린다.

'낙종 직전의 대연각호텔 화재 사건'

1971년의 크리스마스도 예년처럼 서울의 중심 도심인 명동의 분위기는 한껏 들떠 있었다. 거리는 크리스마스 캐럴이 요란하게 흘러나오는 가운데 몰려든 인파로 메워졌다. 예수가 탄생한 성스러운 날이지만 밤이 깊어 갈수록 술 취한 사람들의 갈지자 걸음에 고성방가는 뜻있는 이들의 낯을 뜨겁게 했다. 아마 광란의 시간을 보내는 사람들은 이날을 일탈의 날쯤으로 착각한 듯 했다. 그해도 눈이 내리지 않아 화이트 크리스마스는 아니어도 구세군의 요령소리를 타고 이 세상에 태어나 십자가에 못 박혀 죽음으로써 대속하신 예수 그리스도의 숭고한 정신은 널리 퍼져 나가고 있었다. 통금 사이렌이 울리자 지금껏 왁자지껄하기만 했던 거리는 금방 쥐 죽은 듯이 조용해졌고, 다음날 아침에 일어날 참변을 전혀 예상하지 못한 채 그렇게 잠들어가고 있었다.

서울 중부경찰서 관내 취재를 담당하고 있던 나는 크리스마스이브의 명동 거리 일대를 스케치하고 통금과 함께 기자실로 돌아왔다. 그래도 밤사이 무슨 사건사고가 있을지 몰라 타사 기자들과 함께 기자실에서 대기해야만 했다. 밤이 깊어지면서 잠시 눈을 붙이려 해도 밖이 궁금해서 좀체 잠들을 못자는 것 같았다.

그해 크리스마스이브는 엄청 추웠다. 사람들의 기대를 저버리고 눈이 내리지 않자 더 추웠던 것 같다. 다행히 그날 이브는 조용히 지나갔다. 아무런 사건 사고도 없었다. 하다못해 술 먹고 패싸움을 벌여 잡혀오는 사람도 없었다. 그런데 그게 이상했다. 마치 태풍 전야 같았다. 그러다보니 기자들은 소주잔을 돌렸다. 술이라면 지고는 못가도 마시고 갈 수 있는 나는 다른 동료 기자들보다 한 병 정도는 더 마신 것 같다. 술이 거나해지자 하나 둘 잠을 청했고 얼마 안가서 우린 모두 곯아 떨어졌다. 아침이 되었다. 부지런한 기자들은 눈을 비비며 형사과로 달려가 그래도 무슨 사건이라도 있었는지 확인했다. 하지만 나를 비롯한 한두 명은 얼마나 잤던지 일어나보니 아침 10시가 넘었다. 기자실엔 나와 타사 기자 한 명만이 남아 있었다. 다른 기자들은 안 보였다. 우린 그들이 해장국을 먹으러 나갔나보다 했다.

내가 칫솔을 들고 막 치약을 짜려는 순간 책상 위의 전화기가 아침 정적을 깨고 요란하게 울려댔다. 전화기 옆에 있던 내가 얼른 수화기를 낚아채듯 들었다. 우리 신문 시경 캡(서울시 경찰국 출입 기자를 일컬음)이었다. 대뜸 그는 "야!, 너 뭐하고 있는 거야?" 하면서 소리부터 지른다. "아, 네, 뭐하다니요?", "지금 대연각호텔에 불이 났는데 어떻게 된 거야?", "대연각호텔에 불이 났다고요? 여긴 조용한데요?", "잔소리 말고 빨리 현장으로 뛰어가!" 내가 대답도 하기 전에 그는 전화를 끊었다. 나도 수화기를 팽개치듯 던지고 무조건 밖으로 뛰어나갔다. 그리고 대연각 쪽으로 있는 힘을 다해 달려갔다. 중부경찰서에서 대연각까지는 거리가 꽤 멀었다. 숨이 턱에 닿았다. 그래도 죽을힘을 다해 달려갔다. 호텔이 가까워지자 매캐한 냄새가 코를 찌른다. 그리고 멀리 시커먼 연기가 치솟는 게 보였다. '아뿔싸!, 이거 큰 일이 일어났구나!' 달려가면서도 머릿속으로는 무엇부터 취재해야할지를 정리하고 있었다. 달려가다 구두가 벗겨져 넘어지기도 했다. 그래도 달렸다.

나는 호텔 부근에 이르러서 얼른 인근 약국으로 들어갔다. 주인 약사에게 사정사정하여 전화를 빌렸다. 곧 바로 시경 캡에게 보고했다. "캡! 이건 보통 불이 아닙니다. 지원을 요청합니다." 그리고는 헐떡거리며 화재 현장에 도착했을 때는 이미 몇몇 신문사에서 카메라맨들이 나와 연신 현장 촬영에 분주히 돌아다니는 것을 볼 수 있었다. 타사 경찰 기자들도 한 둘씩 보이기 시작했다. 중부경찰서에 같이 출입하는 기자들도 여럿 보였다. 그 친구들은 우연히 형사과에 들른 뒤 밖으로 나오다가 요란한 사이렌 소리를 내며 달려가는 소방차를 무조건 뒤따라갔다고 한다. 시간적으로 나는 그들보다 화재 현장에 30여분 정도 늦게 도착했으니 엄밀히 말해서 낙종일보 직전이었던 것이다. 당시 중부경찰서를 맡고 있던 각사 취재 기자들의 면면을 보면 중앙일간지에서 석간인 서울신문의 필자와 중앙일보 금창태 기자(후에 중앙일보 사장을 지냄), 고인이 된 동아일보 유탁 기자와 신아일보 장기효 기자, 그리고 대한일보 임인호 기자, 경향신문 김강 기자, 문화방송 하순봉 기자(후에 국회의원을 지냄), 역시 고인이 된 조간신문인

한국일보의 구용서 기자 등이 기억에 남고, 같은 조간인 조선일보 기자는 기억이 가물가물하다.

당시 서울은 번영하는 현대도시여서 인구가 550만 명이나 상주할 정도였다. 고층 건물도 늘어나 4대문 안에만 90개 이상의 고층 건물이 있었으며, 이 중 대연각도 대형 건물 가운데 하나였다. 대연각호텔은 화재 당시 준공된 지 18개월밖에 안 된 22층짜리 건물로 서울에서 가장 복잡한 교통 요충지인 중구 퇴계로 대로변에 위치해 있었다.

이날 불은 오전 10시쯤 1층 커피숍에서 LP가스가 폭발하면서 일어났다. 불길은 삽시간에 22층 건물을 휩쓸었고, 당시 호텔에는 약 200명의 손님들이 투숙하고 있었다. 더구나 불이 난 시간이 오전 중이었지만, 고객들이 늦잠에 빠져 있어 대피 속도가 늦을 수밖에 없었다고 한다. 특히 건물 내장재가 가연성이어서 불길이 빠르게 번져 피해자가 많았다. 화재 현장엔 서울 시내 전 소방차가 출동했으나 차갑고 강한 겨울바람과 건조한 날씨 때문에 불길을 쉽게 잡을 수가 없었다. 구조에는 미 8군 헬기와 육군항공대, 대통령 전용 헬기까지 투입됐다. 그런데도 불이난 지 10시간이나 지나서야 겨우 불길을 잡을 수가 있었다.

우리나라 화재 사고 중 가장 피해를 많이 낸 화재 사건이어서인지 시민들도 안타까운 마음으로 거리로 뛰쳐나와 발을 동동 굴렀다. TV는 화재 현장을 생중계했고 그런 가운데 박정희 대통령도 직접 현장에 나와 김현옥 내무장관으로부터 보고를 듣고 전용 헬기를 띄우라고 지시하기도 했다. 나는 고층 건물 화재 현장 취재가 이렇게 어려운 줄을 그때서야 알았다. 기자가 되어서 비교적 큰 화재였던 남대문시장 화재 사건 등을 취재한 경험이 있었지만, 이번처럼 고층 건물 화재 취재는 처음인데다 엄청난 인명 피해를 가져온 화재였기 때문이다. 나중에 집계된 것이지만 이 사고로 163명이 사망했고, 63명이 부상을 입었다고 한다. 재산 피해는 소방서 추산 8억 3천 820만원이었다. 이렇게 큰 피해가 난데는 고층 건물인데도 비상계단도 없었고, 화재 당시 옥상으로 올라갈 수 있는 출입문이 잠겨 있어서 투숙객들이 옥상으로 피신할 수 없었기 때문이란다. 실제로 20여구의 시신이 옥상으로 통하는 문 앞에서 발견되었다. 불길이 워낙 세었기에 나를 비롯하여 취재 기자들은 건물 가까이에는 접근이 어려웠다. 그래서 그냥 멀리서 스케치만 할 수밖에 없었다. 호텔 직원에 따르면 호텔에는 200여명의 투숙객과 70여명의 종업원이 있었다고 했다.

사상자들은 거의 대부분이 질식사했고, 불길이 두려워 창문을 통해 아래로 뛰어내리다가 사망하는 투숙객들도 부지기수였다. 불길이 위로 올라갈수록 많은 투숙객들이 "살려 달라."며 창문 너머로 하얀 손수건을 흔들며 우는 장면을 보고는 나는 취재하는 것도 잊은 채 발만 동동 굴렀다. 옷에 불이 붙은 채 창문을 열고 뛰어내리는 사람들은 마치 나무에서 떨어지는 나뭇잎 같았다. 현장에 있던 시민들은 하나같이 충격에 말문을 열지 못하는 것 같았다. 집에서 TV 중계방송을 보는 많은 국민들도 이런 장면을 보고 충격에 빠지기는 마찬가지였다. 불길이 차오르는 순간 한 장의 매트리스를 부여잡고 뛰어내리는 사람도 보였다. 이 순간을 포착한 서울신문 사진부 김동준 기자는 한참 후에 특종상을 받기도 했다. 내가 안타까워 넋을 잃고 있을 때 지나던 시경 캡이 내 어깨를 툭 치면서 "정신 차려! 기자가 취재를 해야지 뭐해!"라며 핀잔을 주었다. 순간 나는 정신이 번쩍 들어 다시 취재 모드로 돌아갔다.

이런 아수라장에서도 영웅은 탄생했다. 죽음의 공포를 이겨내고 건물 7층에 있던 한 종업원은 복도에서 매연 냄새가 나자 객실마다 돌아다니며 새벽잠에 빠져있던 투숙객들을 깨워 옆 건물 옥상으로 대피시켰다. 이렇게 해서 귀한 생명을 건진 사람이 50여명에 달했다. 희생자들은 남자 96명, 여자 67명이고, 국적별로는 한국인이 147명으로 제일 많았고, 일본인 10명, 중국인 3명, 미국인 및 인도인 3명이었으며, 이들 중 신원을 알 수 없는 사람이 17명이나 됐다. 이처럼 대형 화재 현장은 한두 명의 기자로는 취재가 불가능하다. 그래서 신문사마다 보통 10여명 이상을 현장에 투입하고 각자 스케치부터 사고 원인, 피해정도, 건물 구조, 미담 등으로 나눠 분담 취재케 한 뒤 이를 시경 출입 기자가 취합해 기사를 작성한다. 이런 이유로 당시 서울시 교육청에 출입하던 필자의 동기생 한 명도 취재 지원을 위해 현장으로 달려왔다. 그런데 현장에 가까이 오다가 명동의 한 신축 건물 공사장 웅덩이에 빠지는 사고를 당해 다리가 부러지는 중상을 입고 병원에 입원했다. 그는 취재는 하나도 지원하지 못했는데 취재 중에 부상을 입은 것으로 알려져 회사는 나중에 '기자 정신이 투철했다'는 공로를 인정, 우수기자로 표창했다. 웃기는 일이 벌어진 것이다. 그러나 그때는 나를 비롯해 모든 취재 기자들이 그 같은 진실을 알고 있었지만 아무도 발설하지 않았다. 그러나 죄는 짓고 살 수 없는가 보다. 회사를 정년퇴직하고 매월 모이는 동기생 모임에서 그 친구가 사실을 털어놨다. 그는 그때 받은 상이 늘 부담이 됐다면서 이제라도 진실을 밝히니 속이 후련하다고 했다. 그리고 지금이라도 상을 취소해달라고 하고 싶다고 했다. 하지만 나 역시 떳떳하지 못하기는 마찬가지였다. '밤새 명동거리를 취재하느라 늦잠을 잔 게 아니고 기자실에서 밤새 술을 마셨기에 늦잠을 잤기에 까딱했으면 낙종할 뻔 했던 사실' 을 실토하지 않을 수 없다. 이번에도 술이 원수인 셈이다. 그런데도 거짓말을 하는 줄을 뻔히 알면서도 그냥 덮어준 당시 시경 캡(지금은 고인이 된) 심정일 선배께 감사드린다. 여하튼 대연각호텔 화재 사건은 우리들에게 화재의 위험성과 안전에 대해 다시 한 번 경각심을 불러일으키는 사고였음에 틀림없다.

장석영 | 1942년 11월 6일생. 서울신문 기자, 문화부장, 사회부장, 논설위원, 한국체육대학교 초빙교수(행정학 박사), 시인, 수필가, 대한 언론인회 부회장

권력 무상(無常), 정치는 총성 없는 전쟁

나는 정치부 기자로 시작해서 정치부 기자로 끝났다고 자부하는 조고계 외길을 걸어온 기자다. '국회 출입 30년'을 늘 자랑거리로 간직하고 있다.

제재형

그해 여름은 몹시 무덥고 답답했다. 1967년, 그러니까 44년 전 일이다. 5·3 대선에서 박정희(5,688,666표)는 윤보선(4,526,541표)을 1,162,125표차로 누르고 6대 대통령에 당선됐다. 김형욱 중앙정보부장이 생긋 웃을 만큼 고무되어 있었다. 공화당 의장 JP(김종필)가 긴장했다. 김형욱이 계속 돌을 쥐면 바둑판이 헝클어진다고 봤기 때문. 그동안 수고 많았으니 좀 쉬라, 총선은 당(공화당) 쪽에 맡겨 줬으면 좋겠다고 손을 내저었다. 대선은 공화당이 먹었으니 총선은 야당에 주는 것이 좋겠다는 쪽으로 세론이 쏠려가고 있었다.

'박 대통령 여당 지원 유세는 선거법 위반'

그해 6월 8일 실시된 제7대 국회의원 선거는 세론과는 달리 공화당이 정원(175명)의 3분의 2를 훨씬 초과하는 130명(74.3%)을 독식하고 말았다. 정국은 와글와글 소용돌이쳤다. 야당은 전국구 17석을 보태어 겨우 45석을 차지했고 7대 총선은 '6 · 8 부정 선거' 로 이름 지어졌다. 유진오의 신민당은 의원 등록 거부, 등원 거부를 선언하니 국회는 반년 가까이 겉돌게 된다. 이런 의정(議政) 최악의 사태가 벌어진 것은 JP 책임. 위기의식에 사로잡힌 JP는 삼위일체의 부정 선거를 획책하고 성취한 것이다. 삼위일체란 조장 행정(시장 · 군수), 치안 행정(경찰서장), 교육 행정(교육장)의 책임자 셋이 목숨 걸고 공화당 선량을 만들어 냈다는 뜻이다. 아무리 캐어도 그 윗선은 드러나지 않게 짰다고 봐야 한다.

야당이 없으면 국정 감사와 예산 심의는 불가능하다. 필요는 생산의 어머니라던가. 공화당 전국구 당선자를 포함한 13명을 제명, 제2 원내 교섭단체를 구성한다. 이른바 '10 · 5 구락부' 는 공화당이 급조한 '사쿠라' 교섭 단체다. 이동원, 이원엽, 이병주, 김익준, 이윤용, 차형근, 이원장(대표), 이원우, 이호범, 박병선, 양찬우, 최석림, 양달승 의원 등이다. 지금 살펴보니 이들 중 3분의 2 가량이 이미 이승을 떠났다. 어용 교섭 단체가 야당 노릇을 하는 가운데 국정 감사와 1968년도 예산 심의는 억지로 진행된다.

이런 가운데 박정희 대통령은 담화를 발표하고 "부정 선거와 관련, 행정부 책임자로서 미안하게 생각한다. 부정 선거 문제는 법원과 국회에서 처리할 일이다."라고 사과했다. 여야 막후 협상은 무르익어 갔다. 11월 29일 이윽고 신민당 의원 44명은 일괄 등록했고, 김영삼이 교섭 단체 대표로 신고됐다.

제62회 정기 국회 21차 본 회의의 진풍경을 다시 본다. 장경순 부의장과 김종필 공화당 의장이 환영사를 하고 신민당 총재 유진오 의원이 등원 이유를 밝히는 인사말을 한다. 이효상 의장에 대한 사퇴 권고 결의안은 12월 21일 부결됐지만 연말까지 의사봉을 잡지는 않았다. 야당의 등원 조건 14개항은 부정 선거 진상 조사, 선거법과 그 관련 법 개정, 특별 국정 감사 실시 등이 골자다. 그 이면에 무슨 묵계나 비밀이 숨어 있는지는 미지수. 한 가지 분명한 것은 급히 마시면 사레 들고 과식하면 배탈 난다는 사실! 어간에 이런 일이 있었다.

야당에 국회의석을 많이 줘야 공화당의 횡포와 박정희 정권의 독주를 견제할 수 있다는 여론이 팽배하자 공화당은 지원 유세 계획을 짜고 박정희 대통령의 재가를 받았다. 제1차 유세 일정은 목포(강기천), 고흥(신형식), 부안(이병옥) ,김제(장경순) 순으로 짜여졌다.

5월 중순, 아마 15일께로 기억된다. 첫 번째로 목포에서 박정희는 여당 후보를 밀어 달라고 호소했다. 왜 목포에서 유세 첫발을 내딛는가? 말도 많은 김대중이 야당 후보로 출마했기에 그 기세부터 꺾어놔야 됐기 때문이었다.

때마침 한국일보 정치부 차장으로 국회를 출입하는 제재형이 중앙선관위에 질의하고 사광욱 위원장 이름으로 답변한 내용이 신문에 보도됐다. 한국일보 특종 기사였다. 국가 공무원법은 "공무원은 국민 전체의 봉사자로서 행정의 민주적이며 능률적인 운영을 기하게 함을 목적으로 한다."고 규정하고 정치적 중립을 지켜야 할 고위 공직자로 대통령, 국무총리, 국무위원, 차관, 청장… 등을 열거했다. 정당법과 선거법도 공무원의 정치적 중립 의무를 명시하고 있다. 특히 선거법은 "특정 정당을 지지 또는 반대하거나 특정 후보를 당선 또는 낙선되게 할 목적으로 찬성 또는 반대해서는 안 된다."고 규정하고 위반자에 대한 벌칙 조항도 밝히고 있다. 제재형 기자는 "비록 대통령이라 할지라도 행정부 수반으로서 정치적 중립을 지켜야 할 책무를 지기 때문에 공화당 후보에 대한 지원 유세는 불가(不可)하다고 보는데 '귀견(貴見) 여하(如何)?' 라고 물었다. 이에 중앙선관위는 전체 회의를 거쳐 주문(主文) "귀견(貴見)과 여(如)함"이라고 쓰고 그 이유를 밝힌 답변서를 질의자에게 보내는 한편 공보관을 통하여 보도 자료를 발표했다. 이 사실이 이튿날 신문지상에 대서특필 됐음은 물론이다.

일요일을 쉬고 월요일 아침 중학동 14번지 한국일보사로 출근하는 제재형의 예감은 '길(吉)하지 못함' 이었다. 집으로 퇴근치 못할 일이 있을지도 모르기 때문에 내복을 끼어 입었다. 신변상 '혹시나' , 몰라서 사표도 써서 주머니에 넣었다. 아니나 다를까, 사장실에서 호출이다. 들어서자마자 "정권이 왔다 갔다 할 중대한 문제인데 왜 사장 허락도 없이 그런 질문서를 보내?" 김 모 사장의 문책성 일갈이 쏟아졌다. 나는 전광석화적으로 반격했다. "xxx, 어느 놈의 기자가 사장 결재 받고 취재한다더냐?" "두말 말고 사표 내!" "그럴 줄 알고 내 사표 써왔어요!" 하고 봉투를 내 던졌다. '죄송합니다, 봐 주세요.' 가 아니라 기다렸다는 듯이 사표를 내미니 사장은 멈칫 놀라는 표정이었다. 그리고 내 사표는 곧 경제기획원 장기영 장관실 서랍 속으로 직행했다는 것. 나중에 들려온 소식이다.

며칠 후 윤보선 신민당 대통령 후보 선거사무장이었던 김의택 의원이

낸 질의서에 대한 중앙선관위 위원장의 답변서가 나왔다 "제재형의 질의에 대한 답변을 조복(照覆)하시압." 한 발짝 뒤늦게 비슷한 내용을 물었기에 앞 것을 '참조하라' 고 회답한 것 같다. 박정희 대통령의 여당 후보 지원 유세 일정은 목포에서의 한 방으로 끝났다. 공화당으로선 핵폭탄을 맞은 셈이다. 그냥 좌절할 순 없었던가. 공화당 추천 중앙선거관리위원인 김치열이 꾀를 냈다. 마침내 고위 공직자 중 "대통령만은 예외로 선거 운동을 할 수 있다."는 취지로 서면 결의를 받아낸 것이다. 여기에 찬성 서명한 선관위원은 외유(外遊)의 위로를 받았다. 그러나 대법관인 사광욱 위원장은 '법관 생활 40년 동안 내 판결을 내 손으로 뒤집는 일은 처음' 이라는 성명을 내고 중앙선거관리위원장직을 결연히 사퇴해 버렸다. 잇달아 박정희 대통령도 "비록 대통령의 선거 운동 금지는 풀렸으나 본래의 입법 취지에 따르는 것이 옳다."면서 발길을 청와대에 묶었다.

5 · 16 쿠데타 후 두 번째로 겪는 제7대 국회의원 총선 과정과 국회 의정사의 일그러진 자화상은 군사 독재 정권과 공화당의 앞날에 어두운 그림자를 투영하는 징조로 보였다. 부정 선거를 규탄하는 학생 데모는 날로 가열되고 6 · 8 부정 선거 후유증은 1년 넘도록 치유되지 않았다.

아니나 다를까. 박정희의 영구 집권의 길을 여는 3선 개헌안이 1969년 9월 14일 새벽 2시 52분 국회 제3별관 특별위 회의실에서 날치기로 통과되었다. 이때 신민당 의원들은 본회의장에서 농성 중이었다. 이탈자 3명(성낙현, 조흥만, 연주흠)의 의원직 박탈을 위해 신민당은 일단 해체됐다가 13일 만에 복원 창당하여 '신민회' 란 교섭 단체로 등록하기에 이른다.

“6 · 10 통화 개혁은 실패였다.”

기사 여담(奇事餘談)으로 몇 가지 생각나는 바를 여기 더 적어본다. 박정희 대통령의 일생을 모택동의 경우처럼 공칠과삼(功七過三)으로 평가하는 이들이 있다. 그는 배고픔 해방(빈곤 퇴치), 산림녹화, 산아제한(가족계획), 새마을 운동, 중화학공업 진흥과 산업화, 수출 확대와 경제 자립, 사회보장제도(의료 · 연금보험) 도입 등 눈부신 업적을 쌓았다. 그러나 “혁명 과업이 완수되면 참신한 민간인에게 정권을 넘겨주고 원대 복귀하겠다.”는 혁명 공약 제6항을 지키지 않았다. 엄청나게 큰 잘못이다.

5 · 16 쿠데타 직후 골프 치는 자는 ‘망국도배’ 라고 매도하면서 굵직굵직한 기업 총수들을 붙들어 송충이를 잡게 했었다. 그러던 그가 이듬해 가을 한양 컨트리클럽에서 골프를 쳤다. 나는 친여적 월간잡지 ‘정경연구(政經研究)’ 의 자매지 ‘우리의 벗’ 에 간 크게도 이런 글을 썼다. “망국도배들이 치는 골프를 박정희 장군이 치다니…. 그럼 그는 무엇인가?” 박준규가 발행하고 신영철이 편집하는 것으로 기억되는 ‘정경연구’ 쪽에서 나를 건드리지 않은 까닭이 무엇인지 지금껏 신통방통할 따름이다. 그 당시에도 언론 자유가 보장됐는지 아니면 그 글을 못 봤든지 둘 중의 하나라고 생각됐다.

1962년 12월 국가재건최고회의 박정희 의장이 청사(지금의 광화문 앞 문광부 건물)에서 TV로 생중계되는 연말 기자 회견을 가졌다. 이후락 공보실장의 각본대로 질문과 답변을 이어 나간다. 맨 뒷자리에 앉은 내가 밸이 꼬여서 소리쳤다. “의장! 뒷자리에도 발언권 좀 주시오” 박 의장이 손가락으로 발언권을 주자 이후락 실장이 "어이, 제 기자 질문하시오." 한다. 나는 마이크를 받아 쥐고 묻는다. "6 · 10 통화 개혁은 성공했습니까? 실패했습니까? 만일 실패했다면 누군가 책임을 져야 되지 않습니까?" 박정희 의장의 답변은 명쾌했다. "솔직히 말하거니와 6 · 10 통화 개혁은 실패했소. 그 책임은 내게 있소!" 며칠 후 통화 개혁을 주관했던 최고위원 유원식 장군이 잘려 나갔다. 건국 후 두 번째로 1962년 6월 10일에 단행된 통화 개혁은 100환을 10원으로 10분의 1씩 명목상 평가 절하한 조치였으나 그 실효는 거두지 못했다. 5 · 16 직후 민주당 정부의 서랍 속에서 찾아낸 계획안대로 섣불리 단행했던 '농어촌 고리채 정리 조치'에 이은 두 번째 실패작으로 기록됐다.

'샘터' 제호 써 준 명필 손재형(孫在馨) 선생

월간 교양 잡지 '샘터'가 지난 2011년 10월호로 지령 500호를 맞았다. 다이제스트 판으로 아담하게 꾸며지는 '샘터'의 발행인은 김성구, 그는 창간 발행인 김재순의 아들이다. 국회의장을 지낸 김재순은 민주당 정부의 상공부 장관을 역임한 주요한을 도와 월간지 '새벽'을 만들던 문필가다. 그가 1970년 4월 '샘터' 창간호를 내기 몇 달 전 이야기다. 매화나무가 꽃봉오리를 맺을 무렵 한국일보 정치부 정성관 부장이 나를 부른다.

"제 차장, 부탁 하나 들어줘, 서울 상대 동창 김재순이 새로 잡지를 만든다는데 형님한테 부탁해서 '샘터'란 제호 글씨를 받아 주시게." 여기서 '형님'이라 함은 당대의 명필 소전(素荃) 손재형(孫在馨) 선생을 가리킨다. 소전이 국회 문공위원장 시절 "나와 이름이 같은 것도 큰 인연일세, 내 이름도 본시 재형(宰馨)인데 재형(在馨)이라 고쳐 쓴다네. 비록 성씨(姓氏)는 달라도 이름은 같으니 나이 많은 내가 형이 되고 그대가 아우 됨이 어떤가?" 이리하여 소전과 나는 형제로 결의(結義)하였고, 그는 내 아호를 척산(尺山)이라 지어 결의 징표로 글씨 두 폭을 써 주었다. 하나는 춘여해(春如海: 봄 바다같이 온화한 얼굴을 지니라), 다른 하나는 이문회우 여덕위린(以文會友 與德爲隣)이니, 글월로 벗을 모으고 덕으로써 이웃을 사귀라는 뜻이다. 나는 형님에게 제호 쓰기를 청탁하였다.

소전은 "평소 한글을 잘 안 쓰지만 아우가 소청하니 거절할 수 없지." 하며 가로 글씨 '샘터'와 세로 글씨 '샘터'의 두 가지 제호를 써 주셨다. 그 글씨가 오늘날까지 '샘터'의 문패요, 간판 구실을 해 오고 있다. 그때 정성관 부장은 고맙다는 뜻과 함께 '조니 워커' 블랙 레이블 한 병을 사례품으로 내게 줬다. 김재순 사장도 점심 한 끼 잘 대접하면서 원고 청탁을 곁들였었다. 근대화의 샘물, 행복을 건네주는 샘물을 표방하면서 지령 500호를 기념하는 잔칫상을 먼발치에서 바라보는 내 마음은 칭칭(정성관 부장의 별명) 선배의 명복을 비는 기도로 이어져간다.

세월이 약이겠지, 망각도 은혜러라. 대륙에의 꿈을 가꾸던 장덕진 회장이 한동안 잘 발행하던 월간지 '한국인'을 우리 곁으로 다시 부르고 싶은 생각이 문득 떠오르는 것도 세월 탓인가, 나이 탓인가? 주마등 같이 스쳐가는 상념을 억제할 수 없구나. 모쪼록 김재순 회장의 건승과 '샘터'의 무궁한 발전을 빌어마지 않는다. 그래도 오늘은 내일의 추억거리가 된다. 마로니에 거리, 담쟁이 넝쿨에 감싸인 '샘터' 사의 붉은 벽돌집 사옥, 그 앞을 지날 때마다 2007년 8월호 '샘터'에 실렸던 시인 김후란(대한언론인회 회원)의 시구를 되뇌곤 한다. "미래는 현재다. 이 날을 가슴에 담아두고 살아요, 미래가 현재로 다가오는 것이 아니라 현재가 미래로 달려가는 것이잖아요."(샘터사 앞 길가에 세워진 동판 조형물에 새겨진 글귀다.)

국회 출입 30년… '8선 기자'란 별명도

나는 정치부 기자로 시작해서 정치부 기자로 끝났다고 자부하는 외길의 기자다. '국회 출입 30'년을 늘 자랑거리로 간직하고 있다. 벌써 작년인가, 재작년인가, 7월 17일 제헌절 60주년 기념일을 전후해서 국회 TV방송(NATV) '다시 보는 속기록'에 다섯 번 출연, 우리 헌법의 발자취를 더듬어 본 바 있다. 3대 국회부터 10대 국회까지 출입하여 '8선 기자'란 별명을 듣기도 했다. 백발이 성성한 백악관 출입 기자의 회갑 잔치를 보고 '나도 저렇게 됐으면…' 부러워한 적도 없지 않았다.

한 많은 태평로 국회의사당(지금의 서울시의회)을 떠나 영등포구 여의도동 1번지 양말산 언덕 위에 우뚝 솟은 국회의사당으로 옮겨 간 것은 8대 국회 때였다. 우주인 암스트롱과 올드린이 아폴로 11호를 타고 달에 착륙하기 이틀 전인 1969년 7월 17일 여의도 국회의사당은 신축기공식을 올렸었다. 1970년 6월 25일 서울 인구는 500만 명을 넘어 섰고 7월 7일 경부고속도로 428km가 개통되던 무렵이다.

국회는 여의도 새 터전에 이사한 것을 기념하여 20년 이상 장기 출입 기자 몇 사람을 표창했다. 김용태 공화당 원내 총무 겸 국회운영위원장은 표창패에 금일봉을 덧붙여 "한 잔 하시라."고 했다. 나도 그 중의 하나다.

YT란 애칭을 지닌 김용태 총무는 출입 기자의 생일에 축하 화분을 보낼 정도로 사람 관리를 잘하는 정치인으로 소문난 인물이다. JP(김종필) 측근에서 5 · 16 거사를 도운 인연으로 정계에 투신한 서울대 사범대 출신이었다. 좀 더 오래 살았더라면 큰 발자취를 남길 수 있는 정치가라 여겨졌다. 하지만 그도 저승으로 떠난 지 오래다. 정말 인생은 짧고 권력은 무상하다.

정치는 총성 없는 전쟁이요, 전쟁은 토론 없는 정치라고들 일컫는다. 국회의원은 '국민의 대변자'이니 말 잘하는 정치꾼일 수밖에 없다. 의회 민주주의는 매우 비능률적이요, 가장 나쁜 제도라고도 한다. 그러나 이보다 나은 제도를 아직 발견하지 못했기에 어쩔 수 없이 의회(국회)정치를 버리지 못한다. 소수파(야당)는 다수파(여당)의 독주를 견제하는 장치로 필리버스터(의사진행방해)를 곧잘 활용한다. 3대 국회 때의 일, 달변가인 박영종 의원은 오전 10시 국회본회의가 개의되자마자 전차 회의록(속기록) 낭독 순서에서 "의장, 이의 있소!" 마이크를 잡고는 3시간 동안 장광설을 펼친다. 아무 안건도 처리하지 못한 채 회의 종료 시간인 오후 1시에 '산회' 선포되는 꼴을 보았다.

역대 국회를 훑어보면 윤치영, 김수선, 황성수, 박영종, 김익준, 김대중, 박한상 의원 등이 능변가요, 독설가 김상돈, 속사포 김선태 의원도 거명된다. 3선 개헌 반대 토론에 나선 박한상 의원은 밤을 새워 이틀 동안 발언하다가 밑천이 떨어지자 '프랑스 혁명사'를 읽어 나감으로써 10시간 발언 기록을 세웠다. 그는 5대부터 내리 6선 관록을 쌓으면서 '영등포의 입' 노릇을 했다. 인권 옹호 변호사로서 무료 변론에 앞장서는가 하면 하루에 여덟 번까지 결혼 주례를 섰다.

나는 그와 무척 친한 사이였다. SOS를 칠 때면 내가 영등포로 달려가 대리 주례를 선다. 말할 것도 없이 "국사 다망한 관계로 내가 대신 주례를 서게 됐다."고 전제하곤 "신랑 신부 모쪼록 잘 먹고 잘 살아라."고 축복한 다음엔 "박한상 의원은 참 좋은 정치인"이라고 칭찬, 박수를 받기도 했다.

선거 때마다 내 승용 지프차는 영등포로 징발되기 마련이었다. 나는 JC 후배인 마포 을구 출신 박주천 의원의 대리 주례도 더러 섰다. 상암동의 가난한 혼주가 양담배 두 갑을 손에 쥐어주면서 "정말 감사합니다."라고 몇 번씩 절하던 모습을 나는 잊지 못한다.

6대 국회 시절 박한상 의원과 나는 광화문 네거리 당주동 입구 모퉁이 빌딩 관인 무용학원에 매일 새벽 7시 출근, 6개월 동안 댄스 교습을 받은 적이 있다. 새 시대에 적응하려면 사교춤도 출 줄 알아야 한다는 명분 아래 가족에겐 '영어회화 공부하러 간다.' 고 둘러 댔었다. 트로트, 블루스로 시작하여 왈츠, 룸바, 삼바, 차차차, 탱고에 이르기까지 마스터한 셈이었지만 지금은 다 잊어먹고 말았다. "신사는 원리원칙대로 거리를 두고 점잖게 추어야 한다."고 가르치시던 할아버지 춤 선생의 인자한 모습이 아련히 떠오른다.

제재형 | 1935년 1월 20일생. 한국일보 견습 6기, 정치부차장, 서울경제신문 문화부장, 한국일보 편집위원, 국민일보 논설위원, 대한언론인회 회장

내가 걸어온 言論四路

나의 최초의 저술 '21세기 방송론 멀티미디어화와 한국 방송의 미래'는 미디어 빅뱅 시대의 최초의 단계에서 멀티미디어와 한국 방송의 미래를 처음으로 전망했다는 점에서 지금도 긍지를 잃지 않고 있다.

조창화

2009년 대한언론인회 회장직을 맡고 있을 때 고희를 맞은 회원들에게 '言論一路' 라는 휘호를 새긴 기념패를 증정한 적이 있다. 언론 한 길을 걸어 70이 넘었다는 사실을 기리고 감축하기 위한 것이었다. 나도 마침 고희를 넘긴 터이라 기념패를 받아 지금 집 응접실에 잘 모셔 놓고 있다. 그런데 이 패를 볼 때마다 나는 "내가 과연 언론 한 길을 걸어 70을 넘겼느냐." 하는 의문을 지울 수가 없다. 왜냐하면 신문(대한일보), 방송(KBS)을 합쳐 40여년을 언론인으로 살았다는 사실은 명명백백하지만 그 후 이런 저런 사연으로 LG그룹 상임고문, 국립한국체육대학 초빙교수, 우리홈쇼핑 설립 CEO 등을 역임했기 때문이다. 외도한 것으로 치면 꽤 많이 한 축에 들어갈 내가 언론일로에 합당한 것인가 하는 생각을 아니 할 수가 없다. 그런데 다행히도 내가 했던 외도는 전부 언론과 불가분의 관계에 있는 분야라는 점에서 언론일로라고 보아 줄 수 있지 않을까 하는 자기합리화에 당도하고 말았다.

LG그룹에서는 위성 방송 준비 팀을 이끌었고, 한국체육대학 대학원에서는 스포츠 저널리즘을 강의했으며, 우리홈 쇼핑에서는 케이블 TV를 통한 방송 제작으로 상품을 팔았다. 말하자면 모두가 방송에 연관된 것들이다. 나에게 있어 言論一路는 다소 변형되어 言論四路가 된 셈이다.

이제부터 전개되는 이야기는 言論四路를 걸어 온 나의 분투기다.

행운이였던 言論一路

현역일 때의 나의 처지는 비교적 행운이 따랐다. 승진도 빨랐고 남이 좋다는 출입처도 다 섭렵한 셈이다. 신문에서는 국회, 청와대 출입을 했고 방송에서는 주일 특파원, 주미 특파원, 보도국장, 보도본부장(대우), 기획조정본부장, 부산방송 총국장, KBS 시설사업단 사장 등을 거쳤다. 특종도 많이 했고 기사 잘 쓴다는 말도 들었다. 자꾸만 자랑이 나오는 것 같아 여기서는 그냥 줄여야겠다.

言論二路… LG에서 위성 방송 프로젝트 맡아

승진이 좀 빠르다 보니 KBS에서 정년을 맞을 수 없었다. 임기 있는 자리를 돌다보니 연임이 안 되면 옷을 벗을 수밖에 없고 연봉이 감봉되어 정년 때 받는 두둑한 퇴직금도 나와는 무관한 것이 되고 말았다.

1995년 3월 사업단 사장에서 물러났을 때 나의 나이 57세, 앞이 캄캄했다. 몇 달을 서성대고 있는데 LG에서 위성 방송 프로젝트를 맡을 생각이 없느냐는 제의가 들어왔다. 우여곡절 끝에 1995년 9월 LG그룹 회장실 산하 전략사업 개발단의 상임고문이라는 직함을 받고 난생 처음 대기업의 생활을 시작했다. 한강이 내려다보이는 넓은 사무실에 영악한 여비서, 기사가 딸린 고급 자가용에 생전 처음 받아보는 고액 연봉과 실링이 없다는 법인 카드, 기자가 최고의 직업이라고 생각했던 우물 안의 개구리에겐 놀라움과 중압감의 연속이었다. 한마디 잔소리도 없이 내팽개쳐져 있던 나에게 내일 아침 정책위원회에 참석하라는 통지가 온 것은 달포가 지나서였다. 30층의 아늑한 회의실에는 구본무 회장을 비롯한 그룹의 회장 부회장급의 기라성 같은 얼굴들 10여 명이 포진해 있었다. 지정된 나의 자리는 회장을 마주 보는 한 쪽 끝. 제일 먼저 말문을 연 사람은 전략사업개발단의 단장격인 변규칠 회장실 부회장이었다.

"조 고문님 어떻게 끌어가실 겁니까?"라는 짧은 질문이 나에게 던져졌다. 대략 예상했던 질문이었기 때문에 나는 차분히 준비했던 생각을 설명하기 시작했다. 대략의 줄거리만 소개한다.

"SBS의 올해 외형은 대략 3천억 원을 넘을 것으로 봅니다. 연간 외형이 몇 조가 되는 LG그룹에서 볼 때 3천억 원 정도의 기업은 중소기업에 불과할 것입니다. 그러나 현재 많은 사람들은 SBS를 중소기업으로 보지 않습니다. 그 이유는 방송 매체의 영향력 때문입니다. 지금 지상파 3사의 정립 상태는 디지털화와 더불어 다매체 다채널 시대로 돌입할 것입니다. 다시 말씀드려 KBS, MBC, SBS 같은 방송이 수십 개 아니 수백 개가 나타나는 단계에 돌입할 것입니다. 앞으로 우리는 위성과 옵티컬 파이버(광섬유)로 구성되는 방송망을 통해 방송은 물론 통신이 연결되는 이른바 방송과 통신의 융합시대에 살게 됩니다. LG의 입장에서 이런 빅뱅의 시대에 가만히 있을 수 있겠습니까?"라고 말한 뒤 모든 여건으로 볼 때 LG는 위성 방송으로 가는 것이 옳다고 주장했다.

좌중은 조용했다. 너무나 생소한 내용이기도 했지만 위성 방송이나 통신이 어떻게 해야 돈이 되는 것인지 이해가 안 가는 표정들이었다. 위성과 통신에 대한 초보적 설명부터 다시 해야 하나 하고 있는 참에 변 부회장이 "앞으로 잘 부탁합니다. 자주 봅시다." 하는 바람에 나의 초면 구두시험은 성공리에 끝난 셈이었다.

그러나 생판 제로에서 시작되는 일인지라 할 일은 첩첩산중. 4, 5명 되는 지금의 인원으로는 어림도 없다는 판단 아래 신입사원을 모집하기로 하고 몇몇 대학에 입사시험 요강을 보냈더니 100여명의 인원이 응모해 왔다. 서류 심사로 추린 30여명을 일일이 구두시험을 하고 영어로 프레젠테이션을 시키고 하여 18명을 뽑았다. 우수한 인재들이었다.

다음은 콘텐츠의 확보. ESPN의 뉴욕 본사로 달려가 Brown 사장을 비롯한 중역들을 만나 LG의 계획을 설명하고 앞으로 ESPN이 한국에 들어올 때 LG 이상의 파트너를 구할 수는 없을 것이란 점을 설득, 상당한 호감을 얻었다. ESPN 측은 뉴욕 회동 이후 코네티컷 스튜디오로 우리를 안내해 오찬을 내는 등 환대를 했다. 파트너십의 가능성이 눈앞에 있는 것 같았다. 만약 IMF 파동이 아니었다면 LG-ESPN은 현재 가동되고 있을 것이다.

다음은 우리보다 한 발 앞서 위성 방송을 하고 있는 일본을 뚫는 것이었다. 한국의 콘텐츠를 위성에 실어 일본 전역에 뿌리는 PP(프로그램 프로바이더)를 발족시키는 작업이다. 국내에서의 콘텐츠 수집은 순조로웠고 일본에서도 미츠비시 은행으로부터 10억 엔의 차입도 합의를 보았다. 드디어 방송 명칭을 'KOREA VISION'으로 결정하고 문공부에 허가 신청을 냈다. 그런데 뜻밖의 복병을 만나고 말았다. 해외공보관이 허가의 조건으로 콘텐츠 육성 자금 10억 원 이상을 요구하고 나선 것이다. 허가를 해줄 테니 돈을 내라는 것이다. 당시 이찬용 해외공보관장이 직접 LG 회장실 이문호 사장한테 전화를 걸어 이런 사실을 요구하고 나선 것이다. 이 사장은 정부에 돈을 내면서까지 할 필요가 있느냐는 신중론을 폈다. KOREA VISION은 이런 복병을 만나 주춤거리며 있다가 IMF를 맞게 된다.

또 서둘러 착수한 것이 SO(시스템 오퍼레이터, 지역에서 망을 통해 콘텐츠를 공급하는 사업자)의 확보 작전이었다. LG는 케이블TV 사업에 한 발 뒤져 있었기 때문에 PP나 SO를 단 한 개도 확보하지 못하고 있었다. 변 부회장에게 앞으로 콘텐츠의 확보도 중요하지만 대도시 중심의 SO 확보가 급선무라고 설득한 끝에 경인지역에 3개 부산지역에 6개를 확보하는 결과를 나았고 계속 확보의 속도를 늦추지 않았다. IMF를 당하고 난 뒤 SO를 모두 처분한 것은 LG로서도 큰 실책이었다고 생각한다.

1997년 9월 IMF의 어두운 그림자가 한국을 감싸기 시작하자 LG는 신규 사업을 접기 시작했다. 제일 먼저 조정 대상이 된 것은 위성 방송 프로젝트. 1997년 10월 이후 LG를 그만두는 1998년 3월까지 무위도식하게 된 반년은 나에게 괴로운 시절이었다.

言論三路… 대학 강단에 서다

국립한국체육대학 사회체육대학원의 초빙교수로 강의를 시작한 것은 1996년 봄부터였다. 대학원장을 맡고 있던 김정일 박사(동화통신 도쿄 특파원으로 KBS 도쿄 특파원이었던 필자와 막역한 사이)의 간곡한 청에 따른 것이다. 마침 디지털 시대의 다채널 다매체에 대한 연구서를 집필 중에 있었으므로 '멀티미디어론'과 '스포츠 저널리즘'을 강의하기 시작했다. 대학원 강의이므로 자연히 석사논문을 염두에 둔 학생들의 논문 지도도 맡게 되어 만만찮은 노르마에 시달리게 되었다. 결과적으로 20여 명의 석사를 지도하여 배출시킨 것은 지금도 뿌듯한 보람으로 생각한다.

7년여 동안 대학원 강의를 나가면서 나에겐 자랑스러운 부산물 하나가 생겼다. 나의 최초의 저술 '21세기 방송론(멀티미디어화와 한국 방송의 미래)'이 탄생한 것이다. 강의 준비를 위해 시작된 연구가 하나의 책으로 엮어지기까지는 자료 수집을 위한 세 번의 일본 방문, 한 번의 미국행이 불가피했다. 미디어 빅뱅 시대의 최초의 단계에서 멀티미디어와 한국 방송의 미래를 처음으로 전망했다는 긍지를 지금도 잃지 않고 있다.

言論四路… 얼떨결에 우리홈쇼핑

나의 言論四路는 내가 걸어온 네 가지의 언론 행로 가운데 가장 언론과 거리가 있다고 해야 할 것 같다. 우리홈쇼핑(현재 롯데쇼핑의 전신)을 만들어 장사를 한 것이다. 비록 방송 매체를 통해 프로그램을 만들어 방영했다고 해도 어디까지나 영리를 목적으로 한 것이기 때문에 언론이라고 보기에는 거리가 있다고 본다. 다만 방송이 갖는 메커니즘과 운영의 본질이 일반 방송의 그것과 하등 다를 것이 없다는 점에서 방송의 범주 안에 들어갈 수밖에 없다는 점이 특이하다.

여하튼 내가 홈쇼핑을 하게 된 것도 아주 우연하게 이루어졌다. LG를 그만두고 한국체육대학 강의만을 하고 있을 때인 2000년 12월 부산에서 통신판매를 하고 있다는 사람이 찾아왔다. 명함에는 '아이즈비젼 사장 이통연' 이라고 적혀있었다. 사연인 즉 "곧 홈쇼핑 추가 허가가 공개경쟁을 통해 결정되도록 되어 있는데 아이즈비젼이 중심이 되어 컨소시엄을 추진하고 있으니 기획제안서의 작성에서부터 책임을 지고 허가를 따 줄 수 없겠느냐."는 것이다.

나를 어떻게 알고 왔느냐는 질문에는 '21세기 방송론' 을 쓴 분이고 방송계에 발이 넓다는 소문을 듣고 찾아 왔다는 것이다. 알고 보니 LG에 있을 때 내 밑에서 일하던 문근수 군의 추천이었다. 문 군은 이미 이사장 밑에서 컨소시엄 일을 돕고 있는 상황에서 나를 업기로 했던 모양이다. 얼떨결에 호랑이 등에 탄 꼴이 된 나는 여의도에 마련된 사무실에 나가 프로젝트를 총 지휘하는 일을 맡게 되었다. 구성된 컨소시엄은 아이즈비젼과 경방(김담 사장, 김각중 회장의 2남)이 일대 주주로 정해졌고, 아이즈비젼이 제안서를 총괄한다는 방침을 세우고 명칭을 '우리홈쇼핑' 으로 결정했다.

그러나 2001년 3월 27일 제안서의 프레젠테이션의 날짜가 결정되자 응모자들의 면모가 나타났다. 신세계그룹을 필두로 롯데, 한솔, 현대그룹 등 재벌급 응모자가 다섯이 넘고, 군소 응모자들이 5개, 도저히 우리가 설 자리가 보이지 않았다. 난무하는 소문은 허가가 3개 또는 4개에서 1, 2개로 좁힌다는 등 오리무중의 상태였다.

정공법으로는 승산이 없다고 판단, 깜짝 아이디어를 숨긴 채 '3 · 27 제안' 설명에 임했다. 제안서 설명은 대표자가 하게 되어 있으므로 내가 나설 수밖에 없었다. 나는 개구일성 "대한민국은 서울공화국입니다. 이번의 심사에서 또 다시 대기업들이 선정된다면 서울공화국 상태는 더 심화될 것입니다. 만약 우리홈쇼핑이 선정된다면 스튜디오를 서울에 1개, 부산에 1개, 광주에 1개를 설치하여 그 지역의 물산을 중심으로 소비자에게 소개하겠습니다. 서울에서도 부산, 광주 물건을 살 수 있고 부산에서도 광주, 서울 물건을 사고 팔 수 있도록 하겠습니다. 그렇게 함으로써 지역 경제를 활성화시키겠습니다."

심사위원석이 반응을 보이기 시작했다. "과연 그렇게 할 수 있겠습니까?"라는 질문에 나는 우리홈쇼핑의 일대 주주인 아이즈비젼은 부산에 위치해 있고 지금의 사옥을 조금만 손을 보면 스튜디오를 만들 수 있다고 답변했다. 그리고 현재 KBS 광주방송국이 신축 청사로 곧 이동할 예정이므로 이 시설을 그대로 인수해 쓰면 문제가 없다고 설명했다. 나중에 우리홈쇼핑 운영에 여러 가지 도움을 받게 되는 방송위원회 사무총장 나형수(필자와는 서울문리대 동문, KBS 심야토론의 명 사회자)형이 심사위원석 뒤에 앉아 있다가 엄지손가락을 치켜세웠다. 여러 가지 사인이 유리하게 돌아가는 것을 감지할 수 있었다. 2001년 3월 27일 발표의 날이 왔다. 결과는 예상을 뒤집었다. 우리홈쇼핑, 농수산쇼핑, 현대홈쇼핑 등 3개가 합격했다. 2개의 군소자본과 1개의 대자본이 당선된 것이다. 1957년 내가 서울대 정치학과에 합격했을 때보다 더 기뻤다.

목동에 있는 서울 이동통신 사옥 10층 강당을 빌려 스튜디오 설치 작업을 서두르는 한편 각종 기자재 구입 네고를 시작했다. 기자재 구입 소위는 150억여 원의 예산이 들어가는 중요한 사항인 만큼 아이즈비젼 측에서 임채병 상무를, 경방 측에서 유대희 부사장을 심어 놓은 상태에서 나를 소위 의장으로 앉힌 것이다. 한두 번 참석해 본 뒤 나는 기자재 구입에서 아예 손을 떼겠다고 선언했다. 돈에 휘말리지 않겠다는 나의 생각과 대주주들의 막후 담합을 차마 볼 수가 없기 때문이었다. 결과는 예상대로 130여억 원이면 될 예산을 150억 원이 넘게 집행한 것처럼 꾸미고 차액을 2대 주주가 분배 착복하는 것이었다. CEO로서 도저히 결재할 수 없다고 결재를 한 달 이상 지연시켰다. 별별 협박이 다 가해졌다. 이사회를 열어 당신을 CEO 자리에서 내리겠다는 협박에 나로서도 생각이 있다고 버티었다. 할 수 없이 이들은 결재 서류를 가져다 수정 작업을 했고 기술부장이라는 자를 동원해서 이 가격이 타당하다는 부서를 달아 내 놓았다.

그러나 내가 보기에는 10여억 원을 부풀린 흔적은 감출 수가 없었다. '세상에 대주주라는 자들이 한 푼이라도 돈을 아낄 생각은 안 하고 빼먹자는 데만 혈안이 되다니, 이 자들이 홈쇼핑 할 생각은 추호도 없고 적당히 홈쇼핑을 만들어 웃돈 받고 넘기려는 것이구나.' 하는 음모를 파악하고 보니 이 자들과 더 어울리다간 내 꼴이 말이 아니겠구나 하는 생각을 하게 되었다. 단 한 푼도 부풀린 것이 없다는 수정본에 사인을 하고 나를 영입한 이통연 사장을 불러 "당신네들 이렇게 해도 되느냐?"고 따졌더니 "너무 모르십니다. 이렇게 하는 것은 업계 관례이고 이번 우리의 기자재 구입은 아주 양심적으로 한 겁니다."라고 오히려 나를 훈계하는 쪼다. "그래도 내 눈에는 10여억 원이 차이가 나는데…" 했더니 "그냥 눈 감아 주세요." 하는 이 사장의 호소. '아하, 이 자들의 사기극에 내가 말렸구나.' 하는 생각을 지울 수가 없었다.

사기극에 휘말리고…

며칠 지나 이 사장이 차나 한 잔 하자며 다른 장소에서 부르기에 나갔더니 경방의 사장이 앉아 있었다. 김 사장은 다짜고짜로 "조 사장님, 수고 많이 하셨으니 고문으로 물러나 계시면 어떻습니까?" 하는 것이었다. 아하 이 자들이 나를 내쫓으려 하는구나. "분명히 말씀드리는데 나는 이 자리를 상법에 명기된 3년까지 할 것입니다. 당신들 맘대로 해보시오." 하고는 자리를 박차고 일어났다.

답답한 가슴을 안고 방송위 나형수 사무총장을 찾았다. 대강의 경위를 설명하고 어떻게 하면 좋겠는가 했더니 나 총장은 "이런 죽일 놈들, 허가권을 따낸 사람을 부정에 동조 안한다고 내쫓으려 하다니. 조 선배, 나한테 맡겨 주세요." 하는 것이었다. 그리고 3년간 그를 경질할 수 없다는 것이 방송위의 견해"라는 내용. 당황한 이 사기꾼들은 "아무것도 하지 마시고 그냥 그 자리에 계십시오." 하고 애원을 해 왔다.

그 후 임기 3년을 마치기까지 나는 회사 경영으로부터 완전히 왕따 당하고 그냥 월급만 타는 신세가 되었다. 우리홈쇼핑을 그만 두는 날 홈쇼핑 사장과 다른 한 분이 점심을 대접하겠다고 해 나갔다. 차마 옮기기 낯이 간지러운 칭찬을 한 끝에 봉투를 하나 내미는 것이 아닌가. 순간 어떻게 할 것인지 망설였다. 그러나 나는 "이미 퇴직금을 받았고 하니 이 돈은 회사 경영에 보태시오" 하고 일어섰다. 그러자 사장이 몹시 당황해 하며 "이건 우리들의 성의이니 받아 주세요." 하며 따라 나왔다. 내가 받을 수 없다고 끝까지 사양하자 "사장님 이 안에 얼마가 들었는지 아십니까?" 하며 따라왔다. 그러나 나는 "회사에 보태세요." 하고는 내 차를 타고 말았다. 지금도 나는 그 봉투 안에 얼마가 들었는지 알지 못한다. 그러나 내가 그때 그 봉투를 받았더라면 지금 이러한 글을 쓸 수 없을 것이다. 그 후 이들은 3년이 지나기 무섭게 우리홈쇼핑을 롯데에 팔아 넘겼다. 40배를 남겼다는 말도 있고 30배를 남겼다는 말도 있다. 1주에 4천 원씩 투자하여 12%의 대 주주분만 생각해도 엄청난 액수다. 현재 롯데홈쇼핑의 주가는 36만원이다.

대략 이상이 나의 言論四路의 행로다. 인생 7학년 중반의 이 나이에 어찌 네 가닥의 행로만 있겠느냐만 지금도 대한언론인회를 중심으로 언론인을 자처하고 살고 있는 것은 더 없는 나의 행복이다.

조창화 | 1938년 10월 18일생, 대한일보 정치부 차장, KBS 일본특파원, 경제부장 부산총국장, 보도본부 부본부장, LA지국장, 해설위원, 시설관리사업단 사장, 우리홈쇼핑 대표이사 이사장, 전 대한언론인회 회장

1960년 4월, 그 1주일의 회고

4 · 19는 물론 이들 참된 영웅들의 것이다. 그러나 그건 또한 그를 둘러싼 무수한 소영웅, 이름 없는 많은 시민들의 것이기도 하다. 4 · 19에 어떤 자리에서든, 어떤 수단으로든 참여한 모든 사람들에게 4 · 19는 저마다 '나의 4 · 19'로 간직되고 있다. 나에게 있어서도 그렇다.

최정호

지난 20세기에 있었던 우리 겨레의 가장 큰 민중 봉기, 가장 영웅적이고 가장 희생도 컸던 레지스탕스 운동은 1919년의 3 · 1 독립 선언 운동, 1960년의 4 · 19 학생 혁명, 그리고 1980년 5월의 광주 민주화 항쟁이라 생각된다. 1919년엔 나는 아직 태어나지 않았다. 1980년엔 이미 기자직을 떠난 뒤였다. 내가 현역 기자로(당시 한국일보 편집부 차장 겸 편집위원으로) 체험한 것은 오직 4 · 19 혁명이다. 그렇대서 나는 '4 · 19 세대'는 아니다. 그건 나의 10대 말이 아니라 20대 말에 조우한 체험이었다. 나는 4 · 19를 싸운 세대, 4 · 19의 주인공은 아니다. 다만 그를 목격한 증인의 한 사람으로서 이 글을 쓰련다. 그러나 여기서 4 · 19의 '영웅'들에 관한 얘기를 적으려는 것은 아니다. 오직 내가 자리했던 한 구석에서 체험할 수 있었던 몇몇 '소(小)영웅'들에 대해 얘기해보자는 것이다.

4·19의 소영웅들

1960년 4월 19일, 시위 학생에 대한 경찰 발포로 130명이 죽고 1천여 명이 부상한 '피의 화요일'은 계엄령의 발포로 저물었다. '긴 하루'가 저문 다음 계엄의 밤은 또 유난히 길게만 느껴졌다. 초저녁 시간으로 앞당긴 야간 통행 시간도 연장됐다. 유혈이 낭자했던 '역사적'인 하루를 겪고 난 시민들은 계엄하의 긴 밤을 지새우면서 여느 때보다 더욱 초조하게 조간신문 배달을 기다렸다. 당시엔 텔레비전은 아직 이름도 없었고 라디오도 별로 보급되지 않아 신문이 독점적인 정보 매체가 되고 있던 시대였다. 신문이 기다려지니 밤은 더욱 길게 느껴진다. 그러다 마침내 큰 사건이 터진 다음날 아침 배달되는 신문은 별나게 철저하게, 샅샅이 읽혀지는 법이다. 지면이라야 겨우 4면 하던 당시였다. 4월 20일 아침 사람들은 정말 별난 강도(强度)와 심도(深度)로 신문을 열독했다. 나도 그랬다.

새로운 얘기는 거의 없었다. 모든 것은 어제 진종일 직접 목격했거나 수소문했던 얘기들이다. 그러나 오직 하나 의표를 찌른 새로운 기사가 눈에 뛰어들어 왔다. 1단짜리 기사였다. 한 외국 기자가 취재한 외신 보도다.

4월 19일의 중심무대는 세종로였다. 학생들이 그리로 몰려들고 거기서 발포가 시작되고 거기가 선혈로 물들여지고 거기에서 계엄령이 발표돼 거기가 보도의 중심이었다. 그러나 며칠 전에 도쿄에서 한국 사태를 취재하러 날아온 외신 기자 한 사람은 세종로가 아니라 서울 교외를 '커버'하고 있었다. 그는 계엄군의 서울 진입을 취재하면서 그 기사 말미에 다음과 같이 적고 있었다,

“계엄령이 선포된 후 군대는 평화리에 서울에 들어갔다. 구경꾼들은 군인들에게 환영의 박수를 보냈다. 이들 구경꾼들은 또한 앞서 몇몇이 장총과 ‘카빈’으로 무장한 시위자들에게도 박수를 보냈던 것이다. 일부 한국 병사들은 미소로 또는 손을 흔들어 구경꾼들의 환영에 응하였다. 이 같은 따뜻한 환영은 서울 시민들이 군대와 다른 것이 없다는 것을 의미화는 것으로 간주되었다.”

AP통신의 진 크레이머 기자가 19일 서울에서 발신한 기사다. 나는 이 기사를 역사적인 대특종, 아니 역사를 움직인 대특종이라 믿고 있다. 그것은 크레이머 기자가 의식했건 안 했건 ‘피의 화요일’ 4월 19일에서 이승만 대통령이 하야한 ‘승리의 화요일’ 4월 26일에 이르기까지 아슬아슬했던 시민 대 군대의 관계를 우호적, 긍정적 방향으로 몰고 가는 데 결정적인 선편(先鞭)을 친 특종 기사였기 때문이다.

정부 권력과 시위 학생이 총과 맨주먹으로 대결하고 내 친구, 내 자식이 내 눈앞에서 총 맞아 쓰러진 것을 본 성난 민중이 경찰서를 습격하고 불 지르고 했던 혁명의 소용돌이 속이었다. 전차를 앞세워 진주한 계엄군의 집총한 모습이 반드시 우호적으로만 느껴졌다고 생각할 수는 없었다. 더욱이 하나의 수수께끼는 계엄령의 선포로 4월 19일부터 야간 통행금지 시간이 오후 7시로 앞당겨졌고 계엄군의 서울 진주는 밤 10시를 기해 시작됐다고 보도되었다. 그렇다면 계엄령 치하에서 통금을 뚫고 군부대의 진주를 환영하며 박수를 보낸 사람들은 누구였을까. 옥석을 가리기 어려운 혁명적 상황의 혼란 속에서 경찰과 군대를 분간한, 냉철한 이성을 지녔던 무명의 시민들은 누구였을까? 그들의 박수는 계엄군에게 첫 순간부터 ‘시민의 군대' 라는 존재 증명을 해준 셈이었다. 4월 20일 아침 그 기사를 읽은 모든 시민들은 계엄령하의 첫날이 밝아왔을 때 거리에 나가 진주군을 맞는 입장이 정립돼 있었다. 4월 혁명 과정에서 군인과 시민과의 심리적 유대는 이렇게 해서 소리 없이 형성돼 간 것이다.

미아리 고개에서 계엄군에게 박수를 보낸 이름 모를 시민들, 나는 우선 그들을 4 · 19의 소영웅으로 회고해 본다. 이 미아리 고개의 박수가 그곳에 그치지 않고 4월 20일부터 4월 26일까지 온 서울 장안에 메아리칠 수 있었던 것은 바로 그 사실을 보도한 한 외국 기자의 공로다. 국내 기자는 아무도 그것을 취재한 사람이 없었다.

신문 만들기 어려웠던 계엄 정국

그 후 나는 우연히 4 · 19 보도의 소영웅을 유럽에서 해후했다. 1964년 인스부르크 동계 올림픽을 취재하러 갔을 때 크레이머 기자는 북한 최초의 올림픽 참가를 보도하기 위해 바르샤바에서 달려와 있었다. 4 · 19의 옛 얘기를 꺼냈더니 그때는 도쿄 특파원을 하느라 애써 힘든 일본말을 겨우 배워놓고 나니 본사에서 바르샤바로 전출시키는 바람에 이제는 폴란드 말을 배우느라 죽을 지경이란 엄살을 떨고 있었다. 그도 지난해 작고했다는 사실을 나는 '관훈 저널' 에 쓰신 황경춘 선배님의 글을 통해 알게 됐다.

계엄령 하에 신문 만들기란 쉬운 일이 아니다. 밤을 새고 편집을 해서 조판을 한 다음엔 대장을 계엄사령부에 보내 검열을 맡아 와야 한다. 때가 때인지라 논설이건 기사건 도처에 삭제 지시가 내린다. 그 부분을 깎아내고 인쇄된 신문은 글자 그대로 '벽돌 신문' 몰골이었다.

4월 20일 오후 나는 무얼 사회면 톱기사로 올릴 것인지 고민하고 있었다. 그때 어느 부인한테서 전화가 걸려왔다. 그이는 어제 총을 맞아 피 흘리고 있는 부상 학생들에게 수혈할 사람을 구한다는 소식에 이웃들과 함께 대학병원으로 달려갔다고 한다. 그러나 병원은 헌혈 자원자로 넘쳐 있었다. 그래서 노약자와 부녀자들 헌혈은 사양한다는 병원 측의 설득으로 하는 수 없이 되돌아 온 그녀들은 다시 궁리를 했다. 우리가 할 수 있는 일은 없는가 하고…. 썰렁한 병원 침대에서 신음하고 있는 부상자 중에는 아무도 돌보아줄 사람이 없는 시골서 온 대학생들도 있을 것이다. 피를 많이 흘린 그들이 얼마나 목이 타고 있을까. 여기에 생각이 미친 그녀들은 곧장 가게에 가서 주스를 있는 대로 모조리 사 들고 병원으로 갔다. 전화는 그들이 병원으로 가는 길목에서 걸어왔던 것이다. 자기네들 힘만으로는 부상자 구호에 큰 효험이 없을 것이기 때문에 신문사에 협조를 부탁한다는 것이었다.

사회부에는 모두 취재 나가고 아무도 없었다. 나는 '데스크'를 비워 둔 채 사진 기자를 데리고 직접 뛰어가 보았다. 그래서 위문품을 함께 전달하고 병상의 현장을 취재하고 돌아와서 기사를 쓰고 제가 쓴 기사를 다시 제 손으로 편집을 했다. 계엄령 하에 나갈 수 있는, 아니 계엄령 하에 나가야 되는 '톱' 기사는 바로 이것이다 라는 흥분을 달래가면서….

"병상의 신음에는 '정치'가 없다. 부상자는 구해 놓고 보자"는 헤드라인으로 '컷'을 떴다. 그리곤 이름 없는 동네 아낙네들이 시작한 위문품 갹출의 나이팅게일 운동을 그네들이 신문사에 보낸 편지와 함께 소개했다. 신문 대장이 계엄사령부에서 검열 필의 도장을 찍고 돌아왔을 때는 새벽 서너 시 경. 다행히 3면 '톱' 기사는 거의 삭제되지 않고 검열을 통과했다. 새벽 다섯 시 통금 해제를 기다려 집에 돌아가 잠깐 눈을 붙일 겨를도 없이 아침 10시쯤 다시 신문사로 나왔다.

신문이 인쇄되고 독자들에게 배달된 후 아침 10시까지 몇 시간이 지났을까. 놀라운 것은 편집국에 들러보니 그 사이 벌써 간호금품이(모두 익명을 요구하는 인사들로부터) 무려 1백여만 원이나 들어온 사실이었다. 4월 21일에 시작한 이 모금 캠페인은 1주일이 지난 28일에 이미 1억 원을 돌파했다. 그건 정부가 과거 각종 이재민 구호를 위해 모금을 했을 때 수개월에 걸쳐 답지한 금액을 훨씬 능가하고 있었다. 4 · 19를 회상할 때면 이 나이팅게일 운동을 시작한 이름 없는 부인들의 존재를 잊을 수 없다. 그들은 그들대로의 4 · 19를 살고 싸운 소영웅들이다.

'승리의 화요일' 4월 26일

드디어 이승만 박사가 대통령직의 사임을 발표했다. 거리는 아직도 가라앉지 않은 분노와 승리의 도취감에 뒤범벅이 된 시위 군중으로 뒤숭숭했다. 동상이 파괴되고 옛 세도가 집엔 불이 질러지곤 했다. 다른 석간들은 이들 성난 군중의 거친 발톱 자국을 대대적으로 보도하고 있었다. 이날의 신문 편집도 나에게는 가장 어려웠던 제작의 순간으로 기억되고 있다. 거리의 시위 군중이 이제는 흥분과 방종을 자제해야 할 때라 나는 생각했다. 그러나 거리는 완전 무정부 상태였다. 모든 권위와 우상은 하루아침에 파괴되어 버렸다. 아무도 아무를 명령할 수가 없었다. 만일 신문이

섣불리 시위와 파괴를 자제하라고 넙죽거렸다가는 신문사가 습격당할지도 모르는 상황이었다.

타사의 석간 1판이 이미 거리에 나돌기 시작했는데도 나는 기사를 마감조차 하지 못했다. 만일 서울시 일각에서 질서 회복을 위한 어떤 미미한 움직임이라도 잡히기만 한다면 나는 그 기사를 '톱' 이나 '중간 톱' 으로 세우겠다고 작심하고 있었다. 그러나 4월 26일 오후 그러한 움직임은 있는 것 같지 않았고 있을 것 같지도 않았다. 석간신문의 마감 시간과 싸우는 초조한 긴장 속에 묘안이 떠올랐다.

다시 병원으로 달려가라고 취재진에 부탁을 한 것이다. 4월 26일의 무정부 상태에서 아무도 그 말만은 거역 못하는 '권위' 가 있다면 그건 4 · 19의 부상자들이 누워있는 병원밖엔 없다고 깨달았기 때문이다. 4 · 19 총상의 핏자국이 아직 아물지 않은 학생 혁명 주인공들의 입을 통해서 질서 회복의 호소를 얻어오자는 것이었다. 만일 그들이 그 뜻을 받아주지 않는다면… 그때는?

그러나 모든 것은 불필요한 기우로 끝나고 말았다. 사회부의 몇 기자가 병원으로 떠나자마자 대학가에 나가 있던 담당 기자가 돌아왔다. 바로 소망했던 기사를 들고…. 26일 오후 1시가 지나면서 몇몇 대학에선 학생들이 질서 유지를 호소하는 데모를 시작했다는 것이다. 나는 그 얘기를 듣고 더 이상 기다릴 수 없어 편집국이 아니라 공무국에서 구술 기사로 사회면 톱을 만들어 판을 짰다. 그렇게 해서 소원했던 대로 4월 26일의 가장 냉정한 석간신문을 내놓을 수 있었다.

4월 26일의 승리를 젊은 목숨과 유혈의 대가로 전취(戰取)한 대학생들 – 그들이 누구보다도 먼저 데모의 깃발을 거두고 내일을 생각하는 이성을 시위한 사실을 생각해 보면 나는 그들이야말로 진영웅(眞英雄)이라 일컫는 걸 주저할 수 없다. 4 · 19는 물론 이들 참된 영웅들의 것이다. 그러나 그건 또한 그를 둘러싼 무수한 소영웅, 이름 없는 많은 시민들의 것이기도 하다. 4 · 19에 어떤 자리에서든, 어떤 수단으로든 참여한 모든 사람들에게 4 · 19는 저마다 '나의 4 · 19'로 간직되고 있다. 나에게 있어서도 그렇다.

최정호 | 1933년 9월 21일생. 한국일보 기자 · 편집위원 · 서독특파원 · 논설위원, 중앙일보 논설위원, 성균관대 교수, 연세대 교수

장도영 장군 50일

장도영, 그는 2001년 발간된 그의 회고록 '망향'에서 쿠데타 진압에 나서지 않은 것에 대해 '어떤 일이 있어도 반란군과 진압군 간, 즉 아군끼리의 유혈은 막아야 되겠다는 일념뿐이었다'고 밝혔다. 이제 그는 자신에게 쏟아지는 어떤 의혹에 애써 해명할, 비난에 가슴 아파해야 할 사바세계로부터 '영원한 해방 공간'으로 가버렸다.

한기호

장도영 장군이 지난 8월 3일(현지 시간) 미국 플로리다의 휴양 도시 올랜도에서 89세를 일기로 별세했다. 그는 38세에 대한민국의 운명을 바꿀 수 있는 정점까지 갔다가 급전직하 영어의 몸이 되는 등 극적인 삶을 살았다. 40세에 그는 '자의 반 타의 반'으로 한국을 떠나 나머지 49년을 망명지 아닌 망명지 미국에서 정치학자로서 평범한 삶을 살다가 조용히 생을 마감했다.

5 · 16 당시 육군 참모 총장이었던 그는 혁명 주체 세력에 의해 거사 당일에는 군사혁명위원회 의장으로 추대되고, 그리고 곧 이어 국가재건최고회의 의장이 되면서 내각 수반, 국방부장관, 육군 참모 총장, 계엄사령관까지 겸임하게 되었다. 그는 외형상 혁명 정권의 제1인자였으나 혁명 50여일 만에 반혁명 세력으로 몰려 부하 44명과 함께 구속되고 군사 재판에서 사형 구형을 받는 비운을 맞았다. 결국 무기징역을 언도받고 특사로 풀려난 후 1963년 미국 미시간 주립대학에서 정치학을 연구한다는 명목으

로 한국을 떠났다.

그는 5·16을 전후해 분명치 않은 행적으로 많은 의혹을 남기고 말았다. 쿠데타 일주일 전인 5월 9일 장면 총리가 그를 불러 "박정희 일파가 쿠데타를 일으킨다는데 어찌 된 것이냐?"고 묻자 "천만의 말씀이십니다. 그런 일이 있겠습니까?"라며 대수롭지 않은 반응을 보여 그가 쿠데타를 비호했다는 의혹을 사기도 했다. 오히려 그는 쿠데타 음모를 하루 전에야 알았고 방첩대를 동원해 조사를 실시했으나 거짓 보고로 저지에 실패했다며 쿠데타 동조설을 부인했다.

그는 2001년 발간된 그의 회고록 '망향'에서 쿠데타 진압에 나서지 않은 것에 대해 "어떤 일이 있어도 반란군과 진압군 간, 즉 아군끼리의 유혈은 막아야 되겠다는 일념뿐이었다."고 밝혔다. 이제 그는 자신에게 쏟아지는 어떤 의혹에 애써 해명할, 비난에 가슴 아파해야 할 사바세계로부터 '영원한 해방 공간'으로 가버렸다. 그의 별세 소식에 인간사의 무상함을 새삼스럽게 절감하면서 5·16 쿠데타가 일어난 날 한국일보 사회부 기자 초년병으로 육군본부에서 그를 처음 본 후 취재 현장에서 그를 체험했던 몇 가지 기억을 되살려 기억속의 취재일지를 펴본다.

1961년 5월 16일

일상처럼 아침밥을 먹고, 매일 아침 들러야 하는 동대문 경찰서(지금의 혜화 경찰서)로 가기 전 언제나 그러했듯이 데스크로 전화하기 위해 집 건너편 전파상으로 갔다. 집에는 전화가 없던 시절이라 아침마다 전화를 빌려 쓰는 집이었다. 전파상에 들어가 보니 라디오 앞에 사람들이 모여서서 아나운서가 발표하는 소리에 귀를 기울이고 있었다. 분위기가 자못 심각했다. 아나운서(박종세)는 혁명군의 궐기문과 혁명 공약을 낭독하고 있었다. 나는 직감적으로 '큰 일이 났구나.' 했다. 말로만 듣던 군사 쿠데타였다.

나는 데스크로 전화를 돌렸다. 언제나 출근 시간보다 조금 늦게 출근하는 이원교 사회부장이 직접 전화를 받는다. 큰일이 생겼으니 빨리 회사로 들어오라는 명령이었다. 회사에 들어와 보니 평상시와는 달리 장기영 사장을 비롯해 홍유선 부국장 이하 대부분의 간부들이 출근해 있었다. 장 사장은 편집국장 자리를 차지하고 앉아 걸걸한 목소리로 진두 지휘하는 등 편집국 안은 흥분과 긴장감의 휩싸여 있었다.

이원교 부장은 국방부 출입 기자인 윤종현 기자(당시 사회부 차장)에게 당장 육군본부로 가라는 것이었다. 그리고 나보고는 "윤 기자를 따라 나가라."고 했다. 육군본부에 도착해보니 연병장은 포차를 타고 온 포병부대원과 해병부대원으로 꽉 차 있었다. 혼란의 소용돌이 안에 있었다. 장관조차 행방불명이 된 상태인 국방부의 보도과는 과장 홍천 대령(후에 공보부 방송관리국장 역임)이 장교, 사병 몇 사람과 함께 자리를 지키고 있었다. 그는 방송을 듣고 허겁지겁 뛰어 나왔다고 했다. 그에 의하면 6군단 포병부대는 새벽 3시쯤 그리고 해병대는 한 시간 쯤 늦게 들어왔다는 것이다. 갑작스러운 쿠데타군의 점령을 보고받은 장도영 육군 참모 총장은 6시 30분쯤 매그루더 유엔군 사령관과 1시간쯤 회담을 가진 뒤, 8시경부터 각 군 참모총장을 비롯한 장성들과 혁명군 장교들이 대좌하는 회의를 3시간 이상 하고 있다고 귀띔해 주었다.

언제 끝날 줄 모르는 회의라 회의장으로 가보기로 했다. 그러나 회의장으로 가는 통로는 헌병들이 막고 있었다. 할 수없이 회의장에서 육참총장실로 통하는 복도에서 기다리기로 했다. 윤 차장과 나는 복도 양쪽에 마주서 있다가 총장이 나오면 동시에 튀어나와 진로를 막으면서 질문을 던져보기로 했다.

한 시간쯤 되어서 장 총장을 선두로 수십 명의 장성들의 무리가 회의장을 나와 총장실 쪽으로 걸어오고 있었다. 나는 평생 그렇게 많은 '별'을 본적이 없다. 순간 윤 차장은 장 총장 앞쪽으로 다가서며 "각하, 한국일보 윤종현 기자입니다. 회의는 어떻게 되었습니까? 무엇이 결정되었습니까?" 했다. 장 총장은 검정 선글라스 너머로 윤 차장과 나를 확인하듯 쳐다보고는 긴장되고 피곤한 목소리로 "결정된 게 없습니다. 아직은 없어요." 하고는 잠시 멈칫했던 걸음을 빨리하고 걸어갔다. 우리는 이내 그를 뒤따르는 장성들, '별들의 행렬'에 휩싸이고 말았다.

다음날 도하 각 조간신문에는 장도영 국가혁명위원회 의장 명의로 "이번 혁명은 사회 전반에 만연한 부패 무능을 일신하는 것이 목적이며 권력과 명예를 탐낸 것이 아니다."라는 성명이 실려 있었다. 후일 혁명 주체들의 증언에 의하면 오전 전체회의에서는 결정된 것이 없었다. 그러나 진압이냐, 타협이냐의 갈림길에서 장 총장이 타협 쪽으로 방향을 잡음으로써 5·16 혁명의 물길은 1961년 5월 16일 오후를 분수령으로 한쪽으로 흐르기 시작했다. 대한민국의 운명이 결정되는 긴 오후였다.

1961년 5월 19일

출근 전 사회부 데스크로 전화하기 위해 전파상으로 갔다. 전화를 거니 이원교 부장이 "지금 육군 사관학교 생도들이 데모를 하고 있으니 당장 현장으로 가라."고 지시를 했다. 무슨 일로 데모를 하는지 알 수 없으나, 육사생들이 트럭을 타고 동대문 부근까지 와서 서울시청 쪽으로 행진해 들어가는 모양이니 현장으로 빨리 가라는 것이었다. 나는 신당동 네거리부터 뛰기 시작했다. 20여 분 달리다보니 종로 5가쯤에서 대오를 지어 행진하는 생도대를 따라 잡을 수 있었다. 내가 상상했던 데모와는 거리가 멀었다. 구호도 없고, 소란스러움도 없었다. 열병식을 하는 모양으로 대오 정렬하여 시청 쪽으로 행진해가고 있었다. 생도들을 지휘하듯 함께 걸어가는 장교에게 물어보니 지난 16일의 '혁명'을 지지하는 데모라는 것이었다. '육사생 데모대'를 따라 시청 앞 광장에 도달해 보니 미리 보고가 있었던 듯 장도영, 박정희 장군이 막료들과 시청사 앞에서 기다리고 있었다.

장도영 장군이 서 있는 청사 계단의 한 단 아래 서있는 박정희 장군을 처음 보는 순간이었다. 혁명 장교들에 둘러싸여 부동자세로 서있는 박 장군의 표정은 검정색 선글라스의 탓도 있지만 도저히 읽을 수가 없었다. 그는 행사 내내 표정 없이 부동자세를 흩트리지 않은 채 서 있었다. 반면 장 장군은 16일 낮과는 달리 밝고 활기차 보였다. 무언가 자신에 찬 듯한 모습이었다. 연대장 생도가 혁명 지지 선언문을 읽어 가는 동안 가죽 지휘봉을 휘어 보이는 등 16일의 지쳐 보이는 등 들뜬 듯하던 모습은 찾아볼 수 없었고 학생 대표들과 악수를 나눌 때는 시종 미소를 띠며 격려하는 여유로움마저 보여주었다.

다음날 조간에는 혁명위원회 대신 국가재건최고회의가 설립되고 의장에 장도영 중장이 추대되고 내각수반, 국방부장관도 겸하게 되었다는 기사가 일면 머리기사로 실렸다.

1961년 5월 22일

그날은 취재용 지프차를 타고 고려대학교를 가보기로 했다. 장정호 부장(대우)이 아이디어를 내서 내 출입처가 경찰서에서 대학으로 바뀌었기 때문이다. 5 · 16 직후 임시 경찰서장에 군인들이 임명되어 오고 군인 위병이 문 앞에 서 있는 상황에서 경찰서 출입은 고사하고 취재원에 접근하는 것조차 어려운 실정이었다. 당시 초년병 기자들이 하는 일이라야 서울시청에 설치된 계엄사령부 검열과에 신문 대장을 가지고 가서 검열이 떨어질 때까지 잡담이나 하며 기다리는 것이 고작이었다. 그러니 대학을 찾아다니면 새로운 연구에 관한 것 등 여러 가지 기사거리를 얻을 수 있을 것이라는 게 장정호 부장의 아이디어였다. 그날 고려대학교에 가는 것은 현승종 교수가 한국일보에 싣기로 한 칼럼 원고도 받아 오는 일도 겸해 있었다.

우리 지프차가 고려대학교 본부에 도달할 즈음에 갑자기 뒤에서 경광등을 번쩍이는 헌병 호위차를 선두로 일단의 군용 지프차의 행렬이 달려오고 있었다. 차를 길가로 비켜 세우는 사이 여러 대의 지프차가 지나갔다. 맨 앞 별 셋의 별판을 단 차에 예의 선글라스를 낀 장도영 국가재건최고회의 의장 겸 내각 수반이 타고 있었다. 나는 본부 건물 현승종 교수실로 뛰어 올라가 무슨 일이 있느냐고 묻자, "학생들을 상대로 군사 혁명의 당위성을 설명한대지?! 고려대학이 4 · 19 혁명에 앞장섰었으니까 신경이 쓰이는 모양이지?!" 했다.

나는 강당으로 종종 쓴다는 대 강의실로 갔다. 장 의장의 강연은 이미 시작되었고 강당은 학생들로 꽉 들어 차 있어서 학생들 사이를 비집고 들어가서 맨 앞줄 빈자리 하나를 얻어 앉았다.

장 의장은 강단 위에 임시로 마련된 책상에 앉아 "별의 별 이유를 달아, 별의 별 이름의 단체가 벌이는 데모로 하루도 편안한 날이 없고, 국회의장석까지 데모대에 점령당하는 등 온갖 사회적 혼란에 대처하지 못하는 민주당 정권의 무능과 부패를 보다 못해 군이 궐기했다."는 군사 혁명의 당위성을 역설했다. 나는 열심히 강연 내용을 메모해 나갔다. 그는 한참 강연을 하다가 느닷없이 엇비스듬히 뒤에 서있는 장교 한 명을 손짓으로 불렀다. 다가온 장교에게 눈짓으로 나를 가리키며 귀엣말로 무어라고 했다. 나는 직감적으로 '내게 무슨 일이 생기겠구나.' 하는 생각이 들었지만 그냥 메모만 계속 했다.

조금 있다 중령 계급장을 단 군인이 내 옆에 와 섰다. "당신 무어야?" 어조가 고압적이었다. "신문 기자입니다." "어느 신문 기자냐구?" "한국일보 기자입니다." "기사 써가지고 내각 수반실로 가져와." "내각 수반실 누구한테 가져갑니까?" "나 박 중령이야." 그리고 그는 돌아서 가버렸다.

약 한 시간에 걸친 '혁명 설명회' 가 끝나고 회사로 들어오니 편집국에는 홍 부국장, 김자환 정치부장, 사회부장 등 간부 여럿이 기다리고 있었다.

"혁명을 성공적으로 완수하자면, 미국의 지원이 절대적으로 필요하다. 내가 국가재건최고회의 의장 및 내각 수반의 자격으로 방미하려고 미국 측과 접촉 중이다. 지난주 부임한 버거 주한 미국대사와도 협의 중이다." 등의 장 의장 강연 내용을 보고하자 이원교 부장은 "이건 1면 톱 감이야." 하며 당장 기사를 쓰라는 것이었다. 내가 한 장씩 써 내려가자, 옆에서는 장정호 부장대우가 '데스크'를 보아 넘기면 원고가 사회부장, 정치부장을 거쳐 공무국으로 내려갔다.

기사 작성이 거의 끝나갈 무렵 회사로부터 연락을 받고 정치부 임삼 차장이 황급히 들어왔다. 내 이야기를 듣고 "내각 수반실에는 박 중령이라고는 없는데… 혹시 방 중령을 잘못 들은 거 아냐?" 하고는 초교대장을 들고 내각 수반실로 갔다. 일이 끝나고 나니 오후 2시가 넘어 있었다. 늦은 점심을 먹으러 갔다. 점심을 먹고 오니 임삼 차장이 기사를 쓰고 있다가 이원교 부장에게 다가가 귀엣말로 무어라 한참을 이야기하고 자기 자리로 돌아가 앉는다. 조금 있다 이 부장이 나를 불러 "내각 수반실에서 자네 기사, 2, 3단 정도로 줄이라는구만." 했다.

저녁 때 퇴근 전 인쇄된 조간 지방판을 보니 "장 수반, 고려대서 학생들과 대화, 조속한 시일 내 민정 이양'의 제목으로 3단 짜리 기사로 실려 있었다. 나는 너무 실망스러워 동료들과 술을 마시며 푸념을 해댔다. 다음날 아침 배달된 시내판에는 그마저도 빠져 있었다. 나는 임 차장에게 물어보고 싶었다. 그러나 그리하지 않았다.

그 후 20년이 지나 우연한 기회에 임삼씨를 만났다. 그는 그동안 유정회 국회의원도 마치고 정권도 바뀌어 새로이 무슨 일을 하고자 할 때였다. 나는 그때 기사가 쪼그라들고 종내 빠지게 된 연유를 물어보았다. "그때 그런 기사가 나가게 됐나? 고려대학에 가서 그런 이야기한 게 실수였지. 중앙정보부에서 그의 일거수일투족을 들여다보고 있던 때인데. 자기 딴에는 혁명의 당위성이나 앞으로의 계획에 대해서 순진하게 학생들에게 설명했지만 가만히 생각해 보니 그게 아니었던 거야. 신문에 나가면 무슨 꼬투리를 잡힐지 모르는 상황이었지. 하여튼 당신이 쓴 기사를 가져가니까 막료들하고 수반실에서 한참 동안 구수회의를 하더군."

그리고 장도영 반혁명 사건이 발표되기 전 수일간 내각 수반실 주위의 긴박했던 상황을 이야기해 주었다. "장 장군하고 나는 동갑이라 서로를 잘 아는 사이라서 하는 이야기지만, 그이는 유복한 집에 태어나 순탄한 길을 걸었기 때문에 음모를 하고, 역풍을 이겨 내는 것과는 거리가 먼 사람이었지."

장 장군은 1923년 평안북도 용천에서 태어나 신의주에서 초등 교육을 받고, 1944년 일본 도요대학 사학과를 졸업한 다음 중국에서 일본군 소위로 군에 입대했다. 해방과 더불어 귀국해서 신의주 동중학교에서 교편을 잡다 다음해 월남하여 영어군사학교에 입교, 1개월 교육받고 육군 소위로 임관함으로써 남한에서의 군 생활이 시작되었다. 그 뒤 고속 승진하여 민주당 정권 출현과 더불어 육군의 최고 정점에 올랐고, 5 · 16을 맞아 군사 혁명의 '얼굴 마담' 역을 하게 됐다. "가난이라는 척박한 토양에서 들풀처럼 성장한 대부분의 혁명 주체들을 다루기에 그의 성장 배경은 너무 유복했고, 지식인적이었다."라는 어느 정치학자의 평이 설득력을 갖는 대목이다.

한기호 | 1937년 11월 30일생. 한국일보 사회부 기자, 코리아타임스 기자, 동양방송 TV 프로듀서, 서울신문 정치부 기자, 운송신문 대표이사 · 사장 · 발행인, 한국전문신문협회 회장

어느 문화부 기자의 회고담

> 나의 전반 인생은 오로지 신문사 문화부 기자로 시종하였다. 지금 회고하면 무척 힘들고 고단했으나 그래도 보람 있고 자랑스러운 세월이었다.
>
> **호현찬**

서울신문사 입사가 결정되었다는 전보를 받고 다니던 지방 신문사에 사직서를 내고 서둘러 서울행 밤차를 탔다. 차창을 스치며 명멸하는 불빛과 겹치듯 20여 년간 살아온 고향의 추억이 주마등처럼 꼬리를 물고 흘렀다. 서울이 가까워지면서 낯선 땅에서 살아갈 앞날이 조금은 불안했으나 어차피 내가 감내해야 할 일이라고 다짐했다.

서울신문사 입사는 지방 신문사에 있을 때 각별한 보살핌을 주신 이영진 충남도지사의 권고와 적극적인 주선으로 이루어진 것으로 무척 고마웠다.

1955년 9월 17일, 서울신문사 사장으로부터 사령장을 받고 이덕근 문화부장의 안내로 문화부에 자리를 잡았다. 책상 위에 큼직한 잉크스탠드와 펜대가 놓여 있었고 75자 칸의 손바닥만 한 원고지 용지가 눈에 띄었다.

문화부에는 4면(문화면)을 편집하는 김대우 선임 기자만 있었다. 이 작은 인력으로 어떻게 문화면을 메워야 하는가? 몹시 불안했다. 당장 오후에 나갈 원고를 받아와야만 했다. 신문사에는 몇 대의 지프차가 있지만 정치부나 사회부의 전용물 같이 되어 문화부에서 얻어 타기에는 어림도 없다고 선임 김 기자가 귀띔해주었다. 6 · 25 전쟁 때 입수했다는 2인승 소련제 사이드카 한 대가 있어 그 날 요행으로 시승하게 되었다. 나를 실은 사이드카는 혼잡한 서울 거리를 누비면서 쏜살같이 달렸다.

고단했던 원고 배달원

원고를 얻기 위해 필자를 직접 만나야 하고, 약속한 날에 원고를 찾아와 신문에 낸 후, 원고료를 전달해야 하는 3중고를 치러야 했다. 전화를 가진 필자를 만나기도 어려웠다. 달랑 주소 한 장 가지고 언덕을 오르고 골목을 헤매기 일쑤였다. 원고가 늦거나 하면 두세 번 갈 때도 있었다. 강의가 끝나기를 기다리던 지루한 시간, 잘 나간다는 다방에서 서너 시간 나타나기를 기다리던 때도 있었다. 초임 기자는 우선 이 원고 배달의 과정을 겪어야만 했다.

입사한지 한 달쯤 되던 날, 명동에서 여성문제와 관련된 주제로 세미나가 열리게 되어 취재에 나섰다. 주제도 적절하고 연사들의 면면들도 신선하여 기대가 되었다. 처음으로 나의 취재 기력(氣力)과 문화부 기자로서의 실력을 검증받는 느낌이어서 긴장하였다. 예상한대로 세미나의 내용은 들을 만 하였다. 열심히 메모하고 속기하였다. 거의 밤을 새다시피 해 원고를 썼다. 꽤 많은 분량이었다. 다음 날 아침, 출근하자마자 부장에게 원고를 전달하였다. 원고를 읽어가는 부장의 표정이 긴장하는 것 같았다. 부장은 원고를 가지고 국장석으로 가더니 국장의 지시를 받고 자리에 돌아와 수고했다고 치하했다. 워낙 원고량이 많아 편집을 바꿔야만 했다. 나는 비로소 문화부 기자로서의 검증을 통과한 것 같은 느낌이었다.

문화부 기자의 본령을 찾아서

원고 배달원에서 문화부 기자로 거듭난 나는 취재의 공간을 넓히는 데 노력하였다. 문화부 단신으로 신문사에 보내온 잡다한 기사를 정리하면서 취재거리가 될 만한 것을 느끼면 지체 없이 현장으로 달려가 기사를 만들기도 했다. 문화는 바다와 같이 넓고 깊은 곳이다. 그 속에 묻혀 있거나 가려져있는 기사거리를 심층으로 탐색하면 좋은 문화 기사가 된다는 것을 깨닫게 되었다. 틈나는 대로 문화의 현장을 찾아갔다. 미술 전시, 연극 공연, 음악 콘서트, 영화 스튜디오 등 문화를 창조하는 현장은 많다. 신문의 문화는 어디까지나 저널리즘의 문화이다. 시사성이 있고 대중들이 쉽게 수용할 수 있는 문화이어야 한다는 것이 나의 지론이었다. 그러기 위해서는 전문성을 갖춘 문화부 기자의 인력을 보강하는 것이 선결 문제였다. 낮에는 문화 현장 탐방, 밤에는 내가 가장 좋아하는 영화 보기로 문화부 생활은 고달프지만 즐거웠다. 개봉한 국산영화나 이름난 외국영화를 보고 짤막한 영화평도 쓰기 시작하였다. 문학청년기에 영화책도 꽤 많이 읽었고 시나리오 습작도 하였다. 신문에 '湖'라는 이니셜로 쓰기 시작한 영화 단평은 호평이었다. 이 덕으로 후에 라이선스도 없이 영화평론가로 불리게 되었다. '갯마을'(오영수 원작, 김수용 감독), '만추'(이만희 감독)와 같이 영화사에 남을만한 문예영화도 제작하였으며, 영상자료원의 이사장, 영화진흥공사의 사장 등 영화 관련 공직을 맡기도 했다.

서울신문 문화부에서 배출된 유명 인사들

마침내 문화부의 충원이 이루어졌다. 공채로 입사한 신우식 기자는 문화부가 적성 같았다. 성실하고 성품도 원만한 신 기자는 편집국의 요직을 두루 겪고 후에 사장으로까지 승진하였다. 가정란의 베테랑으로 정평 있는 박현서 여기자가 가세하게 되고, 여류 소설가 박경리씨도 문화부의 식구가 되었다. 후에 대작 '토지'를 쓰고 문단의 거장이 된 작가이다. 김옥자 여기자도 잠시 문화부에 있었다. 박현서, 김옥자 두 기자는 그 후 국회의원이 되었다.

어느 날 덕수궁 안에 있는 국립박물관장실에 들렀다. 마침 김재원 관장이 있었는데 김 관장은 나를 보자마자 수심에 찬 표정으로 "큰일 났어요." 하면서 자유당 정권과 가까운 사람들이 8만대장경을 모시고 있는 전각지붕의 기왓장을 황동와(黃銅瓦)로 바꾸는 계획이 진행되고 있다, 만약 그렇게 되는 날에는 복사열 때문에 큰일이 일어날 수도 있다고 크게 우려하는 말을 하는 것이었다. 거대한 정치 세력이 배후에 있어 무척 고뇌하는 눈치였다. 신문사에 돌아가서 즉시 기사를 썼다. 그리고 며칠 후 김 관장을 만났더니 김 관장은 반색을 하면서 호 기자가 큰일을 했다, 황동와 사건은 끝났다고 말했다. '황동와 사건'이라는 이름으로 나의 메모첩에 남아 있는 사건이었다.

서울신문사를 떠나며

1958년 12월 어느 날이었다. 동아일보사 권오철 문화부장으로부터 만나자는 전화가 왔다. 권 부장은 같은 문화부 기자로서 알고 지냈지만 친숙한 사이는 아니었다. 한 다방에서 만났다. 권 부장은 단도직입적으로 "동아에서 일할 생각이 없느냐?"고 말문을 열었다. 전혀 예측하지 않았던 제의라서 당황하여 좀 시간을 달라고 했다.

동아일보사는 신문의 명문이고 역사가 있는 곳이라 신문 기자라면 한 번 가고 싶은 곳이고 대우면에서도 상급이었다. 그러나 지방 신문 기자를 서슴없이 받아 준 서울신문사에 대한 예의나 의리를 생각하면 망설임이 있었다. 며칠 동안 숙고한 끝에 스카우트 제의에 응하기로 했다. 경제적인 사정 때문에 아이들을 대전 처가에 남겨둔 채 아내도 친정 신세를 지고 있는 처지를 생각하면 조금이라도 수입이 나은 쪽을 택해야 했던 속사정이 있었기 때문이다. 다시 만나기로 약속한 날 권 부장의 제의에 응하기로 했다.

그날 저녁 서울신문 고제경 국장의 퇴근 시간을 기다려 국장에게 사직서를 건네며 수락해 줄 것을 간청하였다. 국장은 매우 놀란 표정으로 더 말도 못 붙이게 하여 떠밀려 국장실을 나왔다. 마침 야근으로 남아 있던 이혜복 사회부장에게 사연을 말했다. 이 부장은 웃으면서 신문 기자는 철새 같아서 떠날 때는 말없이 행동할 수밖에 없다면서 자신의 신문사 편력을 이야기했다. 짐을 꾸리고 간곡한 편지를 써서 국장실에 남겨둔 채 서울신문사를 퇴거하였다. 나쁘게 말하면 야간도주한 셈이어 서 맘이 무거웠다. 3년 여 진땀을 흘렸던 직장이었다. 이제 겨우 문화부 기자 일을 할 만한 때 떠나게 된 것이 무척 괴로웠다.

1958년 12월 21일 동아일보사에 첫 출근했다. 첫 인상은 어딘가 고운때가 묻어있는 전통과 같은 것을 느꼈다. 청소 아줌마가 열심히 층계의 난간을 닦고 있는 모습이 눈에 띄었다. 동아일보사의 문화부는 인력도 많았고 편집국의 분위기는 사뭇 가족적인 것 같았다. 동아일보사에 재직하는 동안 겪은 에피소드도 많지만 지면 관계로 다 털어놓을 수 없어 가장 나에게 감명을 준 사건 하나만 쓰기로 한다.

생활 최고의 보람 문화 사업 참여

일을 끝내고 일찍 퇴근한 어느 저녁이었다. 동아일보에 자리를 옮기면서 처가에 있던 아내와 아이들이 서울로 왔다. 나의 퇴근 시간이 빨라질 수밖에 없었다. 대문을 열고 현관에 이르자 왁자지껄한 소리가 들렸다. 작은 집안을 가득 메운 어린이들이 나를 보자마자 손뼉을 치며 인사하는 분위기에 짐짓 놀랐다. 며칠 전 시민회관의 공연장에서 만났던 농아합주단원들이었다. 말도 못하고 듣지도 못하는 농아들이 각고 끝에 합주단을 만들어 음악 공연을 한 것에 놀라 신문에 크게 낸 일이 있었다. 소리를 듣지도 못하면서 타악기를 사용하여 아름다운 화음을 만든다는 것은 상식적으로 이해할 수 없었는데 수준 높은 연주를 하게 된 사연을 기사로 썼었다. 이 합주단은 캐나다, 미국 등 세계 여러 나라를 순회하면서 연주회를 열어 외국의 신문에 대서특필되고 캐나다에서는 신문 사설에까지 났다. 그러나 국내에서는 무관심하여 주목을 받지 못하다가 동아일보에서 크게 다루어진 것이 고마워 나의 집을 방문한 것이었다. 나도 힘껏 후원하기로 결심했다. 나의 신문 기자 생활 중 잊지 못할 날이었다.

4·19를 겪고 동아일보의 사세는 더욱 융성해지는 것 같았다. 일민(一民) 김상만 전무가 명실상부한 경영 책임 자리에 오를 때를 계기로 동아일보사의 문화 사업이 활기를 띄기 시작했다. 1960년 어느 날, 김 전무를 수행하여 미국에서 돌아온 여류 무용가의 환영 자리에 참석하고 돌아오는 차 안에서 이런저런 이야기를 하다가 동아일보에는 이렇다할만한 문화 사업이 없다는 문화계의 여론이 있다고 작심하여 말했다. 사실인즉 그때만 해도 동아일보사의 사업은 고작 여자 연식 정구대회와 마라톤 대회가 있는 정도였다. 김 전무는 명년부터 활발한 문화 사업이 전개될 것이라고 하면서 호 기자도 바쁘게 될 날이 올 것이라는 말을 했다. 김 전무가 오래 전부터 여러 가지 문화 사업을 벌일 것이라고 짐작하였다. 창간 때부터 문화주의를 제창해온 동아일보가 민족 문화의 큰 뜻을 실현할 준비를 하고 있는 것 같았다.

1961년부터 큼직한 문화 사업의 막이 열리기 시작했다. 1961년 제1회 동아음악경연대회(후에 콩쿠르 대회로 명칭 변경)는 천재적인 신인 음악도의 등용문으로 큰 성과를 기약하게 되었다. 나는 지금도 피아노 부문에서 금상을 탄 신수정 양이 신들린 듯 건반을 두드리고 있는 무대 뒤에서 두 손을 한 데 모아 기도하듯 무릎 꿇고 있는 그의 어머니의 모습이 눈에 선하다. 신수정 양은 후에 서울음악대학장까지 지낸 영재였다.

민족 문화 부흥 값진 국악의 향연

1962년 국악의 중흥을 기하며 열린 명인 명창대회도 꺼져가는 민족 문화의 부흥을 위한 값어치 있는 국악의 향연이었다. 같은 해에 베를린 실내 오케스트라의 초청 공연도 열렸다. 1963년에는 사진 콘테스트가, 1964년에는 동아 무용경연대회, 동아 연극상 등이 잇달아 열렸다. 1964년에는 한국의 천재 음악가 한동일의 귀국 연주가, 그리고 1964년 가을에는 세계적인 런던 심포니 오케스트라의 공연이 열렸다.

동아일보에 대한 국민들과 문화계의 성원과 지지 여론이 뜨겁게 높아졌다. 문화부에 몸담고 있는 나도 신나게 뛰어 다녔다. 그 모두가 내가 담당하고 있는 부문이어서 기획, 진행 등에 협력하지 않을 수 없는 일이었다. 문화계 현장을 아는 처지라 정보도 수집하고 심사원 구성, 공연 때의 뒷일 등 매우 바빠졌다.

동아일보의 사업부에는 일제 강점시대에 도쿄제국대학 미학과에서 공부한 경력을 가진 윤현배 부장이 있었다. 문화에 대한 견식이 높았던 분이었으나, 사업부의 인력이 턱없이 부족하여 문화부가 동원되지 않을 수 없었다. 사고나 경연에 참가한 인사들에 대한 프로필 기사는 모두 내가 써야만 했다. 말석이나마 문화 사업에 참여한 것이 즐거웠고 신바람이 났다. 때맞춘 듯 내가 문화부에 있을 때 이러한 문화 사업이 열린 것이 행운이었다. 덕택으로 많은 문화예술인과의 교분도 두터워지고 문화 체험에도 큰 밑거름이 되었다.

방송에도 관심이 많았다. 민간 방송이 하나 둘 나오게 되고 방송의 시대가 머지않아 열리게 되리라 짐작했기 때문이다. 어느 날은 당시의 체신부 전파 관리과에 취재를 갔다. 가용 전파의 실정을 취재하기 위해서였다. 전파관리과장은 쓸 수 있는 전파에도 한계가 있다면서 다소 엉뚱하게도 동아일보와 같은 대 신문사에서 방송에 관심이 없느냐고 말했다. 민간방송 MBC가 서서히 날개를 펴기 시작한 때여서 나 역시 동아에서 방송 사업에 진출하지 않은 것이 이상하긴 했으나, 워낙 보수적인 신문사라서 어림도 없는 일이라고 생각해 왔다. 관리과장의 말을 들으니 다시 생각해 볼 문제 같았다.

신문사에 돌아와 김 전무를 만날 일이 있어 전무실에 들렀다. 그때 전파 관리과에 다녀온 이야기 끝에 관리과장이 동아일보사 같은데서 방송 사업에 관심이 있느냐고 말하더라고 보고했다. 4 · 19를 치르고 난 후 동아일보를 대하는 정부의 자세도 사뭇 달라진 때여서 정부의 관리가 그렇게 말하는 것 같았다. 김 전무는 그때만 해도 큰 관심을 기울이는 눈치가 없었다. 방송의 기업성에 대한 자신감이 없었기 때문인가 싶었다. 나는 선진 외국은 물론 가까운 일본에도 방송 시대가 한창 열리고 있는 사정을 아는 대로 말했다.

며칠 지나고 전무는 나를 불러 방송 이야기를 하자고 하였다. 전무도 여러 사람을 만나서 방송 이야기를 들은 듯 싶었다. 나는 방송 시대가 열리고 있는 필연적 사정을 다시 강조했다. 선진국에서는 TV시대에 진입하고 있는 사정도 말했다. 얼마 지나지 않아 방송사 허가 신청을 위한 구비서류를 준비한다는 소식을 들었다. 이것이 동아방송 탄생의 단초가 되리라고까지는 생각이 미치지 못했다. 최근 동아방송의 재탄생이 가까워지면서 생각나는 일이 많다. 나는 1964년 말 9년간의 문화부 기자 생활을 마감하고 신문사를 떠났다. 전년도에 대수술 끝에 한 쪽 신장을 떼어냈다. 의사는 과로에 의한 병이라고 진단했다. 나의 후반 인생이 시작되었다. 나의 전반 인생은 오로지 신문사 문화부 기자로 시종하였다. 지금 회고하면 무척 힘들고 고단했으나 그래도 보람 있고 자랑스러운 세월이었다.

호현찬 | 1926년 9월 20일생, 서울신문사, 동아일보사 문화부 기자, 한국문화프로모션 대표, KBS 심의위원, 한국영상자료원 이사장, 영화진흥공사 사장

기자들이 쓴 역사 이야기

명기자, 명데스크 못다한 이야기 34 '취재현장의 목격자들+' 2017년 판을 펴낸다. 새로 받은 원고 15편에, 1권에서 5권까지에 수록된 글 가운데 가려 뽑은 글이 19편이다. 재수록한 글들은 지난해 판에 이어 기록할 가치가 크다고 판단되는 것을 기준으로 삼았다.

이제는 없어진 언론사에 대한 추억, 군 기관에 불법 납치돼 폭행을 당했던 어두운 시절의 체험, 육영수 여사 피살 사건, 스포츠 기자의 취재기, 박정희 정권 때의 핵무기 개발 시도, 미국 대륙 횡단기, 박정희 대통령 취재기, 기자의 관계(官界) 진출기, 자유당 정권의 보안법 개정 파동, 외국 기자와 나눈 우정, 최초의 남미 특파원, YTN의 남산 타워 인수기, 외신 기자의 오역과의 싸움, 기자협회장 시절 분투기, 경제 기사 취재기, 고속도로 건설기, '밤의 대통령' 소문의 진상, 중국 취재기, 법조 취재기, 백남준 취재기, 사진 특종기, 기사 언어의 문제점, 언론 탄압 체험, 중공 민항기 불시착 사건, 낙종 이야기, 선거 취재기, 21세기 방송론, 4 · 19의 회상, 장도영 장군의 50일, 문화 기사 취재기 등 흥미진진한 내용들이 펼쳐진다.

현역 언론인들이나 언론을 공부하는 학생들 그리고 일반 독자들에게 좋은 읽을거리가 되리라고 믿는다.

한 가지 아쉬운 점은 새 원고를 받기 위해 50명의 전직 언론인들게 원고 청탁을 했으나 10여 편 밖에 회수하지 못했다는 점이다. 원로 언론인들이 고령으로 인해 집필을 사양할 때 안타까움을 느꼈다.

이런 노력과 아쉬움 그리고 보람 속에서 2017 '취재 현장의 목격자들'을 세상에 내보낸다. 아무쪼록 독자들의 많은 사랑을 받기를 기대할 뿐이다.

유 자 효 편집위원장

명기자, 명데스크 못다한 뒷 이야기 34

취재현장의 목격자들+

2017년 11월 15일 초판인쇄
2017년 11월 20일 초판발행

발행 : 사단법인 대한언론인회

社團法人 大韓言論人會
서울 중구 세종대로 124(프레스센터 1405호)
Tel : (02)732-4797, 2001-7621
Fax : (02)730-1270

기획 · 출판 : 청미디어
신고번호 : 제305-3030000251002001000054호 (신고연월일 2001.8.1.)
주소 : 서울 동대문구 천호대로83길 61, 5층 (화성빌딩)
Tel : (02)496-0154~5
Fax : (02)496-0156
E-mail : sds1557@hanmail.net

정가 : 18,000원
ISBN : 979-11-87861-05-8 (03070)